Fernando Pessoa:
o espelho e a esfinge

Do Autor

Obras Escolhidas de Machado de Assis, 9 vols., S. Paulo, Cultrix, 1960-1961. (Organização, introdução geral, cotejo e texto, prefácios e notas)

A Literatura Portuguesa, S. Paulo, Cultrix, 1960; 36ª ed., 2009.

Romantismo-Realismo e Modernismo, vols. II e III da *Presença da Literatura Portuguesa*, S. Paulo, Difusão Europeia do Livro, 1961; 2ª ed., vol. III, 1967, vol. V, 1971; 4ª ed., vol. III, 1974; 6ª ed., vol. V, 2002.

Camões, Lírica, S. Paulo, Cultrix, 1963; 14ª ed., 2001. (Seleção, prefácio e notas)

A Criação Literária, S. Paulo, Melhoramentos, 1967; 13ª ed., *Poesia*, S. Paulo, Cultrix, 2006; 17ª ed., *Prosa-I*, S. Paulo, Cultrix, 2006; 20ª ed. *Prosa-II*, S. Paulo, Cultrix, 2007; 20ª ed.

Pequeno Dicionário de Literatura Brasileira, S. Paulo, Cultrix, 1967; 7ª ed., 2001. (Co-organização, codireção e colaboração)

A Literatura Portuguesa Através dos Textos, S. Paulo, Cultrix, 1968; 31ª ed., 2009.

A Literatura Brasileira Através dos Textos, S. Paulo, Cultrix, 1971; 26ª ed., 2007.

A Análise Literária, S. Paulo, Cultrix, 1969; 17ª ed., 2008.

Dicionário de Termos Literários, S. Paulo, Cultrix, 1974; 13ª ed., 2006.

O Conto Português, S. Paulo, Cultrix/EDUSP, 1975; 6ª ed., 2005. (Seleção, introdução e notas)

Literatura: Mundo e Forma, S. Paulo, Cultrix/EDUSP, 1982.

História da Literatura Brasileira, 5 vols., S. Paulo, Cultrix/EDUSP, 1983-1989; 3 vols., S. Paulo, Cultrix, 2001, vol. I – *Das Origens ao Romantismo*, 2ª ed., 2004; vol. II – *Realismo, Simbolismo*, 2ª ed., 2004; vol. III – *Modernismo*; 2ª ed., 2004.

O Guardador de Rebanhos e Outros Poemas, de Fernando Pessoa, S. Paulo, Cultrix/EDUSP, 1988, 8ª ed., 2006. (Seleção e introdução)

O Banqueiro Anarquista e Outras Prosas, de Fernando Pessoa, S. Paulo, Cultrix/EDUSP, 1988, 2ª ed. revista, 2007. (Seleção e introdução)

Fernando Pessoa: O Espelho e a Esfinge, S. Paulo, Cultrix/EDUSP, 1988; 3ª ed., 2008.

A Literatura Portuguesa em Perspectiva, 4 vols., S. Paulo, Atlas, 1992-1994. (Organização e direção)

As Estéticas Literárias em Portugal, vol. I – *Séculos XIV a XVIII*, Lisboa, Caminho, 1997; vol. II – *Séculos XVIII e XIX*, 2000.

Machado de Assis: Ficção e Utopia, S. Paulo, Cultrix, 2001.

Massaud Moisés

Fernando Pessoa:
o espelho e a esfinge

3ª ed., revista e aumentada

EDITORA CULTRIX
São Paulo

Copyright © Massaud Moisés

Todos os direitos reservados. Nenhuma parte deste livro pode ser reproduzida ou usada de qualquer forma ou por qualquer meio, eletrônico ou mecânico, inclusive fotocópias, gravações ou sistema de armazenamento em banco de dados, sem permissão por escrito, exceto nos casos de trechos curtos citados em resenhas críticas ou artigos de revistas.

Dados Internacionais de Catalogação na Publicação (CIP)
(Câmara Brasileira do Livro, SP, Brasil)

Moisés, Massaud, 1928 –
M724f
    Fernando Pessoa : o espelho e a esfinge / Massaud Moisés. – São Paulo: Cultrix, 1998.

    Bibliografia.
    ISBN 978-85-316-0169-9

    1. Pessoa, Fernando, 1888-1935 — Crítica e interpretação I. Título.

88-1279   CDD-869.109

Índices para catálogo sistemático:
1. Poesia : Literatura : História e crítica
869.109

O primeiro número à esquerda indica a edição, ou reedição, desta obra. A primeira dezena à direita indica o ano em que esta edição, ou reedição, foi publicada.

Edição   Ano
3-4-5-6-7-8-9-10-11   09-10-11-12-13-14

Direitos reservados
EDITORA PENSAMENTO-CULTRIX LTDA.
Rua Dr. Mário Vicente, 368 — 04270-000 — São Paulo, SP
Fone: 2066-9000 — Fax: 2066-9008
E-mail: pensamento@cultrix.com.br
http://www.pensamento-cultrix.com.br

Sumário

1. Fernando Pessoa e a poesia de *Orpheu* 7
2. Uma reflexão heterodoxa acerca de Fernando Pessoa 29
3. Fernando Pessoa: o espelho e a esfinge 43
4. A questão dos heterônimos 75
5. Ainda a questão dos heterônimos 89
6. Heteronímia e projeto filosófico 101
7. Fernando Pessoa contista 107
8. *O banqueiro anarquista*: banquete sofístico? 119
9. *O Livro do desassossego*: livro-caixa, livro-sensação? 135
10. Fernando Pessoa e o cinema 141
11. Alberto Caeiro, mestre de poesia? – I 155
12. Alberto Caeiro, mestre de poesia? – II 169
13. Fernando Pessoa e os poemas dramáticos 181
14. *O marinheiro*: "La vida es sueño"? 199
15. Fernando Pessoa e o supra-Camões 217
16. Fernando Pessoa e a cantiga trovadoresca 229
17. Fernando Pessoa e a educação do estoico 241
Nota bibliográfica 251

1

Fernando Pessoa e a poesia de *Orpheu*

1

O assunto deste capítulo envolve uma problemática que não pode ser compendiada em poucas páginas sem sofrer perigosas simplificações. A rigor, pressupõe outros estudos focalizando as obras dos integrantes de *Orpheu,* ao menos daqueles que mais alto subiram, como um Mário de Sá-Carneiro e um Almada Negreiros. Forçado, porém, a circunscrever-me ao espaço disponível no momento, somente me resta efetuar uma tentativa de síntese das coordenadas da poesia de *Orpheu,* a ver em que medida colaborou para o equacionamento do que, à falta doutra rubrica, se convencionou chamar "poesia moderna". Por outras palavras, importa localizar as matrizes da renovação órfica, sem as quais a poesia portuguesa do século XX não teria adquirido o perfil que exibe. É fácil reconhecer nos poetas dos últimos decênios as marcas do grupo de *Orpheu,* assim justificando que esbocemos o itinerário de *Orpheu* e sua doutrina estética tendo em vista as rotas que abriu na literatura contemporânea de Portugal.

2

Para definir as fronteiras dentro das quais se movimentou a geração de *Orpheu,* mais de uma data pode ser considerada: sua baliza inicial seria 1912, quando Fernando Pessoa publica em *A águia* uma prosa ensaística já repassada do hermetismo que o caracterizaria e ao grupo que liderou; ou 1915, quando surge a revista *Orpheu*. E seu término seria assinalado pelo aparecimento da *Presença*, em 1927, ou pela morte de Fernando Pessoa, em 1935. Como sabemos, a questão da cronologia, além de arbitrária, não constitui aspecto relevante: pouca diferença faz que selecionemos uma ou outra dessas datas. Por outro lado, toda tendência estética *sempre* ultrapassa os limites temporais propostos pelo crítico ou pelo historiador.

No caso, todavia, pretende-se sinalizar o momento histórico da geração de *Orpheu*, o lapso de tempo em que o seu *corpus* doutrinário permaneceu vivo e atuante. E ainda apontar o quadro em que os participantes de *Orpheu* mereceram, rigorosamente, o epíteto de geração. O fato se deu enquanto durou o órgão que os representava: dois números em 1915 e um terceiro, em 1916, que não chegou a sair. Mas foi o bastante para operar radical transformação na poesia portuguesa. Mutação irreversível, como o tempo veio a denunciar, em que pese a detração de alguns despeitados e a circunstância de o grupo praticamente haver-se desintegrado após o fechamento do periódico. A "pequena história" de *Orpheu* se resumiu a breves meses, mas o suficiente para alterar o panorama da poesia em Portugal.

3

O grupo de *Orpheu* era formado por Fernando Pessoa, Mário de Sá-Carneiro, Almada Negreiros, Armando Cortes Rodrigues (Violante de Cysneros), Alfredo Pedro Guisado, Ângelo de Lima, Raul Leal, Luís de Montalvor e (José de) Santa Rita Pintor, sem contar os brasileiros Ronald de Carvalho e Eduardo Guimaraens, cuja presença demandaria um estudo à parte. Aproximados entre si por coincidência de propósitos, e semelhança de temperamento e informações culturais, determinaram profunda mudança no ambiente português, tornando-se divisor de águas na história do fazer poético em Portugal. Tal ideia, que no princípio do movimento teria sido inconcebível, visto que os membros de *Orpheu* davam a impressão de comprazer-se num *divertissement* inconsequente, está hoje plenamente consagrada.

Grosso modo, o evolver da poesia portuguesa ordena-se ao longo de três segmentos: antes de Camões, isto é, a Idade Média; depois de Camões, do século XVI ao XIX; e após Fernando Pessoa, ou seja, de 1915 aos nossos dias. Reportando-nos apenas às duas etapas finais, observamos que é óbvia a ressonância de Camões em poetas do século passado. Entretanto, em 1915 se processa a ruptura da hegemonia camoniana, e a instauração da hegemonia órfica, ou, mais precisamente, pessoana. Se as centúrias precedentes são camonianas por antonomásia, essa e as seguintes são pessoanas.

4

Para bem interpretar a metamorfose levada a efeito pela geração de *Orpheu,* cumpre enfatizar que Fernando Pessoa e seus companheiros não teriam chegado a tanto se se recusassem a deflagrar uma revolução de base, simultânea da outra. Mas como seu correto enquadramento exigiria a análise do passado poético lusíada, satisfaça-nos por ora assentar que o movimento órfico empreendeu mais do que uma reformulação dos estereótipos líricos e épicos. Intentou uma reforma que implicava toda a cultura portuguesa, no sentido de que procurou redimensionar uma mentalidade, ou um estilo de pensamento.

Embora sem plena consciência programática, ou graças a isso mesmo, desencadearam no terreno estético, e mesmo do pensar filosófico, uma alteração de rumo que outras gerações tentaram inutilmente. Antero, tão próximo, no tempo, da geração de 1915, suicidou-se após convencer-se da impossibilidade de conseguir abalar os padrões mentais dos homens da época. E Herculano, pouco antes, buscara inocular na cultura romântica um pensamento de rigor e de análise objetiva, e também se recolhera a um silêncio ressentido e melancólico depois que os fatos o persuadiram da utopia de suas veleidades reformadoras. Ou o solo não estava devidamente arroteado para a semeadura, ou o semeador fizera demasiado alarde das propriedades salutíferas do fruto, de molde a acordar fantasmas e preconceitos secularmente arraigados; ou ambicionavam a revisão da cultura, que logo se afigurou impraticável. Num caso ou noutro, a renovação gorou.

A geração de *Orpheu* efetuou, até determinado ponto, a transformação requerida, seja porque brotava espontaneamente do seu modo de visualizar os fatos, seja porque ninguém deu por isso no seu tempo: a literatura oficial ou em moda encolheu os ombros ou zombou da "loucura" órfica, incapaz de aperceber-se do que ela significava.

Neste ponto, assalta-nos uma interrogação: como foi que a geração de *Orpheu* alcançou materializar seu desiderato? Em poucas palavras, derrubou os mitos culturais herdados do passado, dessacralizou os modelos conceptuais recebidos de uma tradição tão velha quanto a Idade Média. Mas, por sentirem que um vazio se organizava em resultado desse processo libertador, acabaram erigindo um mito novo, embora sem o discernir claramente. E o mito novo era a Poesia. Entronizando a Poesia como a Verdade que compete aceitar, estavam reafirmando uma tendência peculiar ao português. Sucede, porém, que o faziam com rara lucidez. E é justamente a consciência do poder da palavra poética, além do nível superior a que a alçaram, a primeira característica dessa geração. Em síntese: o grupo de *Orpheu* é por excelência poético.

Constitui estafado lugar-comum afirmar que a literatura portuguesa se caracteriza pelo lirismo. Todavia, quando comparamos essa geração com o passado da poesia portuguesa, não podemos deixar de sublinhar-lhe a tendência para a deificação do ato poético[1]. A minúcia avulta se observarmos que o processo transcendentalizante se desenrolou sem o suporte de uma tradição filosófica. E não só careciam de fundações conceptuais, como acabaram convertendo a própria poesia em sustentáculo filosófico. A poesia entra a ser cultuada como filosofia divinizada, substituindo o Deus que a arte literária romântica havia tentado banir das suas preocupações.

Com a morte de Deus, nasce um outro Deus[2], a Poesia; com a falência dos mitos, instaura-se um novo mito, a Poesia. E o ídolo a que rendem homenagem permaneceu no altar durante o tempo em que desempenharam o seu papel, até o desaparecimento do último de seus representantes. De tal maneira que somente cabe falar em Poesia quando está em causa a geração de *Orpheu*, mesmo no setor da prosa: mostraram pela primeira vez que a distinção entre poesia e prosa não há de ser procurada na organização gráfica das palavras no espaço das páginas, mas, sim, no conteúdo ou na visão do mundo. Assim, a prosa de um Almada Negreiros ou dum Mário de Sá-Carneiro só pode ser devidamente avaliada levando-se em conta o impacto da poesia, quer dizer, impõe-se que a consideremos prosa poética. E mesmo os escritos ensaísticos de

Fernando Pessoa estão penetrados duma liberdade ideativa gerada por sua poderosa imaginação poética.

Ao fazê-lo, essa geração provavelmente estivesse materializando um velho sonho dos antepassados: colocar a cultura portuguesa em dia com a cultura europeia. Significava a um só tempo que Portugal acertava o passo com a Europa e que superava a atração para o mar, a África, as Américas. O rosto lusíada "Fita, com olhar esfíngico e fatal,/ O Ocidente, futuro do passado"[3]. Como nunca antes, a cultura portuguesa cumpre o seu destino europeu, ou inicia a rotação longamente meditada e desejada. A Europa semelha, por momentos, ancorada no Tejo, ao menos pelo fato de a geração órfica instalar uma convulsão poética, espécie de eco da "ciência demoníaca" de Baudelaire. Trazendo-a finalmente a Portugal, davam azo a uma reviravolta estética de imprevisíveis consequências, entre as quais a de fundar, no mundo bem-comportado da poesia lusitana, o lirismo como essência mítica das coisas. Ou introduzir a loucura no perímetro da arte literária, a loucura lúcida, consciente e procurada, a loucura imaginária, ou a loucura real, de manicômio. A primeira perpassa a todos, em graus diversos; a segunda esporejou a mente dum Ângelo de Lima. Nos dois casos, ousavam mobilizar a loucura para o reino das palavras, cônscios de que, sem ela, lhes era impossível atingir a deificação do ato poético, e que esta não se totaliza sem a outra. E no movimento a que fora impelida por essa intuição do supranormal, essa geração descobre um paradoxo que viria a constituir uma das chaves da produção estética contemporânea: um tanto a fazer *blague* para apanhar desprevenido o burguês encartado, proclamam que a única, ou a mais alta, forma de lucidez é a loucura.

Por certo, todo esse quadro cultural não despontava *ab ovo*. Suas raízes próximas entranham no Simbolismo e no Decadentismo, na diversificação genialmente alienada dum Gomes Leal e, de algum modo, no realismo expressionista de Cesário Verde, sem contar o niilismo desintegrante e nostálgico de Camilo Pessanha, e também no Saudosismo de Teixeira de Pascoaes. Tal vinculação evidenciava-se no título e na matéria do periódico que utilizaram como porta-voz de sua proposta estética: o *Orpheu*. E iria transparecer nos "ismos" com que Fernando Pessoa reveste, em determinado momento de sua trajetória (1914-1916), as aspirações do grupo órfico: o Paulismo, o Interseccionismo e o Sensacionismo. Gravitando em torno de uma só matriz, como Fernando Pessoa clarividentemente observou nos artigos acerca da moderna poesia portuguesa, encarada à luz da psicologia e da sociologia, publicados em *A águia* (1912), tais tendências propugnavam a intelectualização do vago, do complexo e do sutil, ou seja, daquilo que em Teixeira de Pascoaes denotava uma tentativa de fixar o abstrato. E o seu reverso, a emocionalização do racional. Nessa permuta, que facultava abranger com a imaginação e o pensamento os quadrantes do real e do irreal, lançavam-se as bases que sustentariam a grande obra poética elaborada no âmbito de *Orpheu*. Sobre esse pano de fundo se esbateram outras influências ou sugestões, provindas da arte europeia de vanguarda, notadamente o Cubismo e o Futurismo. Tudo isso, numa mescla heteróclita, mais o talento e a genialidade, que parece o desenvolvimento do pendor inato do português para a expectação das sombras e do espaço, é que enforma o espírito e a obra de *Orpheu*.

5

Importa agora assinalar como a geração de 1915 explorou as categorias estéticas em que se fundamentou. Divisando-a em sua totalidade, pode-se afirmar que a geração de *Orpheu* assimilou e desenvolveu os vetores que têm orientado a evolução histórica da poesia portuguesa. Uma delas é a *poesia da emoção*. A outra, a *poesia do pensamento*.

A poesia da emoção predomina no curso da história da poesia em Portugal[4]. Não obstante constitua um estereótipo, e por isso sujeito a restrições, sabemos que o português é mais vocacionado para o ato da emoção que do pensamento. Tal inclinação acarreta, como sabemos, definidas consequências, ou se nutre de outras determinantes caracterológicas, uma das quais se manifesta na dificuldade para a reflexão em abstrato, ou segundo rigores logísticos, de problemas filosóficos. Na geração de *Orpheu* acontece a integração e o desdobramento da emoção, e daí o seu ultrapassamento.

Evidentemente, no decorrer da história da poesia portuguesa semelhante altitude foi atingida algumas vezes. Assim, por exemplo, a poesia reflexiva de um Camões, um Bocage, um Antero. No entanto, trata-se de casos esporádicos, ilhas num mar de poesia emocional. Como se não bastasse, em suas composições dá-se não poucas vezes a incomunicabilidade entre a emoção e o pensamento: haveria um Camões que sente, e um Camões que pensa; um Bocage que se emociona, e um Bocage que medita, e assim por diante. Admitindo que estamos situando corretamente o mecanismo criador desses poetas, de pronto nos damos conta da novidade trazida pela geração de *Orpheu*: estabeleceu, de forma constante, a comunicação, o intercâmbio, a identificação entre os dois núcleos do processo poético, a emoção e o pensamento. Como se deu o fenômeno?

A maioria dos integrantes do movimento órfico eram poetas da emoção: Armando Cortes Rodrigues, Alfredo Pedro Guisado, Ângelo de Lima, Raul Leal, Luís de Montalvor. Até Mário de Sá-Carneiro se inscreve nesse rol. Restariam Fernando Pessoa e Almada Negreiros. Os poetas da emoção utilizam os mesmos clichês, embora com personalidade própria. Uns, de modo mais olímpico, outros, rendendo homenagem à tradição lírica do seu país; uns, respeitando a normalidade gramatical da língua, outros, rompendo os liames sintáticos para criar novas relações metafóricas. Notam-se variações de grau, ou de intensidade, no emprego dessas recorrências expressivas. E tais discrepâncias assinalariam o vão existente entre o poeta de gabarito menor e o poeta superior.

À exceção de Mário de Sá-Carneiro, os poetas emocionais se alinhariam com os menores, quer enquanto cultores da emoção, quer relativamente aos poetas do pensamento. E Mário de Sá-Carneiro é, indiscutivelmente, um grande poeta emocional, sem, contudo, erguer-se ao nível dos poetas do segundo grupo. Sei quão extremamente emaranhado é esse problema das classificações axiológicas. Guardando as proporções e as circunstâncias, diríamos que a assertiva de que Mário de Sá-Carneiro se situa acima dos demais poetas da emoção radica num dado universal: quando o clichê é empregado apenas como significante, o clichê pelo clichê, o poema resulta mau, e a poesia se degrada. Quando o clichê se harmoniza com o universo poético, no circuito de um poema ou no total de uma obra, tem-se o poema conseguido, e o achado expressivo.

Os dois procedimentos caracterizam as duas categorias de artista da palavra: os primeiros, acolhendo-lhe a forma e tratando-a como a um fim em si mesmo, são os imitadores, os epígonos, os discípulos. Ao passo que os outros, ao descobrir, ou forjar, a expressão nova para agasalhar novos modos de ver a realidade, desvelando inusitados nexos entre o mundo material e o espiritual, ou entre os componentes de cada um deles – são os criadores, os modelos, os chefes de fila. Num caso ou noutro, contudo, tão-somente cultivam a poesia lírica. A poesia épica não entra em suas considerações, uma vez que implica a sondagem de dimensões extraemocionais da realidade.

Dessa forma, Mário de Sá-Carneiro se projetaria como o mestre dos clichês emocionais dentro do grupo de *Orpheu*, e, por isso mesmo, ostenta condições que permitem colocá-lo a par dos poetas cimeiros da língua portuguesa, embora aquém dum Camões, dum Antero, ou dum Fernando Pessoa. Poeta emocional por excelência, como nenhum outro em vernáculo, liga-se não só à longeva tradição lírica portuguesa (sua poesia lembra cantigas de amigo em masculino), como também e particularmente ao Decadentismo, ao Simbolismo e ao Saudosismo. Entretanto, sua poesia não se explica por esse vínculo: para discerni-la com justeza, impõe-se ter presente que, nela, é conduzido ao absurdo, e à beira da loucura, o culto da emoção. O poeta nos dá a impressão de exclusivamente haver experimentado emoções durante a vida, haver existido como emoção e pela emoção.

Tudo se passaria como se a existência civil houvesse sofrido obnubilação à medida que fosse imperando a existência estética. E no fim do processo, seu enfrentar o mundo se decomporia em atos emocionais: tornado quase que apenas emoção, reduzido à esfera plástica e exacerbado às raias da alienação, o contacto com a realidade determina-lhe a progressiva desintegração da personalidade, que culminaria no suicídio em Paris. Falto de amparo filosófico ou equivalente, cede à demolição do próprio "eu", abandonando-se a uma disritmia psicológica de possível substrato patológico, que se tornaria moda no Surrealismo. À custa de sentir demasiadamente tudo, acabou por transcender a realidade concreta, e tombar numa espécie de narcose a olhos abertos.

Uma composição bastaria para ilustrar a "maneira" de Sá-Carneiro e, por tabela, a dos contemporâneos embarcados na poesia da emoção. Trata-se de "Partida", que inicia *Dispersão*, bem como toda a obra métrica do poeta: nele se entrevê uma poética da emoção, ou, ao menos, o programa estético do autor. E ainda lhe deixa transparecer, posto que de modo sintético, a cosmovisão. Não sendo necessário transcrevê-lo na íntegra, salientemos os versos em que melhor se lhe exprime o ideal poético:

"Afronta-me um desejo de fugir
Ao mistério que é meu e me seduz.

A minh'alma nostálgica de além,
Cheia de orgulho, ensombra-se entretanto,
Aos meus olhos ungidos sobe um pranto
Que tenho a força de sumir também.

A vida, a natureza,
Que são para o artista? Coisa alguma.
O que devemos é saltar na bruma,
Correr no azul à busca da beleza.

É partir sem temor contra a montanha
Cingidos de quimera e de irreal;

É suscitar cores endoidecidas;

E numa extrema-unção de alma ampliada,
Viajar outros sentidos, outras vidas.

Miragem roxa de nimbado encanto –
Sinto os meus olhos a volver-se em espaço!

Sei a distância, compreendo o Ar;
Sou chuva de oiro e sou espasmo de luz;
Sou taça de cristal lançada ao mar,
Diadema e timbre, elmo real e cruz...

O bando das quimeras longe assoma...
Que apoteose imensa pelos céus!
A cor já não é cor – é som e aroma!
Vêm-me saudades de ter sido Deus... "[5]

Aí está todo o Sá-Carneiro, espécie de Antônio Nobre que requintou ao grau da demência sua óptica emocional, uma óptica predominantemente estética da realidade: "correr no azul"; "suscitar cores endoidecidas"; "miragem roxa de nimbado encanto – ".

Os poetas de análoga tendência giram em torno dessas mesmas fontes. Os poemas de Alfredo Pedro Guisado movem-se na linha dos de Sá-Carneiro, inclusive pelas surpresas formais, centradas nas regências imprevistas, e pela plasticidade, em que o onírico ocupa lugar saliente. Contudo, nunca atinge o paroxismo do autor de *Dispersão,* mantendo-se invariável na sua placidez clássica, apolínea. Mas, tanto como ele, articula-se ao Simbolismo e prenuncia a poética surrealista. Quanto a Armando Cortes Rodrigues, seja nos poemas assinados com o próprio nome, seja com o pseudônimo de Violante de Cysneros, manifesta igual filiação ao Simbolismo; apesar disso, recorre moderadamente às inversões sintáticas, às abstrações e às sinestesias. Do ângulo formal, respeita antes a tradição que a vanguarda. Em contrapartida, Ângelo de Lima leva ao extremo a desobediência aos padrões sintáticos, mercê talvez de sua vesânia real, e, portanto, de hipertrofiar a ausência de ligação com o mundo físico. Tensamente emocional, o uso sistemático das maiúsculas denota assimilação dos preceitos simbolistas, e ao mesmo tempo uma megalomania, uma monumentalidade, do gênero da de Sá-Carneiro, e até certo ponto de Álvaro de Campos. Em Raul Leal, estampa-se um profetismo e um transcendentalismo que o aproximam do Fernando Pessoa da *Mensagem,* por vezes acelerados ao extremo da vertigem e da insânia à Mário de Sá-Carneiro: "folie Astrale"; "Vertige Astral".

6

A geração de *Orpheu* logrou realizar na poesia do pensamento uma revolução paralela à que deflagrou no plano da emoção. Em Almada Negreiros, a emoção irrompe num jato que imediatamente dá lugar ao pensamento, iluminado por um fulgor de polêmica, um visionarismo ciclópico, uma agressividade, um titanismo de fundas raízes portuguesas. Entretanto, não chegou à paralisia da emoção e permaneceu a meio do caminho: seus fluxos e refluxos ainda se mostram matizados de emoção, o que traduziria uma interrupção subitânea do pensamento, em razão da mola dialética e panfletária em que se estriba, como se pode ver em "A cena do ódio", destinado ao *Orpheu* III:

"Sou Narciso do Meu Ódio!,
– O Meu Ódio é Lanterna de Diógenes,

é cegueira de Diógenes
é cegueira de Lanterna!
(O Meu Ódio tem tronos de Herodes,
histerismos de Cleópatra, perversões de Catarina!)
O Meu Ódio é Dilúvio Universal sem Arcas de Noé: só
                            [Dilúvio Universal!
e mais Universal ainda:
Sempre a crescer, sempre a subir...,
até apagar o Sol!
[..]
Os homens são na proporção dos seus desejos
e é por isso que eu tenho a concepção do Infinito...

....
Jamais eu quereria vir a ser um dia
o que o maior de todos já o tivesse sido
eu quero sempre muito mais
e mais ainda muito pr'além-demais-Infinito...
Tu não sabes, meu bruto, que nós vivemos tão pouco
que ficamos sempre a meio caminho do Desejo?"[6]

Observe-se que o poeta tencionava ascender para a esfera do pensamento, mas a emoção parece pesar-lhe nos ombros: embora a intuição capte o pensamento imanente na emoção, não alcança enunciá-lo ou desenvolvê-lo integralmente. Constituía, assim, ponte de passagem entre as duas correntes poéticas de Orpheu, entre Sá-Carneiro, mestre da emoção, e Fernando Pessoa, que levou a poesia do pensamento às culminâncias.

7

Entenda-se, desde já, que a predominância do pensamento, em Pessoa, não significa inexistência da emoção. Considerá-la ausente equivale a admitir que estamos perante um pensador ou filósofo e não um poeta. Não, a emoção está presente no mundo poético de Fernando Pessoa. Mais ainda: houve momento em que rendeu homenagem à emoção, como Sá-Carneiro ou os demais representantes dessa tendência: entre 1910 e 1915, deixou-se contagiar pelo Saudosismo de Teixeira de Pascoaes e, transversalmente, pelo Decadentismo. E a poesia que produz nesse tempo acusa o transbordamento da emoção: o Pessoa paúlico, sensacionista e intersecionista, que compõe "Hora absurda" e "Chuva oblíqua", é um poeta emocional.

Pessoa difere, no entanto, dos poetas que ritualizavam a emoção. E a divergência, para lá da presença dos mesmos clichês, reside no pensamento, posto embrionário, que ali pulsa. Pessoa não consegue render-se à emoção pura, destituída de pensamento. Trata-se, porém, do pensamento inerente à emoção, o pensamento da emoção, como se experimentá-la consistisse em detectar as sombras de um corpo que se desvelasse à medida que vencêssemos a obscuridade que projeta e que o encobre. Ou como se a emoção constituísse forma primária de pensamento. Em suma: pensamento estético, e não pensamento lógico. Já nos poemas dos anos juvenis de Pessoa se revela esse peculiar processo de criação poética: pensar a emoção, ou desdobrar o que nela é pensamento. Paradoxalmente, mas luminosamente do ponto de vista estético, ao proceder como o prestidigitador que retira da cartola pássaros ou coelhos, Pessoa descobria o modo de fixar a emoção, de subtraí-la ao desgaste do tempo e ao "esquecimento" da memória. Realizava o que os poetas emocionais pretendiam, em vão, atingir: perpetuar a emoção, atualizando-lhe as nuances e potencialidades.

Para alcançar o seu intuito, Pessoa armou-se de uma fundamentação teórica, no geral fruto de suas próprias elucubrações. Os textos em prosa até agora publicados mostram à saciedade quanto o problema o inquietou: desde a primeira hora se voltou para o equacionamento doutrinal da emoção, cônscio de que através dele dimensionava a própria Arte. No entanto, à semelhança de vários outros aspectos de seu pensar filosófico e estético, e dos numerosos prismas em que se colocou por intermédio dos heterônimos, no destrinçamento da emoção, Pessoa se esmera nos paradoxos e ambiguidades, seja porque se lhe escapasse, ou não objetivasse, uma ordenação sistemática e harmônica dos fugidios ângulos da questão, seja em tributo ao acendrado gosto por jogar com as ideias: "Brincar com as ideias e com os sentimentos pareceu-me sempre o destino supremamente belo. Tento realizá-lo quanto posso."[7]

Sem dúvida, há que distinguir entre o que a fria razão lhe ditava em matéria de teoria da emoção, e a emoção que lhe enforma a poesia. Nenhuma coerência deve ser esperada, e qualquer coincidência correrá por conta de sua invulgar capacidade mental. Basta o destaque de um único aspecto – por sinal de relevante importância na compreensão do Poeta – para ilustrar a dualidade entre o pensamento em torno da emoção e a emoção que se lhe instila nos poemas. Segundo ele, "a composição de um poema lírico deve ser feita não no momento da emoção, mas no momento da recordação dela"[8]. Ora, a assertiva categórica é passível de duas observações: Pessoa refere-se ao poema lírico, o que implica, conscientemente ou não, uma restrição e um juízo de valor. É suficiente, para o caso, confrontar com outra passagem, relativa aos quatro "graus da poesia lírica", ou seja: "o primeiro grau da poesia lírica é aquele em que (...) a intensidade da emoção procede, em geral, da unidade do temperamento", de forma que o poeta se torna "em geral monocórdio, e os seus poemas giram em torno de determinado número, em geral pequeno, de emoções".

O grau seguinte é preenchido pelo poeta que "não tem já a simplicidade de emoções, ou a limitação delas, que distingue o poeta do primeiro grau (...), já não será um poeta monocórdio", mas, "sendo variado nos tipos de emoção, não o será na maneira de sentir". Quanto ao "terceiro grau da poesia lírica é aquele em que o poeta, ainda mais intelectual, começa a despersonalizar-se, a sentir, não já porque sente, mas porque pensa que sente; a sentir estados de alma que realmente não tem, simplesmente porque os compreende". Finalmente, "o quarto grau de poesia lírica é aquele, muito mais raro, em que o poeta, mais intelectual ainda mas igualmente imaginativo, entra em plena despersonalização. Não só sente, mas vive, os estados de alma que não tem diretamente"[9]. Em face da classificação de Pessoa, conclui-se que a afirmativa inicialmente destacada só pode adaptar-se ao poeta lírico de primeiro e segundo graus.

Por outro lado, se divisarmos a poesia pessoana na sua globalidade, verificamos que não se enquadra nos dois primeiros escalões líricos, nem mesmo no terceiro, mas no quarto, de natureza fundamentalmente dramática, como o próprio Poeta assinala no fragmento de que se desprendeu a classificação; ou de fisionomia épica, diríamos nós. Em verdade, a obra poética de Pessoa constrói-se não no momento de rememorar a emoção, mas enquanto dura: a lembrança da emoção caracteriza o processo do poeta menor, ou simplesmente poeta lírico, que apenas consegue descrever a marca que a emoção lhe deixou na memória ou na sensibilidade. Ao contrário, Pessoa exprime a emoção que permanece nele como presente eterno, ou capta-a enquanto flui, para evitar que se volatilize ou se deforme com a passagem do tempo. Como saber que as coisas decorrem desse modo?

A resposta nos é oferecida pelos próprios textos de Pessoa, e de modo eloquente: o tempo da emoção é o presente, ainda quando se trate do passado remoto, como, por exemplo, na sequência histórica de "Tabacaria", iniciada por "Tu, que consolas, que não existes e por isso consolas, / Ou deusa grega, concebida como estátua que fosse viva", ou ao concluir: "E eu era feliz? Não sei: / Fui-o outrora agora"[10]. O tempo do poeta, ou o tempo da poesia, ou do poema, é o bergsoniano, a correnteza ininterrupta das horas, a duração sem começo, nem meio, nem fim. Aliás, quando Pessoa afirma que "a repetição das sensações forma a memória"[11], apenas está sublinhando a permanência da emoção que compõe a memória, não como faculdade que relembra o passado, mas que registra a emoção sempre viva e presente, como se a memória equivalesse ao consciente. A tal persistência, o poeta chama de sentimento, porque dura: trata-se de uma confusão, quero crer, entre o sentimento, persistente por natureza e definição, e a emoção, que perdura na consciência, e/ou na sensibilidade como autêntico sentimento.

8

Mais adiante, na prossecução desse périplo de descoberta do "mistério" da emoção, Pessoa acabou cunhando emblemas onde funde o seu modo de ser poético. Às tantas, declara: "O que em mim sente 'stá pensando"[12], que aponta a emoção, ou o sentimento, como a sede do pensamento, ou a entidade que, nele, poeta, pensa. Outro ser, ou *quid*, dentro dele, que ostenta a capacidade de sentir, está pensando. Noutro passo, afirma: "Só meu pensamento sente."[13] Aqui se inverte a equação anterior, mas a ideia persiste: a indissolubilidade entre emoção e pensamento. Percebe-se, entretanto, que a tônica incide sobre o segundo termo – o pensamento –, visto que nos dois casos o pensar é que abriga a ideia substantiva, de que a emoção seria o modificador ou dependente. Vários poemas poderiam aduzir-se em abono dessa afirmativa, mas baste-nos mencionar um verso de Álvaro de Campos ("A capacidade de pensar o que sinto"[14]) e uma estrofe das *Poesias inéditas* (1930-1935):

"Aquela mulher que trabalha
Como uma santa em sacrifício,
Com quanto esforço dado ralha!
Contra o pensar, que é o meu vício!"[15]

Vício de pensar. E pensar a emoção, sempre. Mas o dinamismo é levado a tal extremo que o poeta se esquece de sentir, ou, pelo menos, de sentir pura e simplesmente. E conquanto assevere o desejo de "sentir tudo de todas as maneiras"[16], sabe que se trata de um sentir e um pensar simultâneos, e até de um sentir que tem o pensar como alvo. Ao mesmo tempo, revela que o poeta aos poucos se olvida de, ou perde a faculdade de, sentir. E quando lhe ocorre sentir, toma consciência de que está pensando em sentir, e, portanto, deixou de sentir. Assim, na tensão entre emoção e pensamento, o segundo elemento acaba sufocando o primeiro. Daí para o poeta surpreender-se à beira de abismos interiores, nada faltou. Um poema, "Isto", que contém uma das chaves para a interpretação do caso pessoano, pode exemplificar esse jogo de xadrez diabolicamente cerebrino:

"Dizem que finjo ou minto
Tudo que escrevo. Não.
Eu simplesmente sinto
Com a imaginação.
Não uso o coração.

Tudo o que sonho ou passo,
O que me falha ou finda,
É como um terraço
Sobre outra coisa ainda.
Essa coisa é que é linda.

Por isso escrevo em meio
Do que não está ao pé,
Livre do meu enleio,
Sério do que não é.
Sentir? Sinta quem lê!"[17]

Note-se que o próprio poeta diz não lhe interessar mais o sentir. Realmente, já não sente quando o mecanismo do pensamento começa a funcionar. E ao atingir o ápice, somente lhe resta dividir-se, multiplicar o "eu". É que, com o pensar, ou antes, pensar a emoção, Pessoa descortina uma realidade ainda mais complexa: pela emoção, poderia ser igual a si mesmo, pois a emoção individualiza, torna quem a possui um ser fletido para a própria interioridade. O pensamento, por seu turno, induz à dispersão, à multiplicação, a um movimento centrífugo em que o "eu" forceja por suplantar o círculo de giz em que se vê aprisionado. Com isso, abandonando o "eu" suas características essenciais, o Poeta perdia não só a memória da emoção, mas também a própria identidade: Fernando Pessoa metamorfoseia-se em outros, proteifica o seu "eu", e gera os heterônimos, Álvaro de Campos, Alberto Caeiro, Ricardo Reis, Bernardo Soares e outros.

Em Sá-Carneiro, presenciamos a desintegração do "eu"; agora, contemplamos-lhe a multiplicação. Além do verso, já citado, de Álvaro de Campos ("Sentir tudo de todas as maneiras") e de um outro em que repisa a ideia ("Multipliquei-me para me sentir"[18]), há um poema de Fernando Pessoa "ele mesmo" que encerra uma síntese flagrante do seu modo de ser poético:

"Hoje que a tarde é calma e o céu tranquilo,
E a noite chega sem que eu saiba bem,
Quero considerar-me e ver aquilo
Que sou, e o que sou o que é que tem.

Olho por todo o meu passado e vejo
Que fui quem foi aquilo em torno meu,
Salvo o que o vago e incógnito desejo
De ser eu mesmo de meu ser me deu.

Como as páginas já relidas, vergo
Minha atenção sobre quem fui de mim,
E nada de verdade em mim albergo
Salvo uma ânsia sem princípio ou fim.

Como alguém distraído na viagem,
Segui por dois caminhos par a par.
Fui com o mundo, parte da paisagem;
Comigo fui, sem ver nem recordar.

Chegado aqui, onde hoje estou, conheço
Que sou diverso no que informe estou.
No meu próprio caminho me atravesso.
Não conheço quem fui no que hoje sou.

Serei eu, porque nada é impossível,
Vários trazidos de outros mundos, e
No mesmo ponto espacial sensível
Que sou eu, sendo eu por 'star aqui?

Serei eu, porque todo o pensamento
Podendo conceber, bem pode ser,
Um dilatado e múrmuro momento,
De tempos-seres de quem sou o viver?"[19]

Pondo de parte os aspectos herméticos dessa composição, note-se que o poeta está em transe de multidivisão, pelo pensamento. Acentue-se que, ao embarcar nessa aventura interior, Fernando Pessoa está sentindo as emoções experimentadas ao longo da história da poesia portuguesa. E que, além disso, as está fixando através do pensar. Ao fazê-lo, acabou vencendo a fronteira do sentir, do pensar e do multiplicar, e indo desaguar no ocultismo. A progressão rumo do ocultismo predomina de tal modo que se torna difícil uma interpretação rigorosa da poesia pessoana sem levar em conta sua coloração esotérica. No entanto, o vocábulo "ocultismo" há de ser tomado em sentido especial. A própria obra de Pessoa nos ensina o significado da palavra: o oculto como sinônimo do mistério que reside no âmago da matéria: "Ah, perante esta única realidade que é o mistério."[20] Tudo se passa como se, perscrutando o recesso do mundo físico, o olhar deparasse uma dimensão invisível, espécie de realidade pelo avesso, ou antirrealidade. Falta sublinhar que o coração da matéria se atingiria pela óptica do pensamento, não da emoção, porquanto esta, apreendendo a superfície das coisas, sugeriria o ato de descrever e não o de desvelar. Os olhos que desvendam, pensam, e não se emocionam; ou, se se emocionam, logo põem a funcionar o pensamento ínsito na emoção, e esta desaparece como sensação pura ou cede o passo à esgrima do intelecto.

De onde o ocultismo consistir na chave mestra para desmontar a cosmovisão de Fernando Pessoa. Tendo-o presente sempre que nos ocupamos do Poeta, não causarão espécie as posições mentais, aparentemente contraditórias, que assumiu, como a atração pelo movimento rosa-cruz, pelo niilismo, o elogio a Sidônio Pais, a apologia da ginástica sueca, o cristianismo e hebraísmo de base, etc. Longe de haver antinomia entre essas modulações dialéticas, assinalam uma genial capacidade de mudar continuamente o ângulo de análise: constituem maneiras de aproximação da realidade oculta à visão emocional, mas acessível à do pensamento. Por isso, seria tão válido encontrar em Fernando Pessoa dados que permitissem catalogá-lo de cristão como de ateu, monoteísta como politeísta, deísta como agnóstico, e assim por diante. Porque foi tudo isso e mais um infinito de possibilidades reais na esfera do pensamento:

"Nada me prende a nada.
Quero cinquenta coisas ao mesmo tempo;

Tenho sonhado mais que o que Napoleão fez.
Tenho apertado ao peito hipotético mais humanidades do que Cristo,
Tenho feito filosofias em segredo que nenhum Kant escreveu;

E sempre que estou pensando numa coisa, estou pensando noutra."[21]

9

Em suma: longe de ser poeta emocional *stricto sensu*, nem por isso Fernando Pessoa se deixa rotular de poeta frio: verdadeiramente, a tensão do seu pensamento poético (e mesmo o doutrinal) decorre, por uma necessidade essencial, duma superior tensão da emoção. Nem era possível existir um poeta que desenvolvesse o pensamento às raias do sibilino e do alquímico, sem desdobrar paralelamente os limites da sensação. Pode-se dizer que logrou a cosmificação demoníaca do seu pensamento graças, precisamente, à capacidade de emocionar-se perante tudo: foi porque sentia com extrema intensidade que pôde aperfeiçoar, a um grau da loucura, sua faculdade de pensar. Mas convenhamos: não basta sentir demasiado para desenvolver o pensamento, nem basta pensar para que a emoção surja, ou não basta ao poeta pensar que tem emoção para que ela desponte na sua tela mental.

Pessoa ostentava as duas forças a um só tempo, como áreas intelectuais superpostas e cambiáveis. Sua poesia oferece, por isso, o espetáculo de um mundo simultaneamente vulgar e insólito à nossa percepção: vulgar, à primeira vista, porque a nossa emoção, desperta pelo que atravessa os poemas, adere ao que descortinam da realidade como um ovo de Colombo; insólito, porque no cotejo com aqueles que insistem em defrontar-se com a realidade desaparelhados do "ensinamento" de Pessoa, os leitores dão-se conta de sentir muito e, portanto, de pensar em alta rotação a realidade entrevista. A impressão resultante é a de que o Poeta inventa tudo, a emoção, o pensamento e os objetos que lhes são cognatos, e magicamente faz que acreditemos nele, até o momento em que descobrimos ser o universo apresentado fruto precípuo da ideação, ou do fingimento.

Mas é tarde: o espaço desvelado já tinha sido assimilado à nossa maneira de visualizar o mundo; e sua cosmovisão se tornara nossa também. Nada mais resta para confirmar que estamos ante uma genial aparelhagem poética, pois é exatamente esse "fingimento" o que todo artista, sobretudo o poeta, persegue na criação de sua obra. Pessoa consegue-o em virtude da emoção que pensa e, inversamente, do pensamento que se emociona: a realidade se cria e se recria para nós, e o alto destino do poeta se cumpre.

Tudo acontece como se Pessoa abraçasse com o pensamento todas as facetas do real, ou o real profundo, sem perspectivas relativistas. Há um poema em que essa ideia parece plasmar-se inteiramente, em que o ocultismo de Pessoa se nos franqueia numa súmula cristalina: trata-se do soneto que se inicia com o seguinte verso: "Emissário dum rei desconhecido." Nele aprendemos que o oculto, para permanecer como tal, deve revelar-se, pois o ocultismo segue parelhas com a revelação. Esconder para encontrar, revelar para esconder. Exatamente assim procede o Poeta: transmite tudo quanto lhe passa pela cabeça para não dizer nada que lhe passa pela cabeça, como se o melhor modo de guardar os pensamentos fosse enunciá-los todos. Ao escrever estas linhas acerca do ocultismo pessoano, temos a impressão de estar repetindo Fernando Pessoa; em algum momento de sua existência tais pensamentos deveriam tê-lo interessado. E, assim, ficamos com a sensação de nos tornarmos seus heterônimos no instante mesmo em que lhe penetramos a mundividência. Raro o leitor que consegue evadir-se do seu fascínio dialético e voltar à realidade com as categorias culturais que manuseava antes de singrar as águas pessoanas.

Mas anotemos o fecho do mencionado soneto ocultista: "Já viram Deus as minhas sensações." Ao focalizar Sá-Carneiro, ressaltamos o verso em que confessa as "saudades de ter sido Deus..." A diferença, notória ao olhar mais distraído, reside precisamente no componente ocultista que intercepta a palavra "saudade" e põe Deus ao alcance das sensações. Ou seja, separa os dois versos a distância entre a emoção e o pensamento, entre a emoção rarefeita e o pensamento ocultista.

Lúcido, satanicamente lúcido, Pessoa espalhou por sua obra uma série de chaves que autorizam a iniciar um roteiro de sondagem no seu universo ocultista. Três ou quatro poemas nos oferecem sinopses de sua visão do mundo. Na realidade, ofertam-nos indicações não do homem Fernando Pessoa, pois esse desaprendeu a lição de sentir sem pensar, mas do poeta Fernando Pessoa, cujo "eu" se atomiza, em vários "eus" ou "eles", a ponto de o Fernando Pessoa "ele mesmo" ser um heterônimo: outro ser, nele, toma a palavra, ainda quando fala no seu nome de batismo, pois o Fernando Pessoa ortônimo é tão máscara quanto Alberto Caeiro, Álvaro de Campos, Ricardo Reis e os outros. Porque poeta, o "eu" dos poemas é um outro "eu", um autêntico "ele". O leitor deve estar munido de uma chave ocultista se pretende apoderar-se da suma alquímica recôndita nessas composições. Uma delas, porventura a mais completa, síntese das sínteses, é "Tabacaria". Visto tratar-se de poema extenso e largamente conhecido, baste-nos lembrar alguns dos versos iniciais e finais:

"Não sou nada.
Nunca serei nada.
Não posso querer ser nada.
À parte isso, tenho em mim todos os sonhos do mundo.
[......................................]
O homem saiu da Tabacaria (metendo troco na algibeira das calças?).
Ah, conheço-o: é o Esteves sem metafísica.

(O Dono da Tabacaria chegou à porta.)
Como por um instinto divino o Esteves voltou-se e viu-me.
Acenou-me adeus, gritei-lhe *Adeus ó Esteves!*, e o universo
Reconstruiu-se-me sem ideal nem esperança e o Dono da
        [Tabacaria sorriu."[22]

O próprio título já insinua uma síntese, na medida em que a tabacaria, situada no Chiado, em plena Baixa de Lisboa, representaria um microcosmos: a tabacaria simbolizaria o universo, ou é o universo por momentos escancarado à visão ocultista de Pessoa. E a voz do poema é de Álvaro de Campos: para que ele existisse, Pessoa se anulou, como também se destinou às trevas para que os demais heterônimos vingassem. E assim se criou a melhor poesia de *Orpheu* e da literatura portuguesa moderna, quiçá de todo o Ocidente do século XX.

1968, 1971

Notas

1. Eduardo Lourenço, "Orpheu ou a poesia como realidade", in Tetracórnio (Antologia de inéditos de autores portugueses contemporâneos), org. por José-Augusto França, Lisboa: 1955.
2. Fernando Pessoa, Obra poética, 8ª ed., Rio de Janeiro: Aguilar, 1981, p. 73.
3. Idem, ibidem, p. 5.
4. Para Fernando Pessoa (Páginas íntimas e de autointerpretação, Lisboa: Ática, 1966, p. 94), o povo português se caracteriza pela "predominância da emoção sobre a paixão".
5. Mário de Sá-Carneiro, Poesias, Lisboa: Ática, 1946, pp. 51-54.
6. Almada Negreiros, Poesia, Lisboa: Estampa, 1971, pp. 19 e ss.
7. Fernando Pessoa, op. cit., p. 65.
8. Idem, Páginas de estética e de teoria e crítica literárias, Lisboa: Ática, 1966, p. 72.
9. Idem, ibidem, pp. 67-69.
10. Idem, Obra poética, pp. 298, 75.
11. Idem, Páginas de estética e de teoria e crítica literárias, p. 125.
12. Idem, Obra poética, p. 78.
13. Idem, ibidem, p. 78.
14. Idem, ibidem, p. 336.
15. Idem, ibidem, p. 456.
16. Idem, ibidem, p. 340.
17. Idem, ibidem, p. 99.
18. Idem, ibidem, p. 279.
19. Idem, ibidem, p. 93.
20. Idem, ibidem, p. 336.
21. Idem, ibidem, pp. 293, 297, 283.
22. Idem, ibidem, pp. 296, 300.

2

Uma reflexão heterodoxa acerca de Fernando Pessoa

1

Volumosa bibliografia, como já se apontou, tem propiciado a investigação em torno da obra pessoana, seja a em versos, seja a em prosa. A cada dia, novas contribuições, em várias línguas e focalizando novos ângulos do espólio do Poeta, vêm somar-se às anteriores, numa cadeia ininterrupta. É de prever que assim continuará a acontecer no futuro, dadas a riqueza e a amplitude da sua criação literária e o reconhecimento quase unânime da crítica e dos leitores. Salvo se ocorrer súbita mudança de expectativas, uma revolução de valores que o arraste ao esquecimento, assim como aconteceu com Shakespeare, cuja dramaturgia esperou mais de um século para ser resgatada do olvido, ou Góngora, que somente foi reposto em circulação e elevado a superior categoria no século XX. Resultado de preconceito, moda, propaganda, imponderáveis de natureza política, etc.? A resposta à indagação passa pela sociologia da literatura ou sociologia do gosto, que ultrapassa o nosso campo de interesse no momento. Mesmo porque, no caso de Pessoa, estamos admitindo uma queda no ostracismo que pertence ao plano das hipóteses improváveis.

E tais e múltiplas são as facetas da produção pessoana que tudo quanto se disser a respeito está certo, ou tem características de verdade. Em se tratando de Pessoa, podemos afirmar o "sim" e o "não" com análoga segurança, autorizados precisamente pelos textos que legou à posteridade. Ainda que, à primeira vista, pareça absurdo. A sua constante reversão de perspectiva, ou de opinião, permite todas as interpretações, conflitantes ou contraditórias. Os heterônimos são pelo menos complementares, verso e reverso da mesma moeda: o que um nega, o outro afirma, e vice-versa.

Enquanto um (Alberto Caeiro) pratica um verdadeiro culto à Natureza, identificando-se como "o Descobridor da Natureza", preocupado em sentir "a Natureza, e mais nada", o outro (Ricardo Reis) declara que "a Natureza é só uma superfície". E ao passo que o primeiro acredita "que Natureza não existe", mas "que há montes, vales, planícies, / Que há árvores, flores, ervas, / Que há rios e pedras", e, descrente da metafísica, diz que "o único sentido oculto das coisas / É elas não terem sentido oculto nenhum", Ricardo Reis sentencia, na continuidade daquela assertiva, que "na sua superfície ela é profunda / E tudo contém muito / Se os olhos bem olharem". E se Alberto Caeiro diz "que tudo vale a pena", ecoando o Pessoa "ele mesmo" de *Mensagem*, nos conhecidos e largamente glosados versos de "Mar português" – "Valeu a pena? Tudo vale a pena / Se a alma não é pequena." –, em *O marinheiro* as veladoras confidenciam:

> "Agora eu gostaria de andar... Não o faço porque não vale nunca a pena fazer nada. // Não vale a pena, minha irmã... // Não, minha irmã, nada vale a pena..."

a que Bernardo Soares, não menos sufocado numa misteriosa aura de melancolia, responde no seu *Livro do desassossego*:

> "Nada vale a pena, ó meu amor longínquo, senão o saber como é suave saber que nada vale a pena..."

Por outro lado, os heterônimos não são coerentes como um silogismo: a sua própria visão da realidade é paradoxal, em razão de a obra escrita de cada um deles apresentar-se repassada de assertivas contraditórias. E num deles (Álvaro de Campos), como vimos, as posições divergentes assinalam não só a coexistência infusa dos heterônimos conhecidos, como também os germes de outros vários. A complementaridade, o paradoxo, ou a antítese, ou a contradição, fazia parte da essência de Pessoa. Essa oscilação constante, quer a marcada pelo afivelamento das máscaras heteronímicas, quer quando, ao assumir qualquer uma delas, se põe a veicular sua mensagem autônoma – é que induz a crítica a julgamentos aparentemente controvertidos. A última palavra, se houver no caso de Pessoa, terá de levar em conta essa incessante mobilidade, burladora das definições cortantes e definitivas.

Acresça-se que Pessoa sabia ser jogado por uma radical instabilidade, e dela soube tirar o melhor partido possível. Escrevendo a Miguel Torga em junho de 1930, adianta: "Nunca sou dogmático, porque o não pode ser quem de dia para dia muda de opinião, e é, por temperamento, instável e flutuante." Na carta a um editor inglês, propondo-lhe a publicação de uma antologia da poesia sensacionista portuguesa, arremata o seu arrazoado com esta imprevista confissão de "insinceridade":

> "O senhor pode talvez admirar-se de que alguém que se declara pagão subscreva tais coisas imaginárias. Fui um pagão, porém, dois parágrafos acima. Não o sou mais enquanto escrevo isto. No fim desta carta espero ser já algo de diferente. Ponho em prática até onde posso a desintegração espiritual que prego. Se sou alguma vez coerente, é apenas como uma incoerência de incoerência."

E num dos vários textos alusivos ao Sensacionismo, incluído por nós no volume *O banqueiro anarquista e outras prosas*, diz ele, de um modo ainda mais peremptório e intrigante, sobretudo para quem não lhe conhece a personalidade proteiforme e fugidia:

> "Afirmei certa vez que um homem culto e inteligente tem o dever de ser ateu ao meio-dia, quando a claridade e a materialidade do sol tudo penetram, e um católico ultramontano naquela hora precisa após o pôr do sol quando as sombras ainda não completaram o seu lento envolvimento da presença nítida das coisas."

Personalidade e obra poliédricas e enigmáticas, sempre é possível divisá-las de um prisma novo, determinado por essa incessante flutuação. As múltiplas facetas acabam por completar-se, facultando o acerto (parcial) do crítico que se ativer a uma delas ou a várias. Mesmo que o acerto se afigure contrastar com outro aspecto momentaneamente fora de foco; mesmo que laboremos no terreno de uma verdade suscetível de ser discutida e até refutada, por ficarem outros recantos a explorar.

2

Sucede que não temos como fugir ao paradoxo (e por que fugir?), inerente à cosmovisão pessoana; e logo o acerto mostra sua antiface: por mais brilhante que seja a reflexão crítica, acaba enfermando da circunstância de ser provisória e precária. Alguém diria que isso acontece com qualquer juízo crítico acerca de qualquer escritor. Não é bem assim: se as obras dos autores que compõem uma literatura sempre oferecem ângulos novos sob os quais possam ser analisadas e interpretadas, é por nelas concentrar-se uma inteligência mais desenvolvida ou mais culta que as precedentes, ou em razão do aperfeiçoamento do instrumental crítico. Atualmente estamos mais bem aparelhados do que no século XVI para examinar certos tópicos da poesia de Camões. Uma interpretação de base freudiana ou junguiana, ou a aplicação da semiótica a determinados recursos expressivos, amplia a visão dos textos camonianos. No caso de Pessoa, não se trata de recorrer a uma aparelhagem crítica mais apurada, visando desvendar camadas subjacentes do tecido poético, mas de examinar componentes visíveis, que colidem entre si, e que não se subtraem ao leitor arguto, embora desarmado de teorias críticas.

Estamos lidando, nunca é demais repetir, com um poeta que usa o paradoxo com frequência para equacionar a (sua) "verdade" e dela extrair a beleza possível. Dotado de uma inteligência estruturalmente dialética, hegeliana, para ele a realidade (fosse qual fosse, abstrata ou concreta) era sempre um imenso campo de contradições, de verdades opostas, paralelas e complementares. A linguagem com que o exprime funda-se em proposições ambíguas, fruto de um inalterado pendor para a análise. De onde as dúvidas que lança ao leitor e ao crítico: o processo, consciente mas não voluntário (o que caracterizaria artificiosidade e, mesmo, falsidade, com os sabidos resultados inócuos e vazios), funciona como um impacto catalítico na mente do leitor, obrigando-o a um esforço no sentido de rever os princípios e "verdades" aceitos até o momento de entrar em contacto com o texto.

Cumpria Pessoa uma missão pedagógica? Não estranha que a resposta seja positiva, quando sabemos até que ponto projetava colaborar para o saneamento cultural da sua pátria. Guiado pela contradição como método – assim o declarou num de seus mais relevantes textos em prosa –, o poeta gira num vasto mundo de dúvidas, contando ainda com que outras venham adicionar-se na mente do crítico: as suas dúvidas não são apenas suas; são dos heterônimos e são, ou devem ser (pelo menos, ele assim o deseja), nossas. Quando as dúvidas se instalassem na consciência de todo o povo português, pensa ele, a nação pôr-se-ia em movimento no rumo do seu (grandioso) destino. Por outras palavras, quando o método que empregava para ver o quadro nacional se transferisse a toda a classe pensante, estava dado o sinal para a regeneração da sociedade portuguesa. O seu desígnio, mais uma vez apontado por ele próprio, se cumpriria quando esse dia fosse atingido. Para consegui-lo, não temia sacrificar a própria vida, como anota no fragmento estampado à frente de sua *Obra poética*:

> "Não conto gozar a minha vida; nem em gozá-la penso. Só quero torná-la grande, ainda que para isso tenha de ser o meu corpo e a (minha alma) a lenha desse fogo.
> Só quero torná-la de toda a humanidade; ainda que para isso tenha de a perder como minha.
> Cada vez mais assim penso. Cada vez mais ponho na essência anímica do meu sangue o propósito impessoal de engrandecer a pátria e contribuir para a evolução da humanidade."

O universo povoa-se de dúvidas, que se multiplicam em profusão, à medida que o crítico, ou o leitor, toma consciência de que Pessoa sempre coloca uma interrogação esfíngica no subsolo de suas proposições, ainda as mais cristalinas e redondas. Seria a dúvida como sistema, da mesma forma que trabalha a contradição como método. Na verdade, porém, é mais do que isso: Pessoa era por excelência anticartesiano, se por isso se entender a clareza logística, ou didática, com que o pensamento se organiza em coerência. A dúvida serve ao paradoxo ou nele se imiscui: a dúvida não resulta de fragmentar o problema em partes a fim de melhor interpretá-lo, mas de pertencer à natureza íntima do pensamento, e do pensamento paradoxal – única forma de pensar, diria Pessoa, que leva ao conhecimento satisfatório.

3

Ao dar-se conta desse mecanismo dramático, palco que é a inteligência de uma pugna jamais terminada, o crítico, ou o leitor, vê-se compelido a recuar, perplexo, arrasado, confundido, numa palavra, "indisciplinado": o Poeta havia conseguido, afinal, o seu objetivo – convidar o interlocutor a repelir a comodidade e aceitar o desafio proposto por seus paradoxos. Como se não bastasse a invasão de um pensamento/sentimento tão inquietante, o crítico não tarda muito para descobrir algo ainda mais gerador de perplexidade: quanto mais penetra no mundo pessoano, mais verifica que somente alcança pensar aquilo que o próprio Pessoa pensou, e mesmo expressou, acerca da sua obra.

É que a sua fina e invulgar lucidez, a que não faltava o apoio das forças mediúnicas, esotéricas, que o frequentavam, par a par com um rigor de filosofante ou de ensaísta de formação racionalista, permitia-lhe construir uma obra monumental e, ainda, submetê-la à crítica. Poesia e metapoesia, prosa e metaprosa – na linha da modernidade, sem dúvida, mas que adquire em suas mãos uma energia diabólica. Não se trata apenas de pensar o ato de escrever poesia ou prosa, como realizaram as maiores figuras do século XX, senão de pensar o *próprio* ato de escrever poesia ou prosa: criá-la ao mesmo tempo que a pensa, que a analisa e interpreta, à semelhança do que "em mim sente 'stá pensando", noutro plano. Recordem-se, à guisa de ilustração, as referências aos heterônimos na conhecida carta de 13 de janeiro de 1935 a Adolfo Casais Monteiro.

Esse duplo movimento de criar e pensar a um só tempo explica o porquê de sua poesia, via de regra a-emocional, desenvolver-se num terreno que se diria ôntico, ou metafísico, a que não pode aceder o simples impulso da sensibilidade ou da intuição: porque pensa ao sentir, ou seja, porque pensa ao escrever poemas e prosas, Pessoa reclama algo mais do que resposta sensorial por parte do leitor. Reclama-lhe inteligência, mas a inteligência que pressupõe o paradoxo como fundamento. O leitor há de sentir e pensar simultaneamente, perder-se em paradoxos, se pretende visitar a obra de Pessoa como um hóspede íntimo e não como forasteiro.

A dupla articulação ainda explica por que estamos em face de uma poesia que resiste à análise, às demoradas e pacientes leituras e à usura do tempo, enquanto linguagem (o ritmo, a estrofação, a adequação da forma ao conteúdo, a proporção dos segmentos do poema, o encontro da musicalidade imanente no pensamento/sentimento, etc.), e enquanto conteúdo ideativo (a constelação de temas, a universalidade e modernidade dos conceitos, etc.). Em suma, um grande poeta, plenamente cônscio dos recursos que emprega e das ideias que por meio deles comunica.

Não deverá causar estranheza encontrar, no espólio do Poeta, um fragmento, uma página, um prefácio, uma notação ligeira, em que cristalizou lucidamente aquilo que o crítico, ou o leitor, considerou achado feliz. No seu universo mental não cabe a ideia feita ou o dogmatismo: nem as ideias que acalentava deixavam de sofrer o crivo da razão especulativa, a sondagem alquímica, como à procura da pedra filosofal que jazeria no recesso das palavras. Ou, invocando outra imagem, como se Pessoa repusesse as ideias na sua bateia, em perpétuo movimento, no encalço da pedra preciosa, numa tarefa de garimpo que não finda nunca, sabe ele muito bem, e sabemos nós, ao acompanhá-lo nessa aventura sem pouso.

Daí ter dito tudo que pretendeu dizer, ou pôde dizer, e ainda lhe ajuntou a autoanálise, seja quando compôs versos, seja quando escreveu prosa. Irônico, duma ironia filosófica, socrática, submeteu à análise tudo quanto pensava ou sentia, o que lhe concedia o privilégio (que lhe dilatava ainda mais a lucidez, da qual era ao mesmo tempo o resultado talvez mais relevante) de ver-se "de fora", como se o primeiro sujeito a merecer o choque dos paradoxos gerados ininterruptamente por sua inteligência fosse ele mesmo.

E com a possibilidade de ver-se de fora, de modo que o "eu", nele, se transformasse em objeto no ato de pensar – o "eu" ao espelho, a esfinge a mirar-se na própria interioridade –, o Poeta podia abandonar os limites da sua consciência para analisar-se como "outro". Eis aí o mecanismo dos heterônimos, essa galáxia de *alter egos* com vida independente, ao menos na aparência. E a análise do "eu" como objeto ambiciona isentar-se de contágios subjetivantes ou emocionais.

A esfinge decifra os seus enigmas? Decifra-os em vez de os arremessar contra os passantes, contra nós? Dispensa-os, dispensa-nos? Autossatisfaz-se? Nem a esfinge decifra os enigmas que tece incansável e vertiginosamente, nem dispensa o interlocutor: antes pelo contrário, os enigmas perduram e proliferam justamente porque a esfinge se volta para eles como o criador à sua criatura, não para desvendá-los, mas para robustecê-los com a sua vigilância analítica. E o diálogo com o leitor sustenta essa permanência e multiplicação, uma vez que os enigmas, contagiando-o, acabam por fazer parte integrante de sua natureza.

Duplo de si mesmo, desdobrado em vários, como que bastando-se nessa múltipla reduplicação, Pessoa quase prescinde do crítico, graças à capacidade heteronímica, que o torna crítico de si próprio, melhor do que ninguém. Melhor do que ninguém? Provavelmente não chegue a tanto, mas é certo que, aceitando o repto levantado pela obra pessoana, como que nos metamorfoseamos em seu heterônimo, atentos às coordenadas que ali encontramos, a balizar o nosso caminho analítico e interpretativo. Não haveria outra saída?

4

Configurado o impasse, há que resolvê-lo encontrando uma função para o crítico que, persistindo no seu ofício apesar de tudo, acredita que as coisas não possam, e não devam, ser tão absolutas. E, como crítico merecedor do nome, começa por remontar aos textos críticos do Poeta. Ao fazê-lo, dá-se conta, uma vez mais, que Pessoa previa tudo, tinha capacidade de adivinhar, inclusive a perplexidade do crítico, visto que a enfrentou regularmente. Os seus textos em prosa se ajustam com precisão à sua poesia. Para a análise dos heterônimos, a referida carta a Adolfo Casais Monteiro é um documento indispensável. Ainda que outras teorias possam ser construídas para explicar-lhe a multidivisão noutros "eus", a explanação feita ao confrade da *Presença* será sempre um ponto de partida. Podemos não concordar com o Poeta, mas não temos como deixar de avaliar-lhe as palavras; por vezes, somos inclinados a admiti-las como as únicas capazes de esclarecer o misterioso fenômeno. Quando não, volta e meia servem-nos para iluminar algum recanto obscuro de sua obra. Pessoa escreveu "poemas dramáticos" ou "dramas estáticos", e também as páginas de doutrina para interpretá-los como tais. Como não fazer caso do Sensacionismo no exame da sua poesia, e mesmo da sua prosa? Como desconsiderar os clichês conceptuais inscritos na sua poesia, do tipo "o poeta é um fingidor"? Encurralando o crítico, Pessoa provoca-lhe a sensação de não ter mais nada a dizer: ele disse tudo.

Estamos num círculo vicioso. Como vencer a asfixia? Tanto a poesia como a crítica pessoanas constituem nítidas posições abstratas da inteligência e da sensibilidade. Ou, por outro ângulo, são expressões de uma inteligência e uma sensibilidade abstratas. Poeta, crítico, contista, dramaturgo, ensaísta ou filosofante, Pessoa é sempre uma celebração abstratizante. O mundo concreto, a espessura histórica, a realidade cotidiana interessava-lhe como cenário de abstrações: o seu olhar esfíngico – não exageramos em dizer que não houve intelectual mais alerta do que ele à realidade viva da nação portuguesa entre 1910 e 1935 – verruma o acontecimento com vistas a uma continuidade que é já do espaço da abstração, do oculto. Os seus sentidos e as suas ideias convergem para o mais além das aparências, para além do não eu, uma esfera de primeiro motor somente atingível pela abstração. "Nada *existe*, tudo acontece", diz ele em "Ocultismo ou um drama estático". E acrescenta: "Nós próprios, os homens, não passamos de acontecimentos, lentos relativamente a outros, compostos de células, e cada célula é um *acontecimento* entre os elementos que a compõem... e, assim, até ao infinito interior." Para concluir que "é a Deus que acontece tudo".

Como não é possível o total desapego ao mundo concreto, pois anularia o "eu" e as abstrações (sem contar que Alberto Caeiro é um decidido impulso no sentido de aderir ao "natural" em estado ingênuo, sem o concurso do intelecto); e já que "o aparente *é* o real", como diz no mesmo texto – ao crítico fica reservada a missão de "traduzir" e avaliar tais abstrações. É obrigado também a empregar abstrações e assumir uma postura filosofante, ou seja, defrontá-las à luz do pensamento filosófico. Não surpreende, por isso, que seja possível articular a obra pessoana a não poucos pensadores, principiando pelos estoicos e terminando por Wittgenstein, passando pelo zen e pelos arquétipos junguianos.

5

Postas as coisas nesses termos, segue-se que a poesia e a crítica de Pessoa se exprimiriam numa linguagem e se moveriam num circuito apenas inteligível a uns poucos críticos, os que possuíssem, ao menos, a faculdade especuladora, soubessem manejar ideias abstratas. O diálogo travado entre o Poeta e as abstrações e, depois, entre o crítico e o Poeta, se afigura inacessível aos críticos de orientação historicista, sociológica, política, etc., ou porque faltos de ferramenta apropriada, ou porque, preconceituosos, não enxergam a dimensão abstratizante em que se desloca o Poeta.

Compreende-se a reação indignada de alguns leitores que esperavam dele outra atitude que não a messiânica, ou a sebastianista, em *Mensagem*, ou que tacham de avesso à inteligência que se deseja transformadora do mundo o "regresso" de Ricardo Reis aos tempos da decadência romana. Por uma razão ou por outra, colocam-se fora do traçado abstratizante do Poeta e candidatam-se, em consequência, a julgá-lo erroneamente. Como todo poeta, mas muito mais do que o comum dos poetas, Pessoa *escolhe* os seus críticos, requerendo deles a capacidade que punha na sua obra poética e crítica.

Por esse lado, é possível dizer (e quantas vezes Pessoa não deve tê-lo pensado?) que o Poeta talvez nunca venha a ser "compreendido" pelo leitor médio, que raramente lê poesia, ou que se aproxima de seus poemas conduzido por mediana curiosidade. Nesse particular, tem o destino dos grandes poetas em geral, mas distingue-se pelo que tem de incomunicável, mercê do processo abstratizante e ocultista em que se fundamenta, inclusive no que se refere a Alberto Caeiro, não obstante a sua volúpia pelo concreto natural: apesar de dar graças a Deus pelo fato de "que as pedras são só pedras, / E que os rios não são senão rios, / E que as flores são apenas flores", é um poeta tão abstrato, se não mais, quanto os outros.

Parte do fascínio de Alberto Caeiro sobre os leitores preparados para o contacto com esse tipo de lirismo vem de as declarações de concretude e positividade serem constantemente desmentidas, não só pelo clima abstrato em que se enunciam, senão também, ou acima de tudo, por desconcertantes afirmações em sentido oposto. Poeta ôntico, pois que é o *ser* que lhe importa conhecer e descrever, falar de metafísica a seu respeito é mais fácil do que a respeito dos outros heterônimos, incluindo Pessoa "ele mesmo". Mais fácil porque, se "as coisas não têm significação: têm existência. /As coisas são o único sentido oculto das coisas", segue-se que, ao constatar a "realidade" das pedras, o poeta está em face do "único sentido oculto das coisas". Daí para dizer que "Há metafísica bastante em não pensar em nada" vai um passo.

Abramos parênteses para examinar uma dúvida suscitada por esse primeiro enfoque crítico. Se o leitor há de armar-se para penetrar no universo pessoano, como entender-se que se possa falar em clichês na obra de Pessoa? Não há contradição no raciocínio? Ora, o fato de os estilemas camonianos terem sido adotados como soluções universais, moeda corrente sujeita ao desgaste, não significa que o autor de *Os lusíadas* se tenha tornado mais fácil, mais acessível. Talvez ocorra precisamente o inverso: o clichê, à custa de repetido, hipnotiza o leitor, não lhe desperta a consciência crítica, opostamente à expressão nova, imprevista. E tal hipnose indica que o sentido implícito no clichê esquiva-se ao leitor exatamente por este não divisar nele todo o saber acumulado pelo tempo, no curso das repetições, e que determinou que se volvesse expressão padronizada.

Com Pessoa dá-se algo de idêntico: o clichê, tal como a pedra de Caeiro, engana o leitor, preservando nesse engano o seu "único sentido oculto". Assim, "navegar é preciso; viver não é preciso", diz o Poeta, e repete a letra da música popular, servindo-se das palavras como de um mote, mas nem por isso o seu sentido se desvaneceu. O clichê não significa o esclarecimento absoluto ou um esvaziamento do Poeta, quando ele é o seu criador ou o seu recriador. A recorrência das palavras na música popular ativa-lhes a circulação, fazendo-as mais conhecidas. Isso não quer dizer, porém, que todos quantos ouvem ou cantam a música têm acesso ao seu "único sentido oculto".

6

Ao lado dessa crítica que considera as abstrações, enfileira-se outra, a que "explica", "revela", "descreve", as chaves do Poeta, tendo em vista que o tecido metafórico dos poemas se nutre do diálogo com a realidade sensível. Tais nexos com o mundo físico é que o crítico pode "explicar", "revelar" e "descrever". No primeiro caso, é-lhe solicitada a inflexão especulativa, indagadora; aqui, a de um explicador de texto; ali, o seu trabalho consiste em interpretar e, se possível, julgar; aqui, a sua missão está em esclarecer. A "Tabacaria" abre, como se sabe, com os seguintes versos:

"Não sou nada.
Nunca serei nada.
Não posso querer ser nada."

O problema filosófico (e, enlaçado nele, o problema ético, psicológico, etc.) que nos versos se equaciona fica reservado ao primeiro tipo de crítico, visto que o núcleo poético transcende o nível do concreto. O "eu" se enuncia a si próprio (e a um espectador virtual) como se em solilóquio, convocando as pulsões abstratas, especulativas, que habita. O crítico, apetrechado com os instrumentos adequados, sonda um problema de raiz filosófica, e que o é sem perda de sua condição poética: a metáfora inicial se multiplica nas seguintes, e o seu perfil dicotômico é uma dualidade filosófica. Duas negações circundam o "eu" nas três instâncias em que se propõe, e o binômio, formado de dupla negativa, não se anula, ou seja, não supõe uma afirmação, nem tampouco uma síntese. Porque negativas, tese e antítese apenas se reforçam num niilismo que o Poeta sabe impossível de superar, e que o crítico aprende a reconhecer como a matriz de sua visão do mundo. De ordem abstrata, portanto, o problema pede que seja enfocado e avaliado como tal.

Quando, entretanto, Pessoa confessa:

"Olho, desterrado de ti, as tuas mãos brancas
Postas, com boas maneiras inglesas, sobre a toalha da mesa."

é a vez do outro crítico, uma vez que agora o Poeta estabeleceu uma correspondência entre a ideia e o objeto sensível. Não parece forçado admitir, porém, que o clima abstrato permanece: Pessoa não está fotografando a realidade, senão vendo-a como um "desterrado", de longe, como se entre o olhar e as mãos se interpusesse a memória ou um espaço sem fim, que é já o da abstração. Se no primeiro caso se pode falar em abstração "pura", aqui a abstração deriva do ambiente em que se opera a notação concreta.

Ora, um crítico que conciliasse as duas tendências seria o ideal para ocupar-se da poesia de Pessoa. Por outras palavras, ele próprio. Ouçamo-lo discorrer acerca desse ideal de competência, como se redigisse uma página de autognose. Para ele, o crítico competente há de reunir "um conhecimento da arte e da literatura do passado, um gosto refinado por esse conhecimento, e um espírito judicioso e imparcial. Qualquer coisa menos do que isto é fatal ao verdadeiro jogo das faculdades críticas. Qualquer coisa mais do que isto é já espírito criativo e, portanto, individualidade; e individualidade significa egocentrismo e certa impermeabilidade ao trabalho alheio".

Assim, retornamos ao ponto de partida: não estará certo tudo que se afirmar acerca do Poeta, contanto que os seus poemas e prosas o justifiquem? Inclusive – continua uma voz a segredar-nos – isto que vai sendo dito não foi pensado e sentido pelo Poeta? Quem sabe, não terá escrito algo no gênero? Quem sabe, apesar do paradoxo em que assentam estas considerações heterodoxas, não passariam de uma parcela ínfima de um vasto problema, envolvendo todo o legado pessoano?

1962

3

Fernando Pessoa: o espelho e a esfinge

1

Fernando Pessoa é dos casos mais complexos e estranhos, se não único, dentro da literatura portuguesa, tão perturbador que somente o futuro, quando de posse de toda a sua produção, virá a compreendê-lo e julgá-lo como merece. Mal decorridos sessenta anos de sua morte (1935), ainda é cedo para aquilatar-lhe a importância, o significado do seu legado estético e cultural e a influência exercida. Podemos, inclusive, estar sob o efeito de uma luz tão intensa que o tempo poderá revelar enganadora, tomados de uma admiração que um dia se considerará exagerada, cega idolatria. Por outras palavras, talvez estejamos hipnotizados pela esfinge e seus enigmas refletidos numa imensa sala de espelhos.

De onde, tudo o que se disser a respeito não passar de uma tentativa provisória no sentido de avaliar-lhe a insólita personalidade e a obra desconcertante que produziu. Basta levar em conta, de princípio, que assimilou a rica tradição poética lusitana, iniciada na Idade Média trovadoresca. E foi além dessa integração: com base na sua genialidade, quem sabe de raízes patológicas (ele, sempre temente de tornar-se louco, se dizia "histeroneurastênico"), conseguiu superar e enriquecer a herança recebida. E de tal modo procedeu nesse cometimento de integração e superação, que logrou realizar um feito análogo ao de Camões: enquanto este deu origem a um ciclo poético, recoberto pelo epíteto de camoniano, Pessoa enceta o ciclo pessoano.

Da mesma forma que o ciclo camoniano, seja na vertente lírica, seja na épica, caracteriza-se por uma série de clichês expressivos, torneios lapidares de dizer e de pensar, o ciclo pessoano corresponde ao encontro de novos horizontes poéticos, comunicados numa linguagem nova, logo tornada clichê à custa de repetida. Como havia uma maneira camoniana de expressão, uma gramática própria, inconfundível, atualmente há um jeito pessoano, dotado de características peculiares.

Por outro lado, Pessoa não só absorveu o passado lírico português como também repercutiu as grandes inquietações presentes no primeiro quartel do século XX. Com suas sensíveis antenas, captou as várias ondas que traziam de lugares diversos a certeza de se viver então uma profunda crise de valores e de cultura, quem sabe uma nova Renascença. O mundo romântico-realista agonizava; o moderno, em suas incontáveis modalidades, despontava como aspiração, medida e alvo.

A obra pessoana, em prosa e verso, tornou-se, em consequência, um painel de vinte e sete mil e quinhentos e quarenta e três textos (a tanto monta o seu espólio!) das comoções históricas havidas nos trinta primeiros anos desta centúria. Outras figuras contemporâneas atuarão em domínio próprio, científico, filosófico, estético, desde a física atômica até o cinema de Chaplin, desde o colapso dos sistemas filosóficos até a sondagem iluminadora do "eu" por parte de Freud e discípulos, desde a poesia do inconsciente e do fragmentário até a pintura cubista. Pessoa intervirá no plano da poesia e da prosa, disperso pelos heterônimos e por assuntos sem conta, em que se registra sismograficamente o que acontecia na conjuntura à sua volta, dentro e fora de Portugal.

2

Pessoa afirmava que não evoluía – viajava. Em carta de 20 de janeiro de 1935 a Adolfo Casais Monteiro, depois de escrever VIAJO com letras maiúsculas, por uma espécie de lapso freudiano, explica:

> "Vou mudando de personalidade, vou (aqui é que pode haver evolução) enriquecendo-me na capacidade de criar personalidades novas, novos tipos de fingir que compreendo o mundo, ou, antes, de fingir que se pode compreendê-lo. Por

isso dei essa marcha em mim como comparável, não a uma evolução, mas a uma viagem: não subi de um andar para outro; segui, em planície, de um para outro lugar. Perdi, é certo, algumas simplezas e ingenuidades, que havia nos meus poemas de adolescência; isso, porém, não é evolução, mas envelhecimento."[1]

Aí o cerne do seu "caso", a matriz dos heterônimos, ou a sua explicação deles. "Viajava", pois. Mas de onde? para onde? Do Simbolismo e Decadentismo, ou, mais proximamente, do Saudosismo de Teixeira de Pascoaes, com todo o seu culto religioso da Saudade, para o Paulismo (de "Pauis", poema de 29 de março de 1913, publicado em fevereiro do ano seguinte na revista *Renascença*), o Interseccionismo e o Sensacionismo, formas de requinte e ultrapassamento da doutrina saudosista, graças à deliberada exacerbação do "vago", do "sutil" e do "complexo", de que ele fala em "A nova poesia portuguesa", longo ensaio publicado em 1912 em *A águia*, órgão oficial do Saudosismo, e ainda graças à influência simultânea do Cubismo e do Futurismo. Pessoa propunha-se intelectualizar aquilo que, no Saudosismo, era nota instintiva, emotiva, isto é, em suas palavras, realizar "ou uma intelectualização de uma emoção, ou uma emocionalização de uma ideia".[2]

Embora os três "ismos" se entrelacem, o Sensacionismo prevalecerá, não só ao longo de sua atividade poética, toda ela calcada na ideia da sensação, como também em seus escritos teóricos: nenhuma outra corrente literária lhe ocupou tanto o pensamento e as horas quanto o Sensacionismo, como se pode ver nos volumes de prosa já dados a lume. E se o Sensacionismo constituiu uma fase de procura de caminho em meio às tendências modernas que se hostilizavam, a sensação permanecerá como o esteio de sua visão do mundo: ele se conservará, até o fim, um poeta sensacionista, e se não o declara abertamente, fá-lo-á através de Álvaro de Campos. Numa palavra, superado o Sensacionismo como tentativa juvenil de fazer escola, ou erguer o "ismo" à condição de fonte de sua trajetória poética e de seus coevos, Pessoa se manterá fiel à ideologia estética que lhe serviu de base.

Mesmo porque, é possível que o movesse a convicção de o Sensacionismo não ser suficientemente português para erigir-se em decálogo seu e da sua geração. É que já em 1908 se discutia, em Berlim e Zurique, a "filosofia do Sensacionismo", num clima de *blague* e mistificação, que se pode atribuir, de igual modo, ao Sensacionismo pessoano. E se Pessoa provavelmente não teve acesso ao movimento sensacionista germânico-suíço, é de supor que houvesse conhecido, nos tempos de adolescente em Durban, os escritos filosóficos de Berkeley, nos quais essa corrente se abeberou.[3] Mistificação ou não, a sensação, que não o Sensacionismo, se converterá na pedra de toque da teoria e da prática poéticas de Pessoa.

Por outro lado, apesar da existência de um componente de mistificação e *blague* nesses três "ismos", é inegável que, no encalço de produzir poemas ortodoxamente "paúlicos", "interseccionistas" e "sensacionistas", Pessoa criará alguns dos momentos mais belos de sua poesia, notadamente "Chuva oblíqua" e "Hora absurda". A despeito do seu odor decadentista, aí se configuram instantes de suprema beleza lírica, como depois não mais atingirá, impelido pelo aguilhão de "o que em mim sente 'stá pensando". Pura emoção, dir-se-ia, se um e outro vocábulos não dessem margem a dúvidas e controvérsias. Mas poesia de alto nível, inquestionavelmente.

Vencida a febre paúlico-interseccionista-sensacionista, estimulada pelo Cubismo e pelo Futurismo, ou melhor, integrada essa modalidade estética no seu cabedal de experiência literária, Pessoa "viaja" para a estação de sua singular poesia. A ponte de passagem é representada pela publicação de *Orpheu*, de que saíram, como se sabe, apenas dois números, em 1915 e 1916, tendo ficado o terceiro parcialmente composto. A revista, que tencionava ser um elo de união entre portugueses e brasileiros, teve em Luís de Montalvor e Ronald de Carvalho seus primeiros diretores. Norteava-se por um ideal estético de extração simbolista, ou simbolista-decadente, mas o bastante para marcar uma ruptura com o passado imediato e definir o rumo que a poesia de Pessoa tomaria daí por diante. O seu heterônimo-mestre, Alberto Caeiro, já havia "nascido" literariamente a 8 de março de 1914, como assinala na famosa carta de 13 de janeiro de 1935, acerca dos heterônimos, endereçada a Adolfo Casais Monteiro. E mesmo Ricardo Reis já havia dado sinais de vida desde 1912, como declara um parágrafo antes. Portanto, em 1915 Pessoa estava maduro para o trecho mais importante da sua "viagem".

À descoberta dos heterônimos, ou daqueles seres do seu "drama em gente" que mais adiante assim caracterizaria, corresponde o encontro das matrizes da sua poesia e, de certo modo, da sua estrutura anímica mais íntima. O poeta se acha a si próprio, ao defrontar o mecanismo em que se assenta sua maneira de estar no mundo e sua prática literária. Um processo de funda inquietação tem começo, ou vem à luz da consciência. Doravante, apenas fará pô-lo em funcionamento, aprimorá-lo, dirigindo-o para um objetivo que nem por ser obscuro ou hermético estará menos vivo em sua pena: no curso da sua travessia, o Poeta perseguirá, talvez sem o saber em toda a plenitude, uma construção intelectual preexistente, em germe, nesse mecanismo que entra a funcionar.

3

Pessoa parte, não na ordem cronológica dos eventos mentais, mas na sequência dos raciocínios que lhe compõem a maquinaria intelectual, de proposições, aparentemente axiomáticas. Se, à primeira vista, semelham dogmas, a uma análise acurada se verifica o oposto. Primeiro que tudo, porque resultam dum demorado e laborioso esforço de reflexão analítica acerca do objeto dos seus poemas e escritos em prosa, neles incluindo os "dramas estáticos" e os "contos policiários" ou "de raciocínio": ao contrário do poeta inspirado, submetido a forças ocultas, visitado pelas Musas, Pessoa é por excelência uma organização de analista. Não quer dizer que lhe falte emoção – o apreço à sensação está aí para o evidenciar –, mas que a investigação paciente dos motivos, problemas e temas, poéticos ou não, faz parte do seu patrimônio natural.

Em segundo lugar, porque tais proposições se armam sempre sobre parelhas dialéticas, o que por si só afasta a ideia de um dogmatismo cego. Se dogmatismo há, é de natureza paradoxal, dialética. Tudo, no campo do pensamento e da emoção, é paradoxo – eis o seu dogma. A tal ponto que, tratando do poeta, do político e do cientista como "cargos naturais", é de parecer que "a contradição está imanente na própria natureza de tais cargos; emana da lei natural pela qual eles existem e se inter-relacionam". E em outro escrito chega a este primor de paradoxo: "Isto pode parecer um paradoxo a quem ainda creia, ingenuamente, que há paradoxos neste mundo."[4] E tenha-se ainda em conta sua conhecida proposta da contradição como método.

Aqui, na sensação, reside, por conseguinte, o fulcro do processo pessoano. Se de um lado, o Sensacionismo traduzia o gosto pela novidade, pela modernidade à força, de outro, a sensação, já o dissemos, permanecerá como o fundamento em que Pessoa assentará a sua poética e a sua prosa literária e ensaística. Implícito no todo da sua produção, ele o tornará explícito todas as vezes em que tratar da teoria do Sensacionismo, ou em que o problema do ato criador lhe surgir no horizonte das suas inquietudes. Num texto presumivelmente de 1916, assim enuncia os princípios do Sensacionismo:

1. Todo o objeto é uma sensação nossa.
2. Toda a arte é a conversão duma sensação em objeto.
3. Portanto, toda a arte é a conversão duma sensação numa outra sensação.

Neste silogismo perfeito (na forma, bem entendido), o Poeta exibe o mecanismo da sua obra e a sua concepção do mundo. A premissa inicial declara que a realidade concreta (objeto) equivale a uma sensação (sujeito), montando uma equação que se deseja universal; pela segunda, a sensação (sujeito) é convertida em objeto – a arte; de onde esta ser a conversão de uma sensação (a primeira) numa outra (a segunda): sensação de uma sensação = Arte. A Arte é uma sensação de segundo grau, diria Pessoa.

Apoiado nesse esquema, o Poeta empreenderá os seus desdobramentos, por vezes ousados, ou mesmo ilógicos, mas invariavelmente paradoxais. Como decorrência da primeira premissa, afirma: "Nada existe, não existe a realidade, mas apenas sensações." Entretanto, se a negação da realidade (objeto) é coerente com o pensamento pessoano, a negação absoluta ("Nada existe") fica prejudicada pela própria existência da sensação, já que esta, mesmo não sendo Tudo, é indício de que alguma coisa existe.

Dentre essas proposições, hoje tornadas clichês de largo uso, dentro e fora do espaço propriamente literário, tão certeiras são no ferir aspectos cruciais da existência diária, podemos salientar a seguinte: "O mito é o nada que é tudo", expressão alquímica de um programa estético e, quem sabe, político, dando avisos de um universo em que o Nada, ou seja, a abstração absoluta, o não ser, o não existir, equivale ao Tudo, a uma presença universal, de que deriva a própria verificação do Nada, numa circularidade, ou numa reversibilidade, de que Pessoa extrairá os maiores efeitos de intuição e de raciocínio.

Outra proposição-chave é "o que em mim sente 'stá pensando", do poema "Ela canta pobre ceifeira": sentir e pensar unem-se inextricavelmente. Não há sentir sem pensar, não há pensar sem sentir: o próprio ato de sentir implica o de pensar, mas não o de pensar um pensamento *fora* do sentir, senão um pensamento *do* sentir, latente no seu bojo, assim como a forma e o conteúdo, ou como a superfície das coisas e o seu avesso. Mais ainda: o Poeta diz que o sujeito do sentir ("o *que* em mim sente...") pensa ao mesmo tempo que sente, isto é, que a entidade que sente, no Poeta, executa a um só tempo o ato de pensar, sente e pensa num só movimento.

Por outros termos, aquilo, ou aquele que, no "eu" do Poeta, sente – sente-pensando, sente e pensa, como se o sentir fosse sinônimo de pensar, e vice-versa. Desencadeada a sensação – e sem ela não há o ser, nem o existir –, dela o Poeta desentranha o pensar que lhe é inerente, de modo que sensação e pensamento se correspondam, como face e contraface da mesma moeda. Ou, levando mais longe a dicotomia, *sentir é pensar, a sensação é o pensamento;* e vice-versa: *pensar é sentir, o pensamento é a sensação.*

A seguir, aduz: "As ideias são sensações, mas de coisas não colocadas no espaço e, por vezes, nem mesmo no tempo." E acrescenta: "A lógica, o lugar das ideias, é outra espécie de espaço." Ora, se a realidade não existe, se a ideia é sensação, segue-se que nem cabe falar em espaço ou em tempo. E mais adiante: "Os sonhos são sensações com apenas duas dimensões. As ideias são sensações com apenas uma dimensão. Uma linha é uma ideia" – o que pode ser creditado, não à lógica, mas à intuição poética. Por último, sentencia:

"A base de toda a arte é a sensação."

Na "Carta a um editor inglês", de 1916, oferecendo uma antologia da poesia portuguesa sensacionista, reafirma o seu ponto de vista, introduzindo um elemento novo, a consciência, que denota o idealismo platonizante da sua visão da realidade:

"A única realidade da vida é a sensação. A única realidade em arte é a consciência da sensação."

E contestando o pensamento de Bacon segundo o qual a arte é "o homem acrescentado à Natureza", diz que a arte "é a sensação multiplicada pela consciência – multiplicada, note-se bem", abrindo, assim, caminho para os heterônimos.[5]

A terceira proposição-chave que importa ressaltar está contida na primeira estrofe de um poema indispensável à compreensão de Pessoa, como a crítica tem reconhecido ("Autopsicografia"):

"O poeta é um fingidor,
Finge tão completamente
Que chega a fingir que é dor
A dor que deveras sente."

Para se compreender o(s) sentido(s) desse quarteto em redondilho maior, verso por excelência popular, é preciso remontar ao título da composição: "Autopsicografia". Que pretende dizer o Poeta com um título tão inesperado, mas a um só tempo tão compatível com o que dele sabemos? Na sua análise e interpretação, descortinam-se pelo menos três níveis semânticos, cada um de per si afinado com a personalidade complexa do autor, e todos em conjunto dando uma ideia da constelação de significados que se esconde na sua obra enigmática: a esfinge continua a jorrar enigmas.

Primeiro que tudo, desvela-se um nível mediúnico, dado pelo vocábulo "psicografia". Nesse caso, estaríamos diante de um poema psicografado, à semelhança de tantos outros que os médiuns de toda parte dizem "receber" de autores mortos, servindo eles de simples instrumento de grafia do além. Acontece, porém, que o Poeta acrescenta outro prefixo – "auto" –, por meio do qual se pode entender que o "espírito" emissor do poema não está no "plano astral", mas dentro dele mesmo. Assim, o "eu" do Poeta é simultaneamente o emissor e o veículo do poema grafado: nele fala a voz, o ser, que lhe transmite a mensagem, à maneira do sujeito de "o que em mim sente 'stá pensando", ou, a rigor, é a voz do mesmo sujeito que ali se manifesta.

Médium de si próprio, eis, em suma, o primeiro estrato de interpretação, desde já congruente com outros aspectos da obra pessoana, como se verá mais adiante, especialmente ao tratar-se de Alberto Caeiro como mestre de Pessoa e dos demais heterônimos. Mestre de si mesmo, portanto. Médium imanente, se é possível dizê-lo, eis o resultado dessa autopsicografia: a transcendência é interior ao Poeta, não exterior, ou é imanente, como o próprio Pessoa enunciaria, num de seus costumeiros paradoxos: o além e o aquém são a mesma coisa, coincidem, ocupam um só espaço, guardam idêntico significado, produto que são da sensação, que é igual à ideia, que é única realidade, etc. Claro, um exame mais detido da questão demandaria o estudo do caráter esotérico, mediúnico, da mundividência pessoana.[6]

O segundo estrato semântico do significante "Autopsicografia" é de natureza filosófica. Como se encarasse o binômio "sensação da sensação" de outro ângulo, Pessoa deseja acentuar que nele coabitam dois sujeitos, ou o sujeito do sujeito, sendo o primeiro o sujeito propriamente dito, e o segundo, o objeto no qual se converte: o que é psicografado, isto é, trans/es/crito da mente, do "eu" ou do sujeito, resulta de um processo do "eu", designado pelo prefixo "auto". O sujeito, em vez de buscar fora o objeto sobre que debruçar-se, faz-se objeto de si próprio.

Assim, penetramos na camada psicológica ou psicanalítica. "Auto" e "psico" funcionariam, em decorrência da equação filosófica, como sinônimos, ou, se se preferir, como estruturas mentais correspondentes a algo como consciente e inconsciente. É a grafia do (seu) inconsciente que o sujeito realiza: o (seu) objeto está na inconsciência, mas como duplicação do sujeito, como se em face de um espelho, um espelho submerso, a que o primeiro sujeito chegasse por imersão voluntária, ou consciente. O sujeito se escreve a si próprio, escreve a sua identidade, como a imagem ao espelho, como o sujeito a descrever sua imagem projetada no espelho interior. Ou antes, como se o sujeito fosse o espelho no qual se mira, cuja imagem procura captar: a psique volta-se para si, contempla-se e autodescreve-se – auto/psico/grafa-se. A esfinge autoindaga-se, autoexamina-se, auto/psico/grafa-se.

Equacionados os sentidos possíveis do título do poema, podemos tentar a interpretação da estrofe inicial. O primeiro verso – "O poeta é um fingidor" – constitui o lema condutor dessa autopsicografia: ao falar do poeta na terceira pessoa, o autor da "Tabacaria" refere-se ao poeta em geral e, de modo particular, àquele que o habita. A sua divisão em sujeito/sujeito aponta precisamente a existência de um "outro" – um dos sujeitos – que se manifesta dentro dele e no corpo do poema, essa espécie de "correlativo objetivo", para tomar de empréstimo a terminologia usada por T. S. Eliot. Assim, o poeta – ou seja, 1) qualquer poeta; todo poeta; 2) o poeta que nele se hospeda; que é ele próprio – é um fingidor.

"Fingidor" designa "aquele que pratica a ação de fingir". Dando a palavra a um dos críticos que se ocuparam daquela estrofe-chave do universo pessoano, teríamos que "Pessoa não diz 'o poeta é um fingido', e sim 'o poeta é um fingidor'. Chama-se *fingidor* 'aquele que finge', e *fingir* significa 'inventar, fabular, fantasiar', derivando do latim *'fingere'*, ou seja, 'fazer obra de barro, cera'. *Fingidor* é quem finge, inventa, fabula, fantasia; não se confunde com *fingido*, aquele que se finge algo ou alguém, o hipócrita, o impostor".[7]

Acrescente-se que *"fingere"*, presente na origem de "fingidor" e "fingir", têm a mesma raiz de "ficção": o particípio passado de *"fingere"* é *"fictus, a, um"*, e o seu supino é *"fictum"*. De onde *"fictio, onis"* (ficção), *"ficte"* (fingidamente), etc. Começando pela ideia de "modelar em barro", *"fingere"* acabou significando "formar, representar, esculpir", "compor (uma obra literária)", etc. O poeta é, pois, um criador de ficção, imaginação ou fantasia, tomando os três vocábulos como aproximadamente sinônimos.

Note-se de passagem que Pessoa, ao dizê-lo, está sendo fingidor, vale dizer, fingindo que diz que o poeta é um fingidor: a sua afirmação é um fingimento em torno do fingimento, numa espécie de *mise en abîme*. Mais uma vez, a esfinge diante do espelho, finge que finge, olhando-se a si própria numa sequência de imagens que se perde no infinito. "Fingir é conhecer-se", é dar-se a conhecer. O fingimento da autopsicografia, processando-se no plano tridimensional da mediunidade/filosofia/psicologia, revela, sem decifrar, o segredo da esfinge. "Não, não queiram saber mais nada, é segredo, não digo" ("Adiamento"), dirá o Poeta pela voz de Álvaro de Campos.

Aceite que o poeta cria ficções, segue-se que a "verdade" do poeta é a, ou está na, imaginação; é a verdade imaginária, contraposta à verdade empírica, positiva. O seu reino é o do fingimento, a criação de ficções: ele molda o poema com o mesmo artifício (o poema é um artefato) que o moleiro emprega para construir o seu vaso. Poema e vaso – assim como qualquer objeto de arte – são produto da fantasia, representam a imaginação, e a sua verossimilhança não se mede em relação à realidade concreta, senão à realidade suposta, criada.

Mas para que o fingimento não se confunda com o fingimento do ser humano comum – o que comprometeria a especificidade da sua imaginação –, Pessoa desvenda, nos restantes versos da estrofe, o conteúdo do primeiro. E a um só tempo vai criando outros núcleos de poesia, outros paradoxos. Por fim, arquiteta o seu poema – cria poesia, cria ficção – e elabora a teoria que a sustenta: metapoesia, metapoética.

Que temos nos versos seguintes a "O poeta é um fingidor"? Não basta ser fingidor, uma vez que a linguagem cotidiana também cria ficções, na medida mesma em que recorre à metáfora como veículo de comunicação. Mas não é ainda poesia; quando muito, trata-se de um embrião de poesia. Não basta fingir; é preciso fingir "tão completamente / Que chega a fingir que é dor / A dor que deveras sente". Ou seja: a dor autêntica, experimentada, real, somente se converte em arte (poesia) quando fingida, imaginada, moldada no barro do poema. Transmitir "a dor que deveras sente" não constituiria arte, mas pura confissão, sem maior interesse estético. Para que a dor assuma estatuto poético, há que fingi-la, imaginá-la, como se fosse inventada. De onde se plasmar nos versos nem "a dor que deveras sente", nem a dor imaginária "pura", senão o intervalo formado pela ficcionalização da dor autêntica. Nesse momento, apenas nesse momento, é que o poeta cumpre a sua missão de fingidor. Sem "a dor que deveras sente", isto é, sem a vivência da dor, nem pensar na existência da poesia; e sem o fingimento, o poeta não se realiza.

Cabe-lhe, portanto, fingir a dor real. Daí experimentar duas dores, "a dor que deveras sente" e a imaginária, como diz na estrofe seguinte de "Autopsicografia". Ou, remontando ao problema da sensação, haver duas sensações: a primeira, composta pela experiência da dor; a segunda, pelo desdobramento da outra no espaço da imaginação. Duas sensações, superpostas, assim como duas espécies de dor: a real, que provoca a sensação, digamos, física, e a imaginária, fruto do desenvolvimento da primeira numa "imagem", ou antes, numa cadeia de imagens.

4

Com base nesses postulados, e noutros que reclamariam um estudo à parte, Pessoa busca construir a obra na qual imprime a sua visão do mundo. Inscrito num tempo em que a relatividade se havia tornado pedra de toque para a compreensão da cultura, ele próprio sentindo o relativismo de tudo, pôs-se no encalço de uma "verdade", capaz de resistir à ideia de atomização e superar a relatividade universal.

Ainda uma vez fazendo uso do paradoxo, certamente por vê-lo refletir a própria imagem do mundo, o Poeta descrê de um absoluto, mas considera-o indispensável para explicar o caos cósmico e conferir-lhe a ordem perdida. Em suma, mergulhado no relativo, dele parte na demanda de uma explicação qualquer, que lhe saciasse a necessidade de um suporte para a sua interpretação do real. Colocado diante das coisas e seres como diante de fenômenos, numa postura à Husserl, Pessoa tenta reconstruir o mundo a partir do nada, isto é, de nenhum preconceito, pondo em suspenso toda mediação intelectual entre ele e a realidade.

Esse processo fenomenológico pressupõe a multiplicidade do Poeta em quantas criaturas compuseram e compõem a humanidade: apenas desse modo, somando as "visões" e "verdades" relativas da espécie humana no decurso do tempo, é que lhe seria possível ter uma imagem do universo e resgatá-lo do caos da relatividade. O âmago da cosmovisão pessoana é constituído, assim, pelo esforço no sentido de conhecer a realidade como um absoluto possível, para além das contingências. Era preciso ser todos, antepassados, contemporâneos e vindouros, aprender a sentir com eles, ser um eu-cidade, um eu-humanidade, "uma série de contas-entes ligadas por um fio-memória", ou, como afirma em tom de doutrina poética ou de plataforma filosófico-existencial:

"Multipliquei-me, para me sentir,
Para me sentir, precisei sentir tudo,
Transbordei, não fiz senão extravasar-me,
Despi-me, entreguei-me,

E há em cada canto da minha alma um altar a um deus diferente"

ou, mais extensamente, deixando à mostra a preocupação com o absoluto:

"Quanto mais eu sinta, quanto mais eu sinta como várias pessoas,

Quanto mais personalidades eu tiver,
Quanto mais intensamente, estridentemente as tiver,
Quanto mais simultaneamente sentir com todas elas,
Quanto mais unificadamente diverso, dispersadamente atento,

Estiver, sentir, viver, for,

Mais possuirei a existência total do universo,
Mais completo serei pelo espaço inteiro fora.
Mais análogo serei a Deus, seja ele quem for,
Porque, seja ele quem for, com certeza que é Tudo,
E fora d'Ele há só Ele, e Tudo para Ele é pouco."

Afastando por ora o que há de megalomaníaco nesse processo de multiplicação e de identificação com Deus, mas registrando-o com vistas a futuras considerações, fixemos a ideia de que, ao acionar o desdobramento interior (esquizofrenia?), como se se tornasse um complexo poliedro de sensações e conceitos, ou seja, de maneiras de sentir e pensar, o Poeta pagava o preço da sua despersonalização, da desintegração do *ego*. Faca de dois gumes, esse processo atomizante da personalidade faz de Pessoa um ser uno e divíso a um só tempo e salva-o duma insana egolatria, que poderia conduzi-lo ao suicídio ou ao manicômio, caminhos percorridos por dois companheiros de geração, igualmente presa da malha de relatividade em voga no tempo: Mário de Sá-Carneiro, o conhecido autor de *Dispersão*, e Ângelo de Lima, que morreu num hospício.

Ora, é desse múltiplo e desintegrante desdobramento do "eu" que nascem os heterônimos de Fernando Pessoa. Nada tendo que ver com os pseudônimos, pois que não são apenas nomes fictícios, com que os autores costumam disfarçar-se, querem referir-se a *outros nomes*, outros poetas, com dicção, "vida" e características pessoais, habitando o íntimo do Poeta, de modo a torná-lo um e vários ao mesmo tempo. Processo consciente, ou consciente até certo ponto, mas não voluntário, mediante ele, Pessoa se habilita a ver o mundo como os outros o veem e, explicando e transcendendo o caos, atingir algum absoluto na floresta de relativismos em que se acha embrenhado.

Os heterônimos são, por conseguinte, metáforas, instrumentos, "sujeitos", por meio dos quais é possível conhecer a complexidade do real – *fictio personae*. O Poeta intuía, ou experimentava a sensação de, que era inconcebível tal conhecimento a uma única pessoa: sempre cada um divisa a realidade da sua exclusiva perspectiva. Mas, por outro lado, sabia que lhe era vedado multiplicar-se em todos os seres a fim de apreender-lhes as respectivas "visões".

Pendente entre as duas radicais impossibilidades, Pessoa decide multiplicar-se em heterônimos-símbolos, ou heterônimos fundamentais, primordiais, que expressassem as cosmovisões arquetípicas, necessariamente limitadas em número, e nas quais se congraçariam as infinitas cosmovisões particulares, incapazes de manifestar-se, ou apenas o fazendo de modo precário. Seria como encontrar as visões-matrizes da realidade, formadas dos aspectos recorrentes nas visões individuais. Limitadas em princípio, nem por isso seria possível prever-lhes a quantidade exata: o Poeta vislumbraria os comportamentos-padrão, extraindo do seu "eu profundo" os seres que os encarnariam, sem conhecer-lhes, de antemão, o montante.

Vários heterônimos Pessoa "descobriu" no transcurso da existência, desde Chevalier de Pas, surgido em plena infância (1894), até os heterônimos especialistas em "sociologia política", Jean Seul, L. Guerreiro e Gervásio Guedes, indicados como presuntivos coautores de um projetado livro de *Estudos contemporâneos*. De toda a galeria de heterônimos, três sobressaem, oferecendo-nos, quem sabe, por intermédio do número cabalístico, as visões básicas do ser humano, ao menos daquele que se desenvolveu no Ocidente.

5

Na famosa carta a Adolfo Casais Monteiro de 13 de janeiro de 1935, a poucos meses da sua morte, ocorrida a 30 de novembro do mesmo ano, Pessoa informa acerca da gênese dos heterônimos. Alberto Caeiro, mestre de Pessoa e dos demais heterônimos, ganha vida no dia 8 de março de 1914:

"acerquei-me de uma cômoda alta, e, tomando um papel, comecei a escrever, de pé, como escrevo sempre que posso. E escrevi trinta e tantos poemas a fio, numa espécie de êxtase cuja natureza não conseguirei definir. Foi o dia triunfal da minha vida, e nunca poderei ter outro assim."

O passo seguinte foi construir-lhe a biografia:

"Alberto Caeiro nasceu em 1889 e morreu em 1915; nasceu em Lisboa, mas viveu quase toda a sua vida no campo. Não teve profissão nem educação quase alguma. (...) era de estatura média, e, embora realmente frágil (morreu tuberculoso), não parecia tão frágil como era. (...) como disse, não teve mais educação que quase nenhuma – só instrução primária; morreram-lhe cedo o pai e a mãe, e deixou-se ficar em casa, vivendo de uns pequenos rendimentos. Vivia com uma tia velha, tia-avó."

E nessa biografia, o pormenor que ilumina o núcleo da sua maneira de ser poeta: o campo. "Descobridor da Natureza", "o único poeta da Natureza", "intérprete da Natureza", eis o que se julga ser, porquanto o seu objeto é a Natureza, não só por encerrar o alvo para onde converge a sua atenção, como também porque pretende identificar-se com ela, tornar-se um poeta pura e simplesmente, tão natural como a fauna e a flora que povoam a Natureza.

Naquele "dia triunfal", Pessoa/Alberto Caeiro redigira grande parte de "O guardador de rebanhos", composto de quarenta e nove poemas, o primeiro dos quais constitui uma teoria poética do heterônimo. "Eu nunca guardei rebanhos, / Mas é como se os guardasse" são os versos iniciais, nos quais a comparação explícita, através do "como", lembra de imediato o fingimento poético: não é preciso guardar rebanhos para ser pastor; basta fingir que os guarda para ser um "guardador de rebanhos", visto que, como diz no verso seguinte, "Minha alma é como um pastor, / Conhece o vento e o sol". Novamente o paralelo aponta a metáfora representada pela identificação da alma com o pastor. E a alma, entendida como o pastor, "anda pela mão das Estações / A seguir e a olhar".

Aqui o ponto nevrálgico da poesia de Caeiro: o olhar. Olhar o quê? A Natureza, ou antes disso, "Olhando para o meu rebanho e vendo as minhas ideias, / Ou olhando para as minhas ideias e vendo o meu rebanho". Pastor de ideias, como se elas constituíssem o seu rebanho. Mas ver o rebanho como ideias, e as ideias como rebanho, subentende que o olhar se volta às ideias como se fizessem parte da Natureza, e vice-versa. Ou seja, ele olha para as ideias e vê um rebanho, ou olha para o rebanho e depara as ideias, desejando não pensar, como se contemplasse tão-somente coisas ou seres da Natureza.

Interessa-lhe ver sem pensar, pois "pensar incomoda como andar à chuva". Mas como deixar de pensar se é pensando que afirma a identidade das ideias e do rebanho? Se é com o pensamento que articula o seu ideal? Como deixar de pensar ao escrever os versos, se estes são fruto do pensamento, ou, ao menos, do pensamento que se inscreve na emoção ou dela provém? Por outro lado, o seu rebanho são suas ideias: como enfrentar as ideias sem pensar, sem perquiri-las? Como conceber que são ideias se não pensa nelas, ou seja, se a alma não pensar ou não sentir o seu conteúdo, as ideias? Ainda que se tome "ideia" no sentido de "imagem", não há como vê-la sem pensá-la, ou, quando pouco, sem pensar, sem discernir no conteúdo mental o que seja ideia. Do contrário, como ser pastor de ideias, sem saber do que está cuidando?

A tensão íntima da poesia de Caeiro radica nesse paradoxo: a sua naturalidade é tão fingida (imaginária, fictícia) quanto o oposto dela, a fuga da Natureza no rumo da cidade. E essa tensão se organiza justamente entre os elementos que constituem o seu programa, ou o seu mecanismo poético:

"O essencial é saber ver,
Saber ver sem estar a pensar,
Saber ver quando se vê,
E nem pensar quando se vê
Nem ver quando se pensa."

Caeiro preconiza uma visão que fosse puro ato visual, sem a aderência do pensamento, a ponto de sugerir a obnubilação do olhar quando se pensa. É tal a ênfase no olhar, na pura visão, que o pensar se lhe afigura "não compreender...", como se, imprevistamente, a compreensão não dependesse do pensar, mas do olhar. Mais ainda, como se pensar significasse incompreensão: pensar significaria desconhecer, ou não compreender, pois que "O Mundo não se fez para pensarmos nele", dado que pensá-lo é não compreendê-lo, ou seja, "(Pensar é estar doente dos olhos)", é não poder ver, ou é deixar de ver. Afinal, para que o mundo se fez? "Para olharmos para ele e estarmos de acordo...", diz Caeiro.

Centrado no ato de ver, dizendo-se possuidor de sentidos, não de uma filosofia, Caeiro quer abolir o pensamento, visto que pensar atenta contra a naturalidade das coisas, ou contra a Natureza, que não tem metafísica: "Metafísica? Que metafísica têm aquelas árvores?" Mas pensa para atingir o seu objetivo. Aí o seu processo, aí o seu drama. Pensar é não ver, "é fechar os olhos / E não pensar". Donde o conflito: pensa sempre, dum pensar que se pretende sem metafísica, fenomenológico, à semelhança do seu objeto natural: sem metafísica, visto que a Natureza não tem metafísica.

Caeiro está condenado a pensar, a pensar sempre, 1) quando vê, por pensar e não meramente ver, ou, ao menos, por pensar e ver ao mesmo tempo; 2) pelo fato de "ver", no plano da "realidade" do Poeta e no plano dos versos, não se processar sem o seu adjunto, o seu imediato condutor para a consciência do poeta e do leitor, isto é, o pensamento: um "ver" puro pertence ao mundo da idealidade, implicando um silêncio zen, um mutismo búdico, que negaria a existência dos versos; um "ver" puro de que não tomássemos conhecimento escapa a qualquer controle, a qualquer instrumento de detecção, e ao tomar conhecimento dele para o registrar como "puro", o pensamento já desempenhou o seu papel, tornando-o "impuro", não natural. Tão condenado a pensar quanto a empregar as palavras para o dizer: tão logocêntrico quanto raciocêntrico.

Com mais facilidade se entenderá que, não sem tombar no pleonasmo, o heterônimo pensa quando quer pensar em que deve abolir o pensamento para ser igual às coisas da Natureza, que não pensa para ser o que é. Caeiro está condenado a pensar. Todavia, é dessa condenação que retira a poesia de superior qualidade estética e ideativa, e a sabedoria que lhe permitiu ser mestre de Pessoa e dos demais comparsas em heteronímia.

Poeta do olhar, pastor de pensamentos, logo Caeiro se descobre pastor de sensações:

"Sou um guardador de rebanhos.
O rebanho é os meus pensamentos
E os meus pensamentos são todos sensações."

Mas a equação primitiva se conserva, com toda a ambiguidade que a caracteriza, ainda que, na continuidade desses versos, afirme pensar "com os olhos e com os ouvidos / E com as mãos e os pés / E com o nariz e a boca". O seu intuito, patente no poema XXXVI, é ensinar os poetas a ver, já que o labor do poeta difere da artesania do marceneiro: o trabalho de carpintaria dos versos não significa a criação de poesia.

Não terminam aqui, obviamente, os problemas postos pela poesia de Caeiro: o nosso intento seria aqui apenas o de esboçar-lhe a figura dentro do quadro de toda a poesia pessoana. Dentre os aspectos que ainda caberia assinalar nesta perspectiva, ressalta o do pastoralismo de Caeiro em face do pastoralismo arcádico, quinhentista e clássico: não há como confundi-los, a partir do simples fato de que Caeiro pastoreia ideias ou sensações, ou melhor, sua alma é pastora de ideias ou sensações. O bucolismo da tradição, além de artificioso, prega a fuga para um eldorado, uma arcádia, situada na utopia, ao passo que o de Caeiro recusa a evasão, a teatralidade arcádica, quinhentista ou clássica, por meio da qual os poetas se fingiam pastores, assumiam pseudônimos, etc.

O bucolismo de Caeiro é introspectivo, é da alma, platônico, reside no plano das ideias – utopia situada na interioridade. O seu pastoralismo desmi(s)tifica o bucolismo histórico para instaurar um congênere imanente no ato de ver/pensar, transmoderno ou trans-histórico, que recupera, ou propõe recuperar, o contacto direto com a Natureza antes da insurgência do Logos: reaver, em suma, o estado natural, original, anterior à descoberta da palavra, ou do pensamento, visto serem equivalentes. Para isso, propõe a deslogicização do pensamento, a des-significação da palavra, reduzindo-a a uma *res*, coisa material, onde se pudesse contemplar a Natureza, não o seu sucedâneo ou a sua imagem. Retornar à Natureza antes do advento das ideias, à Natureza "bela e antiga", que não teria sido atingida pelos bucolistas que o antecederam, desde Teócrito e Vergílio:

> "Os pastores de Vergílio tocavam avenas e outras coisas
> E cantavam de amor literariamente.
> (Depois – eu nunca li Vergílio.
> Para que o havia eu de ler?).
>
> Mas os pastores de Vergílio, coitados, são Vergílio,
> E a Natureza é bela e antiga."[8]

6

Quanto a Ricardo Reis, "nasceu em 1887", recorda Pessoa na mencionada carta a Adolfo Casais Monteiro, acrescentando: "(não me lembro do dia e mês, mas tenho-os algures), no Porto, é médico e está presentemente no Brasil". Comparado com Caeiro, "é um pouco, mas muito pouco, mais baixo, mais forte, mais seco. (...) educado num colégio de jesuítas, é, como disse, médico;

vive no Brasil desde 1919, pois se expatriou espontaneamente por ser monárquico. É um latinista por educação alheia, e um semi-helenista por educação própria".

"Nascido" dois anos antes do seu mestre e sobrevivendo a ele, ainda que exilado no Brasil desde 1919, Ricardo Reis é o seu antípoda: anti-Caeiro, não só por suas crenças monárquicas e sua formação clássica, senão também pela matéria, dicção e linguagem (alatinada) de sua poesia. O seu universo é o das odes, à maneira greco-latina, mais especificamente horaciana, breves urnas onde se arquivam pensamentos/sensações lapidares, sentenças oraculares ou de sabedoria perene. O seu universo não é o da Natureza, nem mesmo da abolição de pensar. Antes pelo contrário: é o avesso do mundo de Caeiro.

Se Pessoa "ele mesmo" é, como veremos, o poeta "à beira-mágoa", Ricardo Reis é o poeta "à beira-rio", onde se senta com Lídia, bem-amada/musa que tomou de empréstimo a Horácio, para gozar a certeza de "que a vida passa, e não estamos de mãos enlaçadas". Aqui o cenário da sua poesia e o quadro ideológico da sua visão da realidade: o rio é a metáfora-chefe da poesia de Ricardo Reis. Nem ver, nem pensar a Natureza, pois que ela "é só uma superfície". Viver nela como se não fosse nem para ser pensada, nem para ser vista, mas como se o par em idílio ("Vem sentar-te comigo, Lídia, à beira do rio.") houvesse alcançado, mercê do autodomínio, a tranquilidade perante a Natureza e, em consequência, pudesse entregar-se à fruição plena e suave do seu destino, a "sossegadamente / fitar / o (...) curso" do rio, e nada mais.

Na convicção de "que a vida / Passa e não fica, nada deixa e nunca regressa", inscreve-se o *carpe diem* horaciano, que os neoclássicos renascentistas e setecentistas puseram em circulação. Monarquista, latinista, Ricardo Reis está todo voltado para o passado, e o passado remoto: é o heterônimo neoclássico, mas dum neoclassicismo original, diverso dos anteriores, mesmo em relação ao seu mestre Horácio.[9] O seu neoclassicismo é "científico", no sentido de "reagir contra duas correntes – tanto contra o romantismo moderno, como contra o neoclassicismo à Maurras", nas palavras de Pessoa, num texto provavelmente de 1914. Nessa mesma ode, um verso assinala o tipo de neoclassicismo perfilhado ou proposto por Ricardo Reis:

"Pagãos inocentes da decadência."

Além de imaginar-se, não o médico que vive no século XX, mas um dos antigos, Ricardo Reis acentua a crença pagã, que logo o remete para a mitologia, para o politeísmo pré-cristão, mas estando o par de amantes na decadência do Império Romano, provocada, entre outros fatores, pelo advento de Cristo. Pós-cristão na ordem do tempo, cultiva os mesmos valores pagãos, mas com inocência, sem os "pecados" praticados em nome dos deuses.

A beleza, se dela se trata, é de natureza ética: o bem é o belo, e vice-versa, o belo encerra o bem. De onde as odes serem repositórios de um saber que se aproxima do estoicismo/epicurismo, patente na ideia de que, "Quer gozemos, quer não gozemos, passamos como o rio", e que, portanto, "Mais vale saber passar silenciosamente / E sem desassossegos grandes". Decorrência natural desse clima estoico/epicurista é o elogio da velhice e a aceitação do Fado (originário do *Fatum* latino), situado "mais longe que os deuses", e que se distingue do *maktub* árabe, de conotação fatalista.

A utopia, agora, consiste na busca da tranquilidade, da "apatia", da "ataraxia", da impassibilidade. Radicada na filosofia estoico/epicurista, a impassibilidade lembra de pronto o Parnasianismo dos fins do século XIX, igualmente neoclássico no seu programa estético antirromântico. Todavia, não há como confundir a poesia de Ricardo Reis e o movimento iniciado por *Le parnasse contemporain* em 1866. A impassibilidade dos seus adeptos inspira-se no mármore, na escultura, caracteriza, ou pretende caracterizar, a ausência de emoção, entendida como transbordamento do "eu". Para Ricardo Reis, o supremo bem consiste em atingir a impassibilidade estoico/epicurista, fruto do domínio sobre as paixões: é antes de tudo filosófica, ou mais propriamente, moral. A luta contra os instintos está presente nas odes, e dela o poeta extrai a tensão que as anima, fundindo ética e estética num corpo só:

"Abdica e sê
Rei de ti mesmo"

aconselha o poeta, evidenciando o monarquismo de sua fé política e, ao mesmo tempo, o estoicismo da sua pregação, tudo lastreado de ceticismo em face do gozo dos sentidos e amparado na crença no Destino, que tudo provê e prevê.

7

Contemporâneo do seu mestre Caeiro, e, sem dúvida, dos outros heterônimos, incluindo o Pessoa "ele mesmo", Álvaro de Campos nasceu "em Tavira" – lembra Pessoa na mesma carta a Adolfo Casais Monteiro – "no dia 15 de outubro de 1890 (às 1.30 da tarde, diz-me o Ferreira Gomes; e é verdade, pois, feito o horóscopo para essa hora, está certo). Este, como sabe, é engenheiro naval (por Glasgow), mas agora está aqui em Lisboa em inatividade. (...) é alto (1,75 m de altura, mais 2 cm do que eu), magro e um pouco tendente a curvar-se. (...) entre branco e moreno, tipo vagamente de judeu português, cabelo, porém, liso e normalmente apartado ao lado, monóculo. (...) teve uma educação vulgar de liceu; depois foi mandado para a Escócia estudar engenharia, primeiro mecânica e depois naval. Numas férias fez a viagem ao Oriente de onde resultou o *Opiário*. Ensinou-lhe latim um tio beirão que era padre".

E à semelhança dos outros heterônimos, a sua biografia se espelha na obra, ou vice-versa: Pessoa inventa uma e outra, finge uma e outra, mas aqui a invenção, o fingimento, não perde de vista a coerência entre as duas metades que compõem cada heterônimo. Tudo se passa como se, inventando coerência entre a vida e a obra dos heterônimos, Pessoa inventasse para si uma vida (coerente) a fim de substituir a vida que não tinha, ou que possuía vicariamente, por meio dos heterônimos. Pessoa viveu, ao fim de contas, não apenas uma existência, senão várias, acreditando, por certo, serem tão suas quanto a própria (quem sabe, mais ainda suas), que não teve ou não sentiu como tal.

De onde a heteronímia ser um embuste completo e, ao mesmo tempo, um estratagema genial para burlar a loucura (usando, porém, o mecanismo esquizofrênico para o fazer), ou, pelo menos, atenuar a não vida determinada pelo ramerrão nos escritórios comerciais a redigir cartas em línguas estrangeiras. Pessoa cerca-se de gente, constrói a sua geração literária, à medida que a sua geração real, de *Orpheu,* ia desaparecendo, e mantém-na viva até depois de sua morte, caso Ricardo Reis ainda esteja por aqui curtindo o seu exílio.

Engenheiro naval de profissão, Álvaro de Campos é o heterônimo "cientista", moderno, voltado para o mar, velha obsessão lusíada e velho tema literário. Se Pessoa escreve "à beira-mágoa", Ricardo Reis "à beira-rio" e Alberto Caeiro fala no rio que corre por sua aldeia, Álvaro de Campos escreve "à beira-mar". De claros acentos épicos, ao contrário dos outros heterônimos, ressalvado o Pessoa "ele mesmo", autor de *Mensagem*, Álvaro de Campos é o poeta sensacionista por excelência – "engenheiro e poeta sensacionista", como ele próprio se intitula –, e futurista por formação e adesão, e futuritivo por desígnio – "engenheiro naval e poeta futurista", ainda nas suas palavras.

Pondo a máquina onde a tradição colocava Deus, ou vendo-O nela:

"Nova Revelação metálica e dinâmica de Deus!"

impulsiona-o uma revolta de indignado, de exasperado com a modernidade em que se nutre. Poeta da cidade, por fatalidade e escolha, para ele a cidade corresponde à Natureza de Caeiro: "a cidade é Natureza". Walt Whitman é o seu mestre em modernidade e no corte do verso, estirado em longos metros que mais se afiguram períodos de prosa ritmada, moldados segundo o pulsar nervoso da emoção descontrolada.

Torturado pelo pensamento, pelo atrito com o mundo moderno, atravessa-o um sopro de megalomania: "Mais análogo serei a Deus, seja Ele quem for." A loucura ronda-o, uma loucura da qual tem consciência, tal o seu viés esquizoide ou histeroesquizoide:

"Tenho a loucura exatamente na cabeça.
[..]
Graças a Deus que estou doido!"

Com efeito, uma nota espasmódica de insanidade, de tensão levada ao paroxismo, varre-lhe a poesia, poesia dum racionalista que compusesse os poemas "à beira-loucura", à custa de tanto pensar, como um filósofo que endoidecesse de sondar até as profundezas o abismo da alma humana. Doido lúcido, irmão de Hölderlin, Nietzsche e outros "iluminados" pela razão desenfreada, como um estigma divino, lúcido de tudo, inclusive da sua demência.

Uma sombra permeia essa loucura satânica, de santo às avessas: a infância, a magoada lembrança "do tempo em que festejavam o dia dos meus anos!", como diz em "Aniversário", dos mais comoventes poemas pessoanos, que culmina com um verso em que se condensa, não só o heterônimo, como provavelmente todo o Fernando António Nogueira Pessoa, desde o simples auxiliar de escritório até o sibilino autor de *Mensagem*:

"Raiva de não ter trazido o passado roubado na algibeira!..."

De onde o tédio, a náusea, como em nenhum outro heterônimo, tédio e náusea que logo fazem pensar numa postura existencialista *avant la lettre*: igualmente anti-Caeiro à sua maneira, Álvaro de Campos é um existencialista, para quem a transcendência se inscreve na imanência, ou, consoante a pregação sartriana, a existência precede a essência.

O mais inglês dos heterônimos, Álvaro de Campos é também o mais romântico de todos, ou é, a rigor, o heterônimo romântico, nos arroubos, no despejo emocional, no extravasamento de um *ego* repassado de conflitos, turbulências de toda ordem, a um só tempo afeiçoado à modernidade e impelido por desencontradas forças interiores que sugerem a nostalgia de um mundo perdido, de feição romântica. Na "Ode marítima", diz amar "a civilização moderna" e beijar "com a alma as máquinas", e mais adiante confessa que

"Gostaria de ter outra vez ao pé da minha vista só veleiros
[e barcos de madeira,
De não saber doutra vida marítima que a antiga vida dos mares!
Porque os mares antigos são a Distância Absoluta,
O Puro Longe, liberto do peso do Atual..."

Se os demais heterônimos sabem onde mora a paz e procuram-na como o seu *locus amoenus*, Álvaro de Campos desconhece-a, ou adivinha-a num nirvana que é sinônimo de niilismo, anarquia, desistência, acionado por uma acabrunhante certeza, que subjaz a todo o processo exterminador:

"Símbolos. Tudo símbolos...
Se calhar, tudo é símbolos...
Serás tu um símbolo também?
[...................................]
Meu Deus! Os símbolos... Os símbolos..."

8

Além desses heterônimos, Pessoa criou outros, autores de fragmentos ou de breves textos, como Alexander Search e I. I. Crosse, que escreviam em inglês, Vicente Guedes, A. Mora, C. Pacheco e o semi-heterônimo Bernardo Soares, autor do *Livro do desassossego,* publicado em 1982. Na carta a Adolfo Casais Monteiro, diz Pessoa que Bernardo Soares "aparece sempre que estou cansado ou sonolento, de sorte que tenha um pouco suspensas as qualidades de raciocínio e de inibição; aquela prosa é um constante devaneio. É um semi-heterônimo porque, não sendo a personalidade a minha, é, não diferente da minha, mas uma simples mutilação dela. Sou eu menos o raciocínio e a afetividade. A prosa, salvo o que o raciocínio dá de *tênue* à minha, é igual a esta, e o português perfeitamente igual".

Escrito por um "ajudante de guarda-livros na cidade de Lisboa", o *Livro do desassossego* é uma coletânea de fragmentos cuja ordenação desafia os críticos e os editores de texto. Sabe-se que Pessoa planejara dar-lhes uma orgânica. Mas qual? Até o momento, não se conhece nada que sugira uma sequência dos textos segundo a vontade do autor. É possível admitir que, pensando melhor, ou deixando que o tempo se incumbisse de oferecer-lhe uma solução ao problema, ele resolvesse deixar os fragmentos como os redigiu: a sua ordem – ordem secreta, esotérica, e portanto ditada por forças que estão "além dos deuses" – residiria na desordem (aparente, por certo, uma vez que decretada nos arcanos impenetráveis do Destino) como foram concebidos e recolhidos na famosa arca.

Diário íntimo, à Amiel, escrito dia a dia (fingidamente ou não, pouco importa, pois que o resultado permanece inalterado), como um livro-caixa, vazado numa prosa de nítidos acentos poéticos, registra a autoanálise freudiana de um sensacionista, de um decadente, convulso de mágoa e solidão, mesclando sempre o pensamento sofrido, não obstante lúcido, à emoção sutil, onde perpassa um gemido que torna o *Livro do desassossego,* nas palavras do narrador, "o livro mais triste que há em Portugal", assim desalojando o *Só,* de António Nobre, do seu trono de alheamento e tédio.[10]

O quadro dos heterônimos completa-se com o Pessoa "ele mesmo", ou o Pessoa ortônimo, qualificativo com o qual pretenderia assinalar que assumia o sujeito que fala nos seus poemas e textos em prosa. Ainda discípulo confesso de Caeiro, identifica-se por ser um poeta que escreve "à beira-mágoa", filiado à tradição poética lusitana, marcada pela sentimentalidade e o egocentrismo. De dicção barroquizante, apoia-se numa dialética que se autoinvestiga, fazendo pensar numa arquidialética ou numa metadialética.

De um lado, é o lírico por excelência, tocado pela saudade da infância e por notas de vaga musicalidade, que lembram o autor do *Livro do desassossego*. De sua lavra são os "ismos" (Paulismo, Interseccionismo e Sensacionismo) com que visou modernizar a poesia portuguesa posterior ao Simbolismo. De outro, é o épico ocultista e visionário de *Mensagem*, espécie de *Os lusíadas* revisitados, mas num registro novo, em que se exprime a recusa cega da tradição e a proposta de uma visão original da pátria e do seu destino de grandeza. Pessoa "ele mesmo" é ainda o autor de "dramas estáticos" (*O marinheiro, O primeiro Fausto*), de "contos policiários" ou "de raciocínio", de poemas em prosa, de vária prosa filosófica, sociológica, econômica, etc.

9

É hoje ideia assente, após os estudos pioneiros de Jacinto do Prado Coelho, que a diversidade heteronímica de Pessoa se enraíza numa unidade, decorrente das semelhanças fundamentais existentes entre os heterônimos, fruto que são do mesmo cérebro. E não só por isso: os heterônimos constituem *alter egos* do Poeta divisando o mundo de um ângulo específico. Veiculam diferentes cosmovisões, perspectivas da realidade, que o psiquismo do Poeta foi capaz de conceber e imaginar. Era vários em um, pois que via a realidade como se fosse mais de um.

Por outro lado, o processo corresponde a uma genial mistificação. Produto do "drama em gente", da "despersonalização dramática", os heterônimos são máscaras de que se vale o Poeta para representar um duplo papel: ocultar-se atrás delas para melhor revelar-se, mas revelando-se às avessas, obliquamente, exigindo do leitor um árduo trabalho de recomposição do trajeto percorrido pelo Poeta no seu mascaramento. Esconder-se para revelar-se, e revelar-se para despistar.

O processo de afivelar máscaras, que, ao serem retiradas, o Poeta descobre estarem "pegadas à cara", como diz Álvaro de Campos em "Tabacaria", termina num supremo requinte, ao qual só atentamos depois de repetido contacto com os heterônimos: a poesia ortônima, ou seja, a poesia do Pessoa "ele mesmo", é ainda heterônima. À maneira dos poetas em geral, e mais ainda pelo fato de nele germinarem os "outros" que constituem os heterônimos, Pessoa expressava-se como "eu lírico", transferindo para um terceiro, o "eu" (ou, na verdade, o "ele") inscrito nos poemas, ou que por meio deles se manifesta, a prática da ação criadora. "Ele mesmo" porque não Alberto Caeiro, Álvaro de Campos, Ricardo Reis, Bernardo Soares, etc., mas heterônimo tanto quanto eles, por dividir-se, no ato de escrever, em dois "eus", o dos poemas e o civil.

Ao estilhaçar o *sujeito* poético, pela multiplicação heteronímica, Pessoa igualmente desintegra o *objeto* poético: a matéria poética, a temática, sobre que cada um dos heterônimos se debruça, não é a mesma, ainda que nela se encontre uma unidade subjacente à diversidade. Por certo que a atomização do "eu" poético poderia observar-se antes de Pessoa como tendência natural de todo poeta, visto que, ao criar o poema, ele gera um "eu" que é o autor dos versos: o "eu lírico" é, verdadeiramente, um "ele", que fala pelo "eu" civil do Poeta. Mas Pessoa leva ao extremo essa tendência, da mesma forma que procede com o desdobramento do objeto poético, também visível nos poetas quando tratam de temas diversos, ou adotam maneiras diferentes ao longo da sua carreira. Há um Camões lírico e um Camões épico, um medieval e um clássico, e tem-se divisado um Antero "das luzes" e um Antero "das sombras". No entanto, somente Pessoa explorou todos os efeitos possíveis dessa cisão natural em que mergulha o poeta quando exercita o seu ofício de expressar a sua e/ou a nossa interioridade por meio dos versos.

Daí que, se se pusesse o falacioso problema da sinceridade em Pessoa, que muita controvérsia suscitou noutros tempos, ver-se-ia que através de Álvaro de Campos o Poeta se revelaria "sincero": Álvaro de Campos seria o "Fernando Pessoa", de quem Fernando Pessoa seria heterônimo, como se, realmente, tivéssemos um poeta, Álvaro de Campos, e um seu heterônimo, Fernando Pessoa. Ou, por outra, um heterônimo/pseudônimo – Álvaro de Campos – e um ortônimo/heterônimo – Fernando Pessoa. Por que o autor de *Mensagem* teria escolhido Álvaro de Campos para tal missão?

Primeiro que tudo, porque Álvaro de Campos reflete a complexidade que Fernando Pessoa, no todo da sua obra, ou, pelo menos, em sua poesia, apresenta: a parte reproduz o todo, a criatura o criador; o microcosmos reflete o Cosmos. Em segundo lugar, nele se contêm os demais heterônimos: não poucos momentos há em que parece empregar as máscaras de Alberto Caeiro, Ricardo Reis, Bernardo Soares e o próprio Pessoa "ele mesmo". Claro, o mesmo se pode afirmar dos outros heterônimos, mas em dose menor, fazendo pensar antes nas semelhanças de raiz que na adoção momentânea de máscara alheia. Mais ainda: nele se adivinha a germinação de outros possíveis heterônimos, que somente não se desenvolveram por circunstâncias superiores à sua vontade, bem como de Pessoa.

Por fim, sendo "moderno", contemporâneo de si próprio nas suas propostas estéticas e dos outros heterônimos, encerra na sua mundividência o passado, lusitano ou não, representado pela tradição, etc. Como todo "moderno", a ruptura com as fórmulas peremptas é parcial; além de poder retomar soluções antigas, o "moderno" não tem plena consciência do que deve à tradição, aquela mesma que procura dinamitar com a sua iconoclastia. Quando se fala em "tradição do moderno" está-se apontando a permanência do moderno a ponto de tornar-se tradição – o que parece um contrassenso. É possível ler, no entanto, a expressão na sua face voltada para o passado e concluir pela ideia de "moderno" como o novo arranjo de coisas velhas, ou a introdução de alguma novidade no cenário já antigo. O novo absoluto não passa de utopia.

A essa luz, compreende-se por que Álvaro de Campos cunhou poemas-síntese, como "Tabacaria", "Ode triunfal", "Ode marítima" e outros, cuja análise permite detectar as múltiplas correntes que fluem no espaço poético pessoano: ali, em cada uma dessas grandes odes, se reúnem todos os heterônimos, assim como as virtualidades genéticas que pululavam na mente de Pessoa. Odes de largo horizonte, oferecem a síntese da sua cosmovisão, que não se encontra em nenhum outro heterônimo, incluindo o próprio Fernando Pessoa "ele mesmo", com a *Mensagem* e tudo o mais que corre no seu nome.

10

Em qualquer hipótese, seja qual for o heterônimo em causa, ou o gênero literário, ou a extensão do texto, Pessoa emprega sempre a inteligência com extrema severidade analítica e indagadora. O seu humor, quando desponta, é transcendental. Auxiliado por um intelecto privilegiado e por intuições clarividentes, aplica-se a investigar os dados da sua proteica sensibilidade. Em vez de transmitir, ou intentar transmitir, a emoção pura e simples, submete-a ao crivo da inteligência ou da razão poética. A emoção, estática ou "pura", transforma-se em emoção-pensada, ou em pensamento-emoção – "o que em mim sente 'stá pensando" –, assim denunciando o liame estreito entre a sensação e a ideia.

A emoção, flutuante e passageira, tende a desaparecer se o poeta não a registrar de imediato nos versos. Todo o seu esforço criativo consiste, pois, em apreendê-la e transmiti-la: o poeta mediano, emocional por natureza, não usa o intelecto para a captação das emoções, ou maneja-o como alavanca do ato da escrita, de que resulta comunicar-nos antes uma lembrança das emoções que elas próprias. O poeta superior surpreende-as, pesquisa-as, fixa-as e enriquece-as com o auxílio da inteligência, agindo no instante mesmo em que assomam à consciência. Daí a transmissão da emoção presente, viva, como se a cada leitura ele experimentasse novamente o alvoroço do primeiro contacto.

Pessoa, já o sabemos, empenha-se na fusão entre o pensar e o sentir. Tal processo corresponde, porém, a um jogo permanente entre ser e não ser, situado nos alicerces da sua poesia e sua visão do mundo: graças ao poder dissolvente da inteligência, nada se lhe resiste à sondagem. Toda afirmação logo mostra o seu contrário, e toda negação imediatamente gera o seu inverso, não raro no espaço de um raciocínio que se pretende silogístico. Como se, para conhecer a intimidade do seu objeto – a emoção, ou qualquer outro tema ou problema que lhe tenha chamado a atenção –, fosse necessário desmontá-lo.

Nega-se, em consequência, toda verdade unitária, ou seja, que não implique contradição. E quanto às demais "verdades", porque paradoxais ou antitéticas por natureza, ele as desarticula com paciência de relojoeiro, peça a peça, em busca de uma essência que só existe na polissemia posta a nu. O relógio faz-se em pedaços, uma vez que existe apenas no congraçamento harmônico de todos eles, e jamais de cada um em particular, ou do ajuntamento caótico, como ocorre após a desmontagem alquímica, em busca do "nada que é tudo".

A análise das coisas, concretas ou abstratas, desvenda-lhes o paradoxo inerente, e este, repetido, conduz à anarquia e ao caos. Recomeça então o jogo de reconstruir, para interromper-se mais adiante, quando de novo o caos se instala, determinando outro recomeço no encalço da harmonia, e assim por diante, sucessivamente, até o limite do imaginário e do utópico. No curso desse eterno trabalho de Sísifo, o Poeta sente na alma o que vai destruindo no afã de remontar o mundo, e o que, em troca, vai arquitetando (a poesia), à medida que aprofunda o olhar cansado no interior da matéria:

"Sol nulo dos dias vãos,
Cheios de lida e de calma,
Aquece ao menos as mãos
A quem não entras na alma!"

Vem daí que o pensamento, inscrito na emoção, ou dela derivando, reduz a nada as "verdades" aceitas pela tradição e o comodismo intelectual, revelando as ideias feitas que o simples ato de pensar desmascara. Antidogmático por natureza, Pessoa experimentou todos os caminhos, ideou vários projetos culturais, tendo em vista a regeneração da pátria, ou, ao menos, uma síntese para o desuniforme da tradição e para a falta de consistência no quadro sociopolítico da nação portuguesa nos começos do século XX.

Por isso, foi "degenerescente" com Max Nordau e abandonou-o quando lhe descobriu a impostura ou a ingenuidade; elogiou a ditadura de Sidônio Pais, mas satirizou Salazar, exaltou o paganismo, convicto de que Cristo "é um deus a mais", foi messiânico, sebastianista, etc., sempre com a mesma força original e tudo entrevendo como "estrangeiro aqui como em toda parte", com olhos de "emissário de um rei desconhecido" que cumpre "informes instruções de além". Em suma, um racionalista de estirpe gestaltiana, a divisar estruturas em vez de aparências, objetivando chegar a uma síntese ocultista do Universo.

Esse olhar inquiridor que sonda para além da superfície das coisas pode induzir à ideia de que Pessoa era um cético, pelo menos em relação à vida, entendida como fim último do homem, um niilista. Era, ao contrário, uma invulgar organização mental à procura dum absoluto (ou do Absoluto) que a inteligência negava e a sensibilidade repudiava. Impossibilitado de render-se a uma crença, fosse qual fosse, e disponível a qualquer uma delas, que abraçava e rejeitava com o mesmo à-vontade e a mesma independência, resolveu satisfazer o negativismo da razão e o repúdio da sensibilidade por meio da análise dissolvente, como se buscasse a transcendência na imanência. Sabia ser inútil a procura, mas estava cônscio de que não lhe restava outro caminho. Superintelectualizado, supersensível, dispôs-se a captar a realidade como um cenário de fenômenos. E com isso perdeu-se e encontrou-se, ambivalentemente.

Filosofante, poeta, teatrólogo, autor de diário íntimo, contista, ensaísta, esteta, etc., Pessoa é movido por uma concepção épica do mundo, vazada em clichês em que depositou seu saber oracular, não raro sibilino, sua marca registrada, e que já se incorporaram, no geral, ao conhecimento vivo do nosso tempo.

11

Tratar de Fernando Pessoa, estudar-lhe a obra multímoda, é enfrentar um enigma proposto por uma esfinge: uma vasta bibliografia já se acumula a seu respeito, e nem por isso o enigma se decifra e a esfinge cessa de interpelar-nos. Ao contrário, devora-nos, atrai-nos para dentro do seu circuito, sidera-nos, encanta-nos, como se, para encará-lo, fosse imperioso despojar-nos de nossas certezas e da nossa individualidade. Ao mesmo tempo que sentimos avançar no conhecimento da sua complexa rede ideativa e sensitiva, vamos percebendo que o mistério se adensa: progredimos na floresta de enigmas e a cada passo nos damos conta de que outros irão somar-se aos precedentes. Sabemos que conhecemos mais reverberações, facetas, do enigma, ou os vários outros em que o enigma primordial se multiplica, e sabemos ainda que a esfinge continua a desafiar-nos – mas ignoramos onde se encontra a chave para a solução da nossa incômoda perplexidade. Sabemos cada vez mais que sabemos menos do enigma e da esfinge.

Construiu-se Pessoa como esfinge? (Es)fingia ele o que era? Nasceu esfinge? Pouco importa: o certo é que a sua figura avulta como uma esfinge numa imensa sala de espelhos, a lançar enigmas aos leitores e a aprisioná-los no seu recesso, de onde não mais é possível escapar. Como sair ileso do contacto com a obra pessoana? Queremos sair ilesos depois que a conhecemos? Como ficar indiferente ao brilho estranho que emite? Esfinge onívora, esfinge multípara, como se diante de espelhos paralelos que lhe multiplicam a efígie e os enigmas ao infinito: "Eu fui amado em efígie num país para além dos sonhos..." Esfinge e espelho, esfinge diante do(s) espelho(s), a propor enigmas sem fim.

1957, 1988

Notas

1. Fernando Pessoa, Obras em prosa, Rio de Janeiro: Aguilar, 1974, p. 101.
2. Idem, ibidem, p. 383.
3. A esse propósito, ver João Gaspar Simões, Vida e obra de Fernando Pessoa. História de uma geração, Lisboa: Bertrand, 1950 (4ª ed., 1980), capítulo dedicado a "Álvaro de Campos, sensacionista"; e João Barrento, "O Sensacionismo português... fala alemão", Colóquio/Letras, Lisboa: nº 94, nov. 1986, pp. 5-13.
4. Fernando Pessoa, op. cit., pp. 224, 334.
5. Idem, ibidem, pp. 426, 431, 432, 441, 448.
6. Para a crítica dos aspectos esotéricos, iniciáticos, de Pessoa, ver José Blanco, Fernando Pessoa. Esboço de uma bibliografia, Lisboa: Imprensa Nacional-Casa da Moeda, 1983, pp. 437 e ss. Para outras observações acerca de "Autopsicografia", ibidem, p. 349.
7. Gilberto de Mello Kujawski, Fernando Pessoa, o outro, 3ª ed., Petrópolis: Vozes, 1979, p. 66.
8. Para outras considerações a respeito dos heterônimos, ver a introdução a Fernando Pessoa, O guardador de rebanhos e outros poemas, pela mesma editora.
9. A respeito, ver Maria Helena da Rocha Pereira, Temas clássicos na poesia portuguesa, Lisboa: Verbo, 1972, pp. 85 e ss.
10. Para mais informações acerca do Livro do desassossego, ver introdução a Fernando Pessoa, O banqueiro anarquista e outras prosas, pela mesma editora.

4

A questão dos heterônimos

1

O problema dos heterônimos é, provavelmente, o mais intrigante dos quantos levanta a obra de Fernando Pessoa. Conquanto nem tudo possa reduzir-se à sua existência, constitui ponto de partida e de chegada de qualquer estudo a respeito. Questão nuclear, no sentido de que não é possível desconhecê-la se pretendemos uma análise pertinente da obra pessoana, é fundamental que a encaremos antes de outras considerações, a ver em que medida o todo do espólio pessoano repercute a multiplicação heteronímica.

O desdobramento em dois, como se sabe, não é exclusivo do Poeta. Antes dele, deparamos as contradições da poesia dum Camões ou dum Antero, alicerçada numa dicotomia interior. Há um Camões lírico, introspectivo, elegíaco, e um Camões épico, visionário, mítico; e pode-se falar num Antero sombrio, de braços dados com a Morte e o pessimismo schopenhaueriano, e um Antero luminoso, a divisar na utopia a salvação da humanidade. Tal bipolaridade, porém, não constitui motivo de surpresa, embora seja indispensável para o correto enquadramento crítico desses poetas.

A multiplicação de personalidade, como ocorre com Pessoa, é que é fato raro, senão único. Mais adiante, ao retornar a este assunto, veremos que outras figuras contemporâneas ao Poeta também se inclinaram para essa dispersão do "eu". Mas é possível adiantar que nenhum deles levou tão longe uma tendência que, nem por ser de época, tira originalidade ao Poeta. Conquanto estivesse no ar a ideia de fragmentação, de atomização, de intersecção de planos, e outras propostas ou descobertas no gênero, é a efetivação do multíplice desdobramento o primeiro sinal da grandeza pessoana. Cada heterônimo é uma entidade autônoma, com caráter próprio, vida própria, e uma visão pessoal do mundo, não obstante se completarem entre si e mais o seu criador, numa unidade na diversidade, como já apontara Jacinto do Prado Coelho em 1949, em sua *Diversidade e unidade em Fernando Pessoa*.

2

Para explicar a gênese dos heterônimos, várias hipóteses têm sido aventadas, partindo ora da carta que Pessoa escreveu a Adolfo Casais Monteiro em 13 de janeiro de 1935, ora de causas presumivelmente sexuais e/ou psicanalíticas, como fizeram João Gaspar Simões e Eduardo Lourenço. Depois de asseverar que punha em Caeiro todo o seu "poder de despersonalização dramática" – faculdade não raro lembrada como cerne do processo heteronímico –, e em Ricardo Reis toda a sua "disciplina mental, vestida da música que lhe é própria", e em Álvaro de Campos "toda a emoção que não dou nem a mim nem à vida", Pessoa começa a responder ao missivista "pela parte psiquiátrica", dizendo:

> "A origem dos meus heterônimos é o fundo traço de histeria que existe em mim. Não sei se sou simplesmente histérico, se sou, mais propriamente, um histeroneurastênico. (...) Seja como for, a origem mental dos meus heterônimos está na minha tendência orgânica e constante para a despersonalização e para a simulação."[1]

Pessoa estava sendo sincero ao retratar-se tão abertamente? E acertaria com o seu perfil "psiquiátrico", ou tudo não passaria de pura invenção? Possuiria ele tal capacidade de autodiagnosticar-se? Ainda que estivesse sendo sincero e que acertasse em cheio com o diagnóstico do seu caso, restaria admitir como consequente a inferência segundo a qual os heterônimos despontariam desse pendor para a histeroneurastenia. Para que a dedução se revestisse de validade "científica", não seria necessário que a histeroneurastenia, em qualquer outro poeta, pudesse gerar heterônimos? Se não for imperioso que assim aconteça, e se no caso de Pessoa a histeroneurastenia é um dado inarredável, não se seguirá que, nele, a causa desencadeante reside menos na histeroneurastenia que num modo de ser histeroneurastênico, ou antes, em outros fatores para além da "doença", ou que nela se travestissem?

Por outro lado, se "o poeta é um fingidor", por que acreditar que na carta estaria sendo sincero? E o que seria sinceridade para alguém que confessava estar sempre a mentir? A sua confissão deve ser acolhida, pois, com muita reserva, como uma invenção, ou se se quiser, como o aproveitamento de uma circunstância para falar de si como se fosse histeroneurastênico, ... mas sendo deveras histeroneurastênico – ele "chega a fingir que é dor / A dor que deveras sente" –, de modo a fazer da moléstia que comunica, não a enfermidade real, mas a imaginária. Elabora poesia, como sempre, ou, ao menos, utiliza idêntico mecanismo, uma vez que não se pode acreditar que o empregasse apenas para a poesia, mesmo porque a sua "sinceridade" consistiria precisamente nesse mascaramento, ainda quando tratasse de questões mais sérias. E mascaramento significa que estava sendo sincero *naquele momento*, como ele próprio diz na carta ao editor inglês, propondo-lhe a edição de uma antologia de poetas portugueses sensacionistas, assim como estaria sendo sincero mais adiante, afirmando o contrário do que declarara naquele momento. Portanto, "ser sincero contradizendo-se a cada minuto", como diz pela voz de Álvaro de Campos.

E antes de entrar na história dos heterônimos, Pessoa confessa: "Desde criança tive a tendência para criar em meu torno um mundo fictício, de me cercar de amigos e conhecidos que nunca existiram."[2] Histeroneurastenia? Ou manifestação de uma tendência peculiar ao mundo mágico da infância, exacerbada pela genialidade já manifesta nos primeiros anos de vida? Não presidirá esse "drama em gente", como noutro passo dirá, uma inclinação que, antes de ser de natureza psiquiátrica, seria de superdotado? Essência de dramaturgo, assinalará Pessoa na segunda carta a Adolfo Casais Monteiro, tratando do mesmo assunto, e daí a "despersonalização instintiva (...), para explicação da existência dos heterônimos". Histeroneurastênico, dramaturgo: qual o nexo de necessidade que vincula as duas condições? Afinal, diz ele, a mudança de personalidade gera "novos tipos de fingir que compreende o mundo, ou, antes, de fingir que se pode compreendê-lo".[3]

Fingir que se compreende o mundo, ou fingir que se pode compreendê-lo, já não é compreendê-lo? Se tudo não passa de fingimento para o Poeta, por que esse fingimento atingirá menos o seu objetivo? E que será fingir que se pode compreender senão fingir que se é o "outro" na visão da realidade? Ou seja, que Pessoa estava a fingir que era "outro" vendo o mundo como ele via? E tal fingimento não é sinônimo do próprio ato de compreender? Quando compreendemos o mundo, não estamos fingindo que somos "outro", a ver a realidade à sua maneira, portanto diversa da nossa?

De onde não podermos confiar na "sinceridade" do Poeta se a considerarmos não fingida, ou seja, uma sinceridade-sincera, por mais absurdo que isso pareça: admitir a sinceridade pessoana é aceitá-la fingida, tomando o fingimento não como sinônimo de não sinceridade, mas no sentido de fingimento de sinceridade, que é diferente de insinceridade, ou de não sinceridade. Em suma, Pessoa finge sinceridade o tempo todo, finge que compreende o mundo.

E é o fingimento de sinceridade que explica ser impossível, nesse contexto, falar em certo ou errado: o conceito de valor não vem ao caso, nem tampouco o conceito de verdade, a não ser para negá-la como única e exclusiva. Pessoa afirma A, e a seguir B, como diferente de A ou anti-B, com a mesma "sinceridade" com que afirmara A, e assim progressivamente. E tanto A, como B, C, etc. são produto do fingimento, de assumir uma máscara teatral, tornando-se um "outro" que não ele, Pessoa, para ver a realidade. E esse "outro" é/são o(s) heterônimo(s).

Seja porque a teoria de Pessoa suscita dúvidas, seja porque encobre a "verdadeira" razão, outras hipóteses têm sido apresentadas, como a de João Gaspar Simões, pioneiro em assuntos pessoanos, não só desde os tempos da *Presença*, quando já reconhecia, juntamente com os companheiros de geração, a genialidade do Poeta, mas também depois, ao dedicar-lhe vários estudos, notadamente uma volumosa biografia, inicialmente em dois grossos tomos, publicada sem data, mas cujo prefácio é de 1950. No capítulo "O enigma de Eros", embora proteste não querer enfeudar-se "a uma explicação psicanalítica da frustrada sexualidade de Fernando Pessoa", começa por acreditar na homossexualidade do Poeta, uma homossexualidade platônica, ou, quando pouco, "uma sexualidade anormal". E encontrando semelhança com Baudelaire, diz que o caso de Pessoa é

"o de alguém que não logrou realizar-se sexualmente mercê de uma inibição com raízes numa fixação sexual infantil, a qual afastou do adulto qualquer possibilidade de vir a encontrar-se com criaturas do sexo daquela que foi causa prematura dessa fixação sexual, uma vez que a pureza do sentimento que a criança vota à mãe lhe não consente conceber uma união carnal com alguém que lhe patenteie afinidades físicas com a entidade 'sacratizada'" –

para terminar com estas palavras:

"Mas não terá seja o que for de homossexualismo a *maternidade* mental que lhe permitiu *criar* a família heterônima? Pessoa, dando vida a Álvaro de Campos, a Ricardo Reis e a Alberto Caeiro, não falando nos demais heterônimos, denuncia, talvez, uma fecundidade mental muito mais parecida com a da mãe que gera filhos no seu ventre de carne do que com a do escritor que concebe personagens no seu *ventre* de substância cinzenta."[4]

O que tais palavras deixam transparecer de precipitação não escapa ao leitor atento, escusando qualquer comentário. Como não raro, porém, é Pessoa quem fornece os argumentos para responder à discutível, para não dizer disparatada, interpretação. Em carta ao próprio João Gaspar Simões, de 11 de dezembro de 1931, o Poeta destaca Freud dentre "os guias que o arrastaram ao relativo labirinto para que entrou", e, cuidando em apontar as falhas do freudianismo como "sistema imperfeito, estreito", posto que "utilíssimo", aduz razões que se diriam premonitórias, defesa antecipada, que o missivista, lamentavelmente, não ouviu.

Pessoa argumenta que o sistema de Freud "é imperfeito se julgamos que nos vai dar a chave, que nenhum sistema nos pode dar, da complexidade indefinida da alma humana. E estreito se julgamos, por ele, que tudo se reduz à sexualidade, pois nada se reduz a uma coisa só, nem sequer na vida intra-atômica". Nada mais justo como ressalva às teses psicanalíticas até então conhecidas e divulgadas. E ninguém melhor do que Pessoa para refutar a interpretação que João Gaspar Simões faria anos mais tarde da sua assexualidade. Ora, cogitar na homossexualidade pessoana como fato assente, e nele basear-se para a explicação dos heterônimos, era, pelo menos, ainda nas palavras do Poeta, deixar-se arrastar pelo "que há de pseudocientífico em muitas partes desses sistemas/ou seja, o freudianismo e 'sistemas análogos ou derivados'/, o que conduz à falseação".[5]

Em 1973, Eduardo Lourenço publica o seu *Fernando Pessoa revisitado*, com o subtítulo de "Leitura estruturante do drama em gente". Ensaio de fina tessitura, lastreado de paixão pelo assunto, vazado num estilo dinâmico, que espelha a intensidade dos raciocínios, "propõe", como declara o autor no prefácio à segunda edição da obra, "a primeira leitura orgânica da visão do autor de 'Ode marítima'". Nem por isso o problema dos heterônimos se dissipa dos seus horizontes, antes pelo contrário, como evidencia, aliás, o subtítulo da obra, ao tomar como núcleo de exame o "drama em gente" com que o próprio Poeta aludia à sua multiforme personalidade.

Eduardo Lourenço defende a tese de que "nos alicerces do labiríntico universo de Pessoa, como na memória cega de Édipo, há um *pai*, se não assassinado, integrado sem deixar rasto e em Campos redivivo". E a ela retorna, como *leitmotiv* ou corolário da análise, em que o pensamento de base, reafirmando-se, se esclarece e se amplia. Em certo momento, diz "que a consideração mais radical do universo poético de Pessoa – monumento incomparável à Ausência e da Ausência como figura do mundo – naturalmente inclina a supor que é nessa original *ausência do Pai* que o tormento de Tântalo, de que é doloroso e permanente teatro, se enraíza".

E sem intervalo, apenas abrindo parágrafo, sublinha que "literal e poeticamente, a aventura espiritual e carnal de Fernando Pessoa resume-se toda nessa interminável busca de Pai (e Deus mesmo será para ele aquele a quem a *Verdade morreu...*) cujo encontro o restituiria *à unidade* mítica pela sua ausência destruída". E mais adiante: "A rasura do Pai na sua Obra não é pois, material esquecimento ou indiferença, mas intolerável e incurável ferida nunca mais sarada para remédio da qual pouco a pouco se inventou quem seria." E na mesma página: "Pessoa situa, pois, as mais longínquas raízes do seu mítico pendor *heteronimista*, não nas paragens da maternal *traição* (sempre segundo G. Simões) mas antes, no espaço que só a morte do pai ilumina, se tal metáfora se nos consente." Por fim: "Ninguém sai da infância e sua realeza imaginária sem matar o pai de que precisa para sair dela. Pessoa não teve essa oportunidade. Teve a mais dolorosa de assumir à força o pai desaparecido, de ser de algum modo 'o pequeno pai de si mesmo' que o não deixará tocar-se na sua pura realidade de filho."[6]

O brilhante ensaio de Eduardo Lourenço constitui, sem favor, grande avanço na elucidação do caso Pessoa. Mas não há como negar, em que pese o empobrecimento e redução do pensamento quando descontextualizado em recortes precisos, que a interpretação é de ordem psicanalítica, ainda que voltada para o texto, como ressalta o ensaísta no prefácio à segunda edição da obra. Que a sua tese se refere ao pai real de Pessoa, substituído, nos poemas, pelo pai imaginário, há elementos de sobra para o admitir. Por conseguinte, está-se falando, se não de "maternidade", como fizera João Gaspar Simões, de "paternidade", uma vez que não se descortina outra maneira de ler que Pessoa, falto de pai aos cinco anos, teve "de ser de algum modo 'o pequeno pai de si mesmo'", etc., para não falarmos dos outros fragmentos, em especial aquele em que cita expressamente G. Simões.

A sutil análise dessa paternidade não dissimula o vínculo dela com a questão dos heterônimos. O ensaio não se restringe a enfocar a síndrome da ausência de pai como explicação da obra pessoana, o que, sem dúvida, rasga perspectivas novas para o seu exame. Não podendo elidir o problema dos heterônimos, nele se detém, não como aspecto marginal, mas, sim, intimamente relacionado com tal ausência. Todavia, se fosse determinante que se repudiasse qualquer contágio de ordem psicanalítica, talvez fosse mais avisado colocar "Mestre" onde está "Pai": sim, "pai de si mesmo" = "mestre de si mesmo", não apenas no sentido de autoeducação (pela "ausência de Pai", por conseguinte, ausência de modelo), senão também, e sobretudo, no de mestre que tem discípulos, pois que só é mestre porque tem discípulos – os heterônimos. Apontando, grifadamente, a *ausência de Pai,* a questão da heteronímia ganha novo colorido, mais sutil que na pena de João Gaspar Simões, mais bem arquitetada que a dele, mas não menos sujeita à discussão e ressalva.

3

Limitando-nos a essas duas interpretações do fenômeno dos heterônimos, podemos assentar que não convence o reduzir a imensa complexidade psicológica e poética de Pessoa a um jogo de inconsciente frustrado e desvios de natureza sexual. Explicação fácil demais, e, por isso, aplicável *urbi et orbi*, acaba levando a uma mecanização, para não dizer falsidade, interpretativa. A explicação para o caso dos heterônimos porventura se encontrará noutra parte, sem prejuízo de as chaves freudianas servirem como auxiliares relevantes.

Antes de mais nada, importa acentuar a modernidade de Pessoa, ou, se se preferir, de sua poesia. Noutro capítulo, faremos uma resenha do tempo em que lhe foi dado viver, tendo em mira patentear em que medida o seu caso reflete a conjuntura do início do século XX. Por ora, basta-nos observar uma faceta dessa modernidade, a mais diretamente relacionada com a questão dos heterônimos.

A crise de valores é o primeiro aspecto a ponderar. Pessoa viveu numa quadra caracterizada pelo balanço do passado oitocentista e pelo afã de ingresso na modernidade, entendida de vária maneira e sugeridora de soluções de todo tipo. Crise de valores, crise de crença. Morto Deus nietzschianamente, que outro ser poderia substituí-Lo? O centro da obra pessoana é ocupado pela ideia, mais propriamente sensação, de perder o contacto com Deus, ou de qualquer absoluto que possa preencher-lhe o espaço. Sem Ele, como organizar o conhecimento?

Imerso num contexto em que Deus é cada vez mais letra morta, não sem deixar um travo amargo de nostalgia, Pessoa põe-se a pensar e repensar o mundo e o ser humano, no rumo de um/do sentido oculto por trás da superfície das coisas, e da sem-razão, da gratuidade, de tudo. Em vez de reconstruir o Universo, como o palco de uma harmonia de que apenas era espectador, o processo leva à descoberta do caos, do fragmentário. Livre para pensar, uma vez que insubmisso a um código rígido e único, abandonado à correnteza de relativismos daí decorrentes e que, ao mesmo tempo, seguiam a tendência da época, Pessoa entrega-se a um exercício dialético sem fim, que traduz radical incerteza, ou a busca do saber sem as amarras da tradição:

"E sempre que estou pensando numa coisa, estou pensando noutra".

O objeto do pensamento está simultaneamente fora e dentro do Poeta: a realidade concreta e a do "eu", como espelhos paralelos. Mas a sondagem nesse duplo convergentemente unitário e excludente conduz à sensação de uma mutabilidade constante, que por sua vez aciona as roldanas do pensamento. E nasce o círculo vicioso: pensar desvenda o caos, e este movimenta aquele. Pensar torna-se sinônimo de viver, e este cansa, pois o processo arrasta à destruição. Nenhuma certeza resiste à corrosão do pensamento:

"Cansa ser, sentir dói, pensar destrói."

De onde um permanente dinamismo na poesia e na prosa de Pessoa, denotando uma turbulência cerebral que, independentemente da vontade do autor ou do condicionamento do meio, não se interrompeu depois que principiou. Dolorosa instabilidade, por meio dela se revela ou para ela conflui a sensação de que tudo é certo e incerto a um só tempo, no interior e no exterior do Poeta. Mesmo a negação que resolveria o problema torna-se uma afirmativa de incerteza: nem do seu niilismo está seguro, porquanto afirmá-lo é já possuir uma certeza, ainda que negativa. E nem esta lhe é permitida pela irrefreável compulsão de pensar tudo de todas as maneiras.

Perdendo-se dentro de si, a vasculhar esferas que desejava ardentemente conhecer, e carente de um guia confiável, e perdendo-se na realidade circundante, Pessoa aos poucos vai-se aniquilando até negar-se como ser que pensa e sente. Embora, paradoxalmente, pense e sinta para o dizer, encarcerado que está nas fronteiras da linguagem, dos conceitos e imagens que vai gerando nesse moto-perpétuo.

4

A obra pessoana inscreve-se, assim, no perímetro do conhecimento. Não no sentido geral, apenas, segundo o qual todo texto literário guarda uma forma de acesso à realidade e ao saber, tão válida e tão necessária quanto as outras, incluindo as ciências exatas. Não é só um/o conhecimento do mundo que se tem em sua poesia; é, destacadamente, o problema do conhecimento: Pessoa, além de transmitir o conhecimento indireto da realidade, à semelhança de todo poeta, enfrenta a problemática desse conhecimento. Mostra-nos o conhecimento que tem das coisas e problematiza-o à nossa frente: sente e pensa o seu objeto, num só golpe. E isso o distingue de todos quantos o precederam e o sucederam. Se noutros a dupla equação pode ser encontrada, logo a comparação revela que não conduziram o exame dessa possibilidade ao ponto a que chegou Pessoa.

Hiperlúcido, podendo destruir-se até o suicídio, Pessoa submete tudo à sua luminosa e diabólica inteligência. Variando sempre o ângulo de análise, em razão dessa mesma inteligência e duma inquietude mental que não conhecia o repouso, nada se lhe subtraía à perquirição. Acelerado o processo analítico, o apogeu é atingido pela negação da sua individualidade, do *ego*, e pela negação da realidade, como entidade ao mesmo tempo "por fora" e "por dentro". Negação total, como se os pares dialéticos que inventa sem descanso jamais se resolvessem em qualquer síntese, tudo se lhe afigura marcado pelo signo da contradição e do paradoxo. Ser e não-ser, imanente e transcendente, real e fantasia, vigília e sonho são alguns desses binômios dialéticos que vai desvelando no interior da realidade e de si próprio: o "não" e o "sim", nem sucessivos nem exclusivos; contemporâneos, como o verso e reverso de uma moeda.

É dessa incomum faculdade que Pessoa tem de mudar o ângulo de análise e assumir novas perspectivas dialéticas, que brotam os heterônimos. O seu nascedouro se aloja no problema do conhecimento; é a teoria do conhecimento que precisamos invocar para examinar-lhe a gênese. É a ânsia fáustica de conhecer que se localiza em sua raiz; é a posse da sabedoria o intuito que lhe preside a existência, não a simples criação de estesias raras. Cada heterônimo, *alter ego* que é, visa a uma forma específica de penetrar no labirinto do conhecimento.

Para tanto, Pessoa se debruça sobre si e sobre o mundo como se fosse seres incontáveis, postados em diferentes ângulos mentais, procurando dali *ver* a realidade, enfim, "uma série de contas-entes ligadas por um fio-memória". A multiplicação do Poeta em outros poetas: somente assim lhe seria facultado conhecer a realidade e aspirar a uma utópica totalidade:

"Multipliquei-me, para me sentir,
Para me sentir, precisei sentir tudo,
Transbordei, não fiz senão extravasar-me,
Despi-me, entreguei-me,
E há em cada canto da minha alma um altar a um deus diferente."

De onde a dispersão do poeta, fragmentado em outros pares, poetas e prosadores, norteados por específicas visões do mundo, do mesmo mundo, diríamos, ou, na verdade, de vários mundos, cuja soma daria, no final, o Cosmos.

Diversos entre si, por conseguinte, no modo como *conhecem:* microcosmos nos quais o todo se resume e se deixa pesquisar. Perspectivas únicas, modelares, por seu intermédio o leitor acede a maneiras arquetípicas de ver o mundo, e acaba reconhecendo que traz dentro de si essas e outras modalidades de contemplar a realidade e empreender o conhecimento. Mas foi preciso que o Poeta primeiro o experimentasse e o tornasse comunicável para que o leitor tomasse consciência do fato.[7]

Nessa ordem de ideias, o conhecimento, entendido como o conhecimento integral, da totalidade do Universo e do saber, é inacessível a uma só inteligência: para tanto, precisaria multiplicar-se em outros seres, anteriores, posteriores e contemporâneos. Saber o que pensaram os poetas e prosadores precedentes, saber o que pensam e sentem os coevos, ao menos aqueles que se devotam a uma obra, e imaginar o que os porvindouros poderão erigir com base nesse patrimônio intelectual (num visionarismo ou numa antecipação que parece inerente a todo saber que perdura no fio do tempo).

Enfim, era preciso ser todos sem deixar de ser o que se é, e ao mesmo tempo ser todos como se se deixasse de ser o que se é. Ser Alberto Caeiro, Álvaro de Campos, Ricardo Reis, Bernardo Soares e outros, sem deixar de ser Fernando Pessoa. Resultado: o que Fernando Pessoa é, a sua ipseidade, consiste nessa capacidade de fingir-se que não é ele próprio, que é o(s) "outro(s)", mas em momento nenhum deixando a cena: por trás, ou na planura dos versos, lateja sempre o mesmo "eu", cuja identidade, se existe, está em poder fingir-se outra, com a inalterável naturalidade, ou "sinceridade", com que se afirma a si própria ou se nega. O "eu" finge-se "outro" para melhor conhecer-se e conhecer o mundo, mas ao fazê-lo, não só se nega como "eu" íntegro, como também nega todo conhecimento, já que "pensar destrui".

Como, porém, Pessoa não interrompe o seu processo compulsivo de pensar/sentir, desse niilismo provém a criação dos heterônimos, *alter egos* a vibrar o mundo de modo particular, ou seja, de determinado, unívoco e intransferível ângulo, como se encarnassem arquétipos, ou visões paradigmáticas, recorrentes no curso da história e do conhecimento.

5

Pessoa criou os heterônimos para ser livremente, autorizadamente, contraditório. Mas assim, inventando-se outros, que extraía do próprio "eu", deixava de ser contraditório, uma vez que não é contradição o fato de cada heterônimo pensar por conta própria, diferentemente dos outros, como se fossem personalidades vivas e autônomas. Decerto, a contradição continuava a vibrar-lhe no íntimo, pois que os heterônimos o acompanharam até o fim, mas o álibi das múltiplas individualidades o libertava de enfrentar como suas as contradições que lhe pululavam na mente. Álibi ou disfarce, a atomização heteronímica dava saída à genialidade latente nessas contradições e livrava-o da loucura que o assediou desde as primeiras horas. Para não se tornar, ou não se manifestar, esquizofrênico, multiplicava-se, esquizofrenicamente: a contradição persiste, inerente ao processo heteronímico, mas, ao projetá-la para fora, "personificá-la", pôde vê-la e conviver com ela. E se entendermos essa esquizofrenia como divisão intelectual, não psicológica ou psíquica, embora a primeira implique a segunda, ficará claro por que a loucura jamais o dominaria: sua multiplicação se realiza entre seres como se fosse entre ideias, conceitos, em suma, visões do mundo – não entre apelos desencontrados à realidade. De onde o paradoxo, a contradição, como método e mecanismo de compreensão e interpretação, como expediente lógico: no final, e no fundo, uma "lógica" preside o aparecimento dos heterônimos.

1956, 1958, 1988

Notas

1. *Fernando Pessoa,* Páginas de doutrina estética, *Lisboa: Inquérito, 1946, pp. 259, 260.*
2. Idem, ibidem, *p. 261.*
3. Idem, ibidem, *p. 275.*
4. *João Gaspar Simões,* Vida e obra de Fernando Pessoa. História de uma geração, *2 vols., Lisboa: Bertrand, 1950, vol. II, pp. 187, 188, 189.*
5. *Fernando Pessoa, op. cit., pp. 218, 220, 222.*
6. *Eduardo Lourenço,* Fernando Pessoa revisitado, *2ª ed., Lisboa: Moraes, 1981, pp. 12, 76, 94, 95, 96. Grifos do autor.*
7. *A questão dos heterônimos, que já foi discutida no capítulo anterior, será retomada nos seguintes a este. Para lá convido o leitor desejoso de outras observações acerca do assunto.*

5

Ainda a questão dos heterônimos

1

É redundante e sempre novo falar de Fernando Pessoa: redundante porque já nos ocupamos dele *n* vezes, em aulas, conferências, cursos, ou por escrito, e porque tanta gente já tratou dele do mesmo modo. Chegou até à canção popular, e pouco falta para ser transformado em mito; o seu nome expressa tudo, à custa de ser empregado por pessoas de várias camadas sociais e em toda a parte. Não estranhará que no futuro venha a parecer com o de Bocage, no sentido de alguém que se perdeu atrás do nome ou dos nomes no(s) qual(is) se escondeu. Ainda redundante porque, à semelhança de um de seus célebres achados – "Ó sino da minha aldeia // (...) é tão lento o teu soar, /Tão como triste da vida, / Que já a primeira pancada /Tem um som de repetida" –, tudo que dissermos a seu respeito tem um som de repetido, ou como se nós apenas lhe ecoássemos a múltipla voz. Falando dele, é ele ainda que fala, como se fôssemos vozes de empréstimo para que a sua voz repercutisse.

Redundante, sim. Todos que lidamos com ele temos a impressão de já haver proferido antes a frase que ele nos inspira agora, ou de que outro, em idêntica situação, já a anunciara, de uma forma ou de outra. Como se fôssemos um de seus porta-vozes, um de seus heterônimos. Redundante, sem dúvida, mas sempre novo, porquanto a sua obra/personalidade é um caleidoscópio que nos obriga a mudar sempre o ângulo de visão se desejamos abarcar algumas de suas facetas e reverberações. Sempre novo, porque nunca se esgota, nem se exaurem as leituras possíveis de seus versos: mergulhamos, assim, num corredor de incontáveis espelhos paralelos refletindo ao infinito a imagem primordial que, por isso mesmo, deixa de ser uma para ser dezenas ou milhares.

2

Um tópico em que mais se manifesta essa redundância é o dos heterônimos. Provavelmente nenhum outro aspecto da multímoda personalidade de Fernando Pessoa tenha suscitado tanto debate e feito derramar mais tinta. A explicação para isso se afigura de dupla natureza: de um lado, a novidade do mecanismo de multiplicação de *personae*, núcleo de toda a produção do poeta; de outro, o reservar sempre ângulos novos de análise, pela complexidade em si do fenômeno e pela íntima relação dele com a polimórfica individualidade do seu criador.

Assim, voltamos sempre, queiramos ou não, ao assunto, mesmo quando, fatigados de o examinar e pensar, nos dispomos a colocá-lo à parte como se um problema resolvido ou já esmiuçado o suficiente para encerrar surpresas. E é precisamente nesses momentos, em que nos decidimos a enfrentar outros pontos do universo poético de Pessoa, que insensivelmente regressamos à sua matriz, ou seja, à dispersão heteronímica. Salvo se nos vigiarmos teimosamente, não sem prejuízo de nossas investigações.

É que não estamos diante de um simples expediente poético, truque de mágico amador a divertir-nos com habilidades histriônicas. Pode até haver uma dose de prestidigitação nesse processo de mascaramento, para se ocultar e assumir postiçamente outros "eus" que facultem uma liberdade que a exibição da própria fisionomia não permitiria sem grandes riscos. Como o bufão que cobre o rosto de cosméticos e disfarces para, pelo exagero e deformidade, fazer rir graças a camuflar a sua verdadeira face, por natureza menos apta a desencadear o riso e, por isso, distante do alvo mirado. A não ser que fosse desde sempre uma máscara risível; neste caso, porém, estaríamos presenciando a pura tragédia ou tragicomédia, e não o cômico produzido pelo embuste plástico. Mal comparando, é possível advertir nas *personae* heteronímicas algo desse mascaramento, mas praticado a sério, com uma gravidade tensa, embora com qualquer coisa do patético recôndito nessa encenação teatral.

Trata-se, no entanto, de um patético que não chega à epiderme, no caso dos heterônimos, que não se revela pela distorção da máscara resultante de o ríctus contrafeito dissimular as lágrimas ou nelas se converter em razão de repetir-se mecanicamente. Dir-se-ia um patético transpessoal, na medida em que os heterônimos são vários para fingir a humanidade como um todo, um patético dramático à superfície, declarada ou desejadamente dramático, mas filosófico ou teleológico nas profundezas. De qualquer modo, regressamos a algo como o teatro primitivo quando tratamos dos heterônimos pessoanos, mais do que à simples dramatização ou desdobramento de personagens. De onde o patético vizinho do trágico, ou em que a máscara da tragédia prevalece sobre a da comédia: ao multiplicar-se em heterônimos, Pessoa brinca, é claro, mas brinca com toda a tragicidade de que era capaz, com toda a contensão grave, messiânica, que punha no seu projeto literário:

"Gato que brincas na rua,
Como se fosse na cama,
Invejo a sorte que é tua
Porque nem sorte se chama."

Entretanto, o objetivo deste capítulo é desenhar o contexto histórico em que Fernando Pessoa desenvolveu o mecanismo dos heterônimos. Não se trata de explicá-lo pela ambiência cultural dos primeiros decênios do século XX, mesmo por ser uma questão polêmica, senão de examiná-lo tendo em vista detectar as conexões da obra pessoana e o quadro histórico contemporâneo. Com isso, não se tira, evidentemente, o crédito ao poeta, visto que a criação continua sendo sua e com toda a originalidade inerente. E, ao mesmo tempo, pode-se compreender que, ao gerar os heterônimos, Pessoa refletia um estado de coisas culturalmente revolucionário, ou pelo menos repleto de significativas mudanças. Diríamos que viveu num tempo heteronímico por antonomásia, e soube dele extrair o melhor partido. De onde, perseguir as linhas de força das décadas iniciais da centúria passada significa compreender-lhe o mecanismo heteronímico, e este, por sua vez, derrama luzes para a interpretação do estilo de época vigente às vésperas da I Guerra Mundial. Em suma, um capítulo da história cultural, imprescindível à avaliação do Poeta, ou, quando pouco, útil para lhe entender a secreta motivação para se despersonalizar.

3

Fernando Pessoa pertenceu a uma geração que mudou radicalmente os destinos da humanidade: Einstein, Charles Chaplin, Freud, Picasso e tantos outros, nascidos no final do século XIX e que, rompendo com as matrizes da sua juventude ou levando-as a extremo, impulsionaram a história pelos caminhos ainda hoje trilhados.

É sabido que uma série de "ismos" varre o período, talvez como nenhum outro. O espírito de vanguarda, a sedução do novo, a euforia do moderno – vanguarda, novo e moderno não raro tomados como sinônimos e como valores absolutos – se atritam a fim de ganhar a hegemonia da cena cultural, impor o seu padrão, e interagem, permutando ingredientes logo tornados embriões de outros "ismos", numa proliferação desenfreada e sem fim. São os anos loucos da Belle Époque, que medeiam aproximadamente entre 1890 e 1914, um intervalo histórico de esfuziante vitalidade a assinalar a agonia do século XIX e o despontar do século XX, com todas as metamorfoses em curso.

Expressionismo, Imaginismo, Cubismo, Abstracionismo e tantos outros, cada qual com um programa que se pretende novo, moderno, de vanguarda, emergem nessa quadra histórica. Com suas antenas de gênio, Pessoa também procurou acompanhar as mutações coevas, propondo o Sensacionismo, o Paulismo e o Interseccionismo, em que não é difícil discernir o impacto daquelas tendências, ou de suas repercussões europeias, e, mais a distância, o influxo do Simbolismo. Que não se trata apenas de "nacionalizar", "naturalizar", as correntes alienígenas, basta considerar a etiqueta colada aos "ismos" pessoanos, e, por certo, o seu conteúdo. Mais do que isso, tratava-se de criar sucedâneos portugueses das tendências em voga, ou melhor, aqueles "ismos" correspondiam à resposta que o grupo de *Orpheu* dava à turbulência criativa que ia pela Europa. Longe de simples arremedo, apesar das naturais semelhanças descortináveis em todos eles, seriam manifestações locais e diferenciadas de um processo amplo, ocidental.

Portanto, menos do que copiar ou adaptar, como tinha sido vezo no curso dos séculos, impunha-se criar algo novo, ainda que equivalente à onda de modernidade que repassava a Europa. Enfim, eram criações que se propunham autóctones, embora refletindo o variado espectro cultural europeu. Mas eram, por outro lado, tentativas de achar um caminho fecundo; de onde o efêmero desses "ismos", logo substituídos por outro (Futurismo), ou, na verdade, substituídos por uma criação poética que não se designa por um rótulo: identificava-se com toda uma complexa personalidade, ou antes, com um processo criativo que se exprimia por meio dos heterônimos.

4

Yeats, como se sabe, divisava a criação poética como uma série de "máscaras", através das quais se podia captar a realidade e expressar toda gama de sentimentos. E Antonio Machado, espanhol de Sevilha, chegou a imaginar uma espécie de *alter ego*, o poeta Juan de Mairena. Com a prosa de *Le bourg régénéré* (1906) e os poemas de *La vie unanime* (1908), Jules Romains inaugura o Unanimismo, teoria que, refletindo a sedução pela vida cosmopolita das grandes cidades, pregava a superação do individualismo pela consciência coletiva.

O Cubismo, preconizando a geometrização da arte pictórica, apresentava uma visão desintegrada do mundo, manifesta na ruptura da harmonia formal e no emprego de várias perspectivas ao mesmo tempo. No encalço de surpreender o dinamismo do real, suas figuras humanas ostentam duas ou mais faces, superpondo-se entre si e aos objetos do cenário à volta. Desenvolvido entre 1910 e 1914, o movimento cubista devia a Picasso, e também a Georges Braque, no terreno da pintura, e a Apollinaire, Max Jacob, Pierre Reverdy e André Salmon, na poesia, o seu impacto na arte moderna. Oferecendo nova óptica do real, caracterizada pela fragmentação do espaço, fruto da múltipla perspectiva, a arte cubista ressoava, decerto sem o saber, o progresso da física nuclear na mesma direção.

Com efeito, em 1911, Rutherford abria caminho para a fissão do átomo, contrariando um milenar axioma: a matéria expunha-se, pela primeira vez, pondo à mostra a sua polimórfica intimidade, ainda hoje desafiando a argúcia e a imaginação dos estudiosos, e dando margem à utilização da energia nuclear. Em 1905, Einstein propõe a teoria da relatividade, que tanta relevância teria, não só nos domínios da física, notadamente a nuclear, como ainda nos da filosofia moderna. Revolução à Copérnico, a teoria franqueou horizontes insuspeitados para a pesquisa e a especulação, de que a atividade literária se beneficiou, posto que obliquamente. Na mesma época, Bergson ensina a vislumbrar o *tempo duração,* para além das balizas do calendário, assim apontando um *continuum* na sensação do tempo. A teoria da relatividade inseria o espaço nesse *continuum*: espaço e tempo se implicam mutuamente, integrados numa só unidade. Proust, conduzido por sua hipersensibilidade de asmático, empresta ao mundo romanesco essa visão integradora, aliando memória e fantasia no mesmo gesto criativo.

Era, como se vê, uma quadra de grandes descobertas, uma espécie de nova Renascença. Freud colaborava, à sua maneira, para destruir a noção tradicional do "eu", desvelando os compartimentos da "alma" (o *id*, o *ego*, o *superego*, o consciente, o inconsciente). Dava, assim, o passo decisivo para uma teoria relativística da psique humana, como se a pluralidade cubista e a fragmentação do átomo se interiorizassem, se reproduzissem simetricamente na intimidade mental do sujeito pensante. Uma dialética homóloga, em que a tese e a antítese não buscam a síntese, senão coexistem como forças necessárias do mesmo objeto de conhecimento, se instala. Ser e não ser constituem modos da realidade, simultâneos e interagentes. O diálogo entre as esferas de conhecimento é a novidade, logo tornada banal em virtude de sua evidência. Chaplin inventa Carlitos: *alter ego*, "máscara", "sósia", projeção do inconsciente (individual e/ou coletivo), liame entre o dia a dia histórico, autobiográfico, e o sonho, que é do ator e de todos a um só tempo – heterônimo.

5

Estava preparada a cena para a aparição de Fernando Pessoa. Aos vários "ismos" em moda no primeiro decênio do século passado, ele responde, como vimos, com outros três, facetas do mesmo impulso de, acertando o passo com a modernidade europeia, definir o seu projeto literário, ainda latente ou em vias de concretização. "Chuva oblíqua", uma das produções poéticas de acordo com os novos parâmetros, denuncia, nos seus cortes e nas *n* perspectivas, uma sensibilidade cubista, a jogar bergsoniana e einsteinianamente com as noções de tempo e de espaço, como se mesclasse realidade e devaneio, transcendência e imanência, numa clara antevisão do Surrealismo. Não só alcançava nesse poema, e em "Hora absurda" e "Pauis", superiores notas de beleza imagética, como esse aprendizado deixaria marcas indeléveis em sua poesia.

Todavia, para o que importa no momento, tal propensão para as síncopes frásicas e de planos ópticos e/ou mentais já é um indício nítido de adesão ao moderno que Einstein e outros descortinavam e, acima de tudo, sinal de gestação dos heterônimos. Com efeito, falar em modernidade, à luz dessas conquistas das ciências, das artes e da filosofia, etc., é falar do processo heteronímico, e vice-versa, os heterônimos reclamam que sejam entendidos no contexto cultural em que se colocou Fernando Pessoa após o "exílio" em Durban.

A heteronímia é, sem dúvida, uma criação genial, inconfundível marca registrada, mas é também a repercussão do "espírito de época". Nenhum mérito se retira do Poeta ao observar-se a sua vinculação à conjuntura histórica que inaugura o século XX. Antes, acrescenta-se-lhe o dado de ser comum ao tempo – o que lhe confere desde logo ressonância universal, embora alguém possa encontrar nisso mesmo um fator de restrição. E lhe confere, por outro lado, um traço distintivo: se muitos intuíram tal processo fragmentativo, e buscaram representá-lo do melhor modo possível, somente a ele coube dar-lhe forma emblemática, por meio dos heterônimos. De onde exprimir-se por si, pelos coevos, e por nós, seus pósteros, como se a heteronímia, detectando o recesso do ser humano, transmitisse uma individualidade tanto mais em crise quanto mais espelhava o seu tempo e sondava o "homem em situação" que era, como, de resto, eram todos os demais.

Essa congenialidade substancial, espontânea e infusa no quadro histórico, remete-nos de pronto para a noção de arquétipo, que Jung, divergindo de Freud, criou e difundiu com seus escritos. Imagem primordial, conteúdo arcaico da mente, o arquétipo caracteriza-se por sua universalidade, uma vez que se manifesta em povos inteiros ou em determinadas épocas, em lugares diferentes. O inconsciente coletivo, inato em todos os seres e mais profundo que o inconsciente individual, é a sua morada. Assim, um subentende o outro: o inconsciente coletivo fizera brotar as semelhanças culturais entre 1890 e 1914, ou seja, revelara-se através de imagens arquetípicas.

Os heterônimos mergulham raízes nessa atmosfera. Emanados do inconsciente coletivo presente no indivíduo-Pessoa, exibem caráter arquetípico. Máscaras arquetípicas, por intermédio delas vieram à tona pulsões arcaicas não exclusivas do Poeta, nem do povo português, nem da Europa do tempo. Engramas perenemente gravados no inconsciente coletivo, os arquétipos ressurgem a cada passo, assumindo feições diversas, por baixo das quais se descortinam as mesmas matrizes primordiais.

A naturalidade bucolizante de Alberto Caeiro situa-se na linha de um *topos* que remonta à Antiguidade greco-latina, enquanto o classicismo pagão de Ricardo Reis propõe a restauração de um ideal de ordem igualmente antigo, e Álvaro de Campos desfralda a bandeira do novo, do moderno, contraponto da aventura à mesmice circundante. Encarnam, pois, três soluções existenciais permanentes e cíclicas. Dessa perspectiva, heterônimos e arquétipos constituem ideias permutáveis: os heterônimos são projeções arquetípicas do inconsciente (coletivo) de Pessoa, e os arquétipos podem ser considerados heterônimos, imagens coletivas/"pessoas" que falam de um "outro" no inconsciente de cada um. E se admitirmos que o arquétipo "é uma paráfrase explicativa do *eidos* platônico" e que as expressões "*magnus homo*" e "*homo maximus*" saltam da pena de alquimistas ou sucessores[1], fica ainda mais patente a similitude entre a criação pessoana e a proposta junguiana.

Pessoa teria produzido suas "ficções" em busca do *self*, o arquétipo do *si-mesmo*, ou tendo-o como fonte reguladora, coordenadora ou meramente criadora: ele o diz por meio do Pessoa "ele mesmo". É noção assente, desde há muito, que o Pessoa "ele mesmo" é também um heterônimo, e, portanto, um arquétipo. Quer procurasse o *self* (tendo como alvo a identidade perdida ou jamais concretizada), quer o revelasse, não fugia à equação montada pelo seu inconsciente (coletivo). Construindo-se e/ou construindo seu "drama em gente", movia-se em plena esfera arquetípica. E, talvez não por acaso, quatro heterônimos/arquétipos fundamentais, heterônimos/arquétipos-padrão, lhe povoam a obra: para Jung, o possível modelo matemático para o arquétipo do *si-mesmo* eram quatro pirâmides duplas dispostas em anel.[2]

Ainda na esteira de Jung, pode-se falar em sincronicidade temporal, não só em relação ao contexto cultural entre 1890 e 1914, como ainda em relação aos heterônimos/arquétipos. É que "um evento sincronístico é uma história única e imprevisível, porque é sempre um ato criativo no tempo e, por conseguinte, não regular". Chinês na sua origem, o pensamento sincronístico opta, em vez da causalidade, por ser um "pensamento de campo, cujo centro é o tempo", ou seja, "o centro do conceito de campo seria um instante de tempo em que estão aglomerados os eventos A, B, C, D, e assim por diante".[3]

Ora, os heterônimos/arquétipos pessoanos são contemporâneos, coexistem no mesmo campo, sincronicamente articulados. Sem colocar mais ênfase no orientalismo do Poeta, evidente ao menos na sua "máscara" de "guardador de rebanhos" (Alberto Caeiro), importa assinalar a coetaneidade dos heterônimos, ao contrário do que faria supor a existência de um mestre (Alberto Caeiro) e discípulos (Ricardo Reis, Álvaro de Campos, Fernando Pessoa "ele mesmo"). Sincrônicos, constelam-se no psiquismo e materializam-se em objetos concretos (os poemas), seja enquanto durou o Poeta, seja após a sua morte: perdurarão para todo o sempre constelarmente sincrônicos, imunes a toda equação causal ou vicissitude capaz de alterar-lhes a coexistência.

Constelação sincrônica de arquétipos, os heterônimos podem ser entendidos como uma constelação de *personae*, caracterizando a "perda da alma". Ao projetar-se em heterônimos, incluindo o próprio *self* nessa empreitada, o Poeta corria o risco de esvaziar-se, de alienar-se do meio ambiente. A heteronímia conotaria, a essa luz, uma "queima", "alienação", em consequência do desenvolvimento excessivo da *persona*, que "pode produzir uma personalidade que preenche com precisão os papéis sociais, mas deixa a impressão de que não existe, 'dentro', uma pessoa real".[4] A irrupção de tantos arquétipos no interior do mesmo "eu", se constitui sinônimo de riqueza, de expansão, implica simultaneamente um débito psíquico, para os lados do núcleo interior. Não é impunemente que Fernando Pessoa se desdobra em Alberto Caeiro, Ricardo Reis, Álvaro de Campos, Fernando Pessoa "ele mesmo", Bernardo Soares, etc.: jogando com a sua identidade, perdeu-a para sempre, ou jamais chegou a concretizá-la, visto desde cedo se haver instaurado em sua psique o gosto pela multiplicação anímica, assim povoando de "gente" a sua irremissível solidão existencial.

Os heterônimos podem ser entendidos como produto de uma fantasia fáustica: por meio deles, Pessoa habilitava-se a um conhecimento infinito do Universo, em troca da despersonalização, desse modo pagando com a própria alma o saber demoníaco que lhe facultaria o desenvolvimento em mil seres, prototipificados nos heterônimos. Sabe-se do empenho com que se atirou à criação do *Primeiro Fausto*, decerto para livrar-se, catarticamente, ou, na verdade, para melhor dar ideia, da fixação que está na raiz de sua visão do mundo. A um só tempo, contudo, mostra como era compulsiva, nele, a fantasia fáustica.

A quadra da Belle Époque tinha sido fecunda, como se sabe, nessas incursões para o macroscópico (teoria da relatividade) ou para o microscópico (divisão do átomo, psicanálise), físico ou psíquico. E à sondagem no íntimo da matéria e/da psique correspondia a viagem no tempo, em suas várias dimensões. Se Bergson intuía a *duração* e ensinava multidões a reconhecê-la, preparando o caminho para Proust e sua busca do tempo perdido, H. G. Wells reproduzia, no universo da ficção científica, idêntico anseio por fugir às limitações cronológicas, viajando na sua *Máquina do tempo* (1895). Latente na atmosfera, a utopia fáustica estava em moda, e Pessoa não escapou à conjuntura histórica. Antes pelo contrário, tornou-se, com os heterônimos, uma espécie de símbolo acabado dessa obsessão de conhecimento, científico ou paracientífico, que transpassa a época.

Morto Deus, segundo a perspectiva nietzschiana, a imaginação criadora forcejou por ocupar-lhe o espaço, sob a égide dum saber diabólico. Os heterônimos podem ser postos na conta de uma fantasia de onipotência laica, demiúrgica, com laivos de divindade: sentir-se Deus, todo-poderoso, gerando seres como um demiurgo. Um vento de megalomania, como já temos observado algures, atravessa os heterônimos e o seu criador:

"Sou EU, um universo pensante de carne e osso, querendo passar,
E que há de passar por força, porque quando quero passar sou Deus!
[......................................]

Sentir tudo de todas as maneiras,
Viver tudo de todos os lados,
Ser a mesma coisa de todos os modos possíveis ao mesmo tempo,
Realizar em si toda a humanidade de todos os momentos
Num só momento difuso, profuso, completo e longínquo.
[......................................]

Sentir tudo de todas as maneiras,
Ter todas as opiniões,
Ser sincero contradizendo-se a cada minuto,
Desagradar a si próprio pela plena liberalidade de espírito,
E amar as coisas com Deus."

O projeto fáustico de Pessoa, criando os heterônimos, assemelha-se ao projeto fáustico do Cidadão Kane ao erigir Xanadu, fortaleza-palácio, convergência de uma trajetória de grandeza luciferina. O confronto entre o filme de Orson Welles e o Poeta, que procuramos fazer noutro lugar, mostra à saciedade o esforço de compensar, pela multiplicação de seres e/ou objetos, a perda da remota infância, simbolizada no "Rosebud" de Charles Foster Kane e no "boneco que me partiram!" pessoano.

Sem descartar as propostas acerca da gênese dos heterônimos que divisam no seu processo criativo algo parecido com a maternidade ou a introjeção da figura paterna, ou desenvolvem a ideia do "drama em gente" – o exame do pano de fundo histórico sobre que se esbate Fernando Pessoa permite confirmar a hipótese da teoria do conhecimento, que temos perfilhado, para explicar a multifacetação do Poeta. De qualquer modo, é aspecto tão relevante quanto os demais. De onde se inferir que o problema dos heterônimos, assim como o do seu criador, somente ganha em ser interpretado à luz duma sociologia e/ou teoria do conhecimento, e não apenas de razões particulares: sem tirar em nada a originalidade da engenhosa atomização, mostra-a solidária com o seu tempo, a ponto de representá-lo como um de seus espelhos mais fiéis.

1998

Notas

1. C. G. Jung, Arquétipos e inconsciente colectivo, tr. argentina, Buenos Aires: Paidós, 1970, pp. 9 e ss.

   Antônio Quadros também observou em Fernando Pessoa a "analogia alquímica" e a "rara identificação ou convergência (...) entre o inconsciente individual e o inconsciente coletivo (em permanente dialética subliminal)" (Actas do 2º Congresso Internacional de Estudos Pessoanos – Nashville, 31 de março/2 de abril, 1983 –, Porto: Centro de Estudos Pessoanos, 1985, p. 468).

2. C. G. Jung, Collected works, vol. 9, II, §§390 e ss., apud Marie-Louise von Franz, Adivinhação e sincronicidade. A psicologia da probabilidade significativa, tr. brasileira, São Paulo: Cultrix, 1985, p. 76.

3. Marie-Louise von Franz, op. cit., pp. 8, 65.

4. James A. Hall, Jung e a interpretação dos sonhos, tr. brasileira, São Paulo: Cultrix, 1985, pp. 21, 24.

6

Heteronímia e projeto filosófico

1

O presente capítulo procura, expandindo observações insertas em *Fernando Pessoa, aspectos de sua problemática*, encarar o enigma pessoano de outro prisma, o de sua possível analogia com o pensar filosófico: em síntese, o processo heteronímico decorreria de um mecanismo análogo ao que preside a formulação dos sistemas filosóficos, religiosos, estéticos, etc. Na ordem da história, nenhum desses sistemas é ultrapassado ou anulado; simplesmente permanece o que sempre foi, com o seu grão de verdade, ou de plausibilidade (ou de probabilidade), resultante da porção de mundo ou de vida abrangida pelo olhar do filósofo. Assim, um novo sistema não elimina o anterior, mas o substitui na sequência do tempo ao focalizar um novo ângulo do poliedro que constitui a realidade.

Pondo-se entre parênteses, porém, a dimensão histórica, os sistemas coexistem como se tivessem sido gestados ao mesmo tempo por filósofos coetâneos. Aliás, não raro acontece de vários filósofos, trabalhando dentro da mesma faixa de tempo, elaborarem teorias contrastantes, fruto de visarem facetas específicas da realidade. E não obstante se possa vislumbrar um fio condutor entre os sistemas que se vão gerando no desenrolar da história, e um denominador comum entre os sistemas contemporâneos, percebe-se que se distinguem pelo segmento de realidade captado, e pelo modo de o detectar. Por outro lado, ainda que os sistemas preconizem ver a totalidade do real, sabemos que há tantas totalidades quantos os sistemas, uma vez que cada totalidade é a "summa" possível a uma consciência, e nem mesmo a totalidade dessas totalidades seria capaz de esgotar o real. E considerando que o pensar filosófico do século XX abandonou a falácia dos sistemas, e nos séculos anteriores houve pensadores apostados em especular acerca de fragmentos do real, compreende-se que as "soluções" filosóficas são igualmente válidas, uma vez que atingem uma parcela da realidade e a fazem visível às consciências alheias.

É lícito inferir, por conseguinte, que um pensador é, em princípio, capaz de visualizar diversos ângulos da realidade em diferentes "momentos" ou "tomadas" de sua trajetória especulativa; é de supor, também, que um pensador enfrente, na formulação do seu sistema ou de sua "filosofia", o apelo anárquico da realidade, atraindo-o para as antinomias de base. E, neste caso, cada doutrina filosófica resultaria do esforço unificador entre opostos conflitantes, dado que toda consciência filosofante é apta, em tese, a divisar mais de um prisma ou de fração da realidade. Por menor que seja o texto filosófico, por mais unívoca que seja sua "mensagem", nela há de incrustar-se a tensão dialética que procede do simples ato de pensar. E quando, por hipótese, um texto conseguisse rechaçar as contradições que lhe embaraçassem a unidade, estas persistiriam latentes, ao menos como oposições surdas à unidade adquirida ou alcançada por mero artifício lógico.

Por outro lado, somente por incapacidade ou ignorância um pensador ou filósofo não acede ao pensamento oposto ao que elabora como "seu": sua opção é, ou deve ser, pelo "melhor", na medida em que quadra ao seu intelecto e sensibilidade, não em decorrência de um critério absoluto, universalmente eficaz. Pois que este, conquanto norteie as consciências sedentas de segurança "objetiva" ou "perene", não passa de utopia. A opção do filósofo rejeita sempre o seu contrário por instinto de defesa, para que a mente continue a pensar "em ordem lógica", ou seja, sem desintegrar-se. Assim, uma "totalidade" é uma opção que pressupõe o conhecimento de outras "totalidades", anteriores, coevas ou plausíveis. O filósofo pressupõe-nas para não paralisar o pensamento, dando-as como "solução" ao que busca, ou como integrá-las na totalidade que persegue. Pressupõe-nas úteis, as existentes, capazes de lhe ofertar achegas, mas não as respostas por que anseia; e estimulantes, as plausíveis, porque saturam o horizonte do filósofo de interrogações sem conta, justificando-lhe, assim, o labor gnoseológico e o apetite de esclarecimento da realidade.

2

Se estas reflexões podem considerar-se inerentes à consciência dos filósofos e pensadores de todos os tempos, de modo que a cada geração a semente de angústia renasce e floresce – o mesmo não podemos dizer dos poetas, salvo, em certa medida, os poetas épicos, desde Homero aos nossos dias. Sucede, no entanto, que uma análise do discurso poético dessas inteligências acionadas pelo afã de totalidade mostra que se debatiam por entre as névoas duma consciência tolhida nas malhas da própria imagem que fazia do Universo. A sua totalidade era marcada pelo signo da dispersão, como se o mundo fosse o eterno caos que somente as vocações metafísicas – as dos filósofos e teólogos – alcançavam converter em unidade logicamente satisfatória, transmutar, portanto, o caos em cosmos. Seres, narrativas, descrições, batalhas, navegações, idílios, episódios – eram, nessas cosmogonias épicas, estilhaços duma totalidade perseguida como unidade perpétua e absoluta, mas que, ao fim de contas, se evidenciava uma sucessão de facetas mal exploradas dum caleidoscópio sem fim. Enfrentada a questão, à semelhança da filosofia, dos prismas da história e da sincronia, vemos que as totalidades épicas não se anulam – substituem-se.

Entretanto, o germe de uma totalidade épica explorada ao máximo de seu potencial teve de aguardar séculos para frutificar num poeta que remeteu as facetas dispersas à sua verdadeira identidade: seres e não coisas, seres e não narrativas, seres e não episódios, seres e não idílios, etc., como se cada ser fosse a representação de uma das totalidades que a consciência do poeta era capaz de enxergar sem poder perseguir. Pôde-o Fernando Pessoa: em sua mente coexistem vários sistemas, várias totalidades, por sua vez enlaçadas numa totalidade maior, em escala ascendente, cujo ápice o próprio poeta situara na Grande Ogiva, Deus.

A essa luz, os heterônimos se mostram os arquitetos de sistemas afins, poetas autônomos, como aliás todos os criadores de poesia o são, com a diferença de que os *alter egos* pessoanos foram gerados no interior do mesmo espaço mental. Alberto Caeiro está para Fernando Pessoa assim como Fernando Pessoa está para Valéry, T. S. Eliot ou Antero de Quental, ressalvadas as diferenças de Alberto Caeiro ser um subproduto da mente de Fernando Pessoa, e os outros, individualidades concretas. Tudo se passa como se Pessoa possuísse *n* consciências, uma para cada totalidade abrangida, ou uma para cada setor da realidade. Vários poetas num só, várias consciências numa só – eis o vasto cosmorama que a sua poesia desvenda. Vários em um, como se Pessoa aceitasse o repto do conflito desintegrador que os demais poetas coevos e precedentes rejeitaram, faltos de coragem ou de aptidão para sustentar o debate íntimo sem enlouquecer.

Esquizofrenias à parte, ou congelando por ora qualquer polêmica em torno das causas neuróticas dessa multiplicação de "eus", o processo heteronímico evidencia uma lucidez de gênio e uma incomparável capacidade para efetivá-la em obras-seres-poetas, que não encontra paralelo em nenhuma literatura. Tudo permite crer que Pessoa realizou uma aspiração comum não só aos filósofos como aos poetas (épicos): ao deixar-se conduzir pelo ser da consciência que reclamava o seu direito a existir, sem prejuízo dos demais seres implícitos e da "unidade" psicológica de base, Pessoa concretizava o que os poetas em geral apenas podem transformar em retalhos das projeções desses seres de consciência ou em dialéticas do tipo dia/noite, luz/sombra, etc., ou medieval/clássico, clássico/romântico, etc. Em seu processo de mitose poética, cada heterônimo caldeia pelo menos um desses pares dialéticos: por exemplo, Alberto Caeiro é natural/intelectual, Álvaro de Campos é realista/idealista, etc.

3

Uma análise mais profunda dos heterônimos desvela, contudo, por baixo da camada dialética visível, inúmeras outras binomias ou virtualidades idênticas, como se cada heterônimo reproduzisse em si o mecanismo de multiplicação que Pessoa pôs em funcionamento ao gerar Alberto Caeiro e os outros. Estes, constituem sínteses-heterônimos, heterônimos-fontes, à semelhança do seu criador, e por isso capazes de originar outros tantos sub-heterônimos, em tese dotados da mesma faculdade proteica, numa incomensurável *mise en abîme*. Aqui, a genialidade do Poeta atinge as raias da suprema celebração filosófica (e teológica), como se de sua cabeça nascessem medusamente vários seres, por sua vez iniciadores de um análogo desdobramento sem limite. Demiurgo, criador de seres-matrizes, súmulas totêmicas da humanidade.

O gesto lembra a proliferação de deuses na mitologia greco-latina: cada heterônimo simbolizaria um deus. O deus da Natureza/Cosmos, que preside os fenômenos celestes e atmosféricos, Zeus/Júpiter, o deus supremo, corresponde a Alberto Caeiro, mestre dos heterônimos. A deusa da sabedoria, Palas Atena/Minerva, é representada por Ricardo Reis, cultor da serenidade estoico/epicurista. Álvaro de Campos, dotado de fúria sonorosa, encarna Orfeu, que desceu aos Infernos em busca de Eurídice, privilégio que lhe foi concedido em razão da suavidade encantatória da sua lira. O deus do tempo, Cronos, assume-o Bernardo Soares, auxiliar de guarda-livros. E Fernando Pessoa "ele mesmo", considerando-se discípulo de Alberto Caeiro/Zeus, seria uma espécie de Prometeu, preso ao Cáucaso de sua memória e de sua sensibilidade "à beira-mágoa".

Desse modo, cada heterônimo contém os demais que Pessoa congeminou e os que a imaginação humana pode inventar. E se a unidade na diversidade é patente, é-o também naquilo em que cada heterônimo, sendo uma consciência a ver o mundo de sua intrínseca perspectiva, inevitavelmente se aproximará do seu vizinho e contemporâneo, por sua vez contemplando uma faceta particular da realidade. Assemelham-se, não apenas porque oriundos do mesmo cérebro, mas porque a totalidade de cada um, apesar de específica, cruza ao menos parcialmente a faixa de totalidade adjacente, divisada pelo outro ser da consciência: em algum ponto se interseccionam, como se não quisessem deixar frinchas comprometedoras e se dispusessem a buscar, de mãos dadas e a um só tempo, uma totalidade comum – a utópica Totalidade.

1977

7

Fernando Pessoa contista

1

Escassa, porém densa e complexa, a produção de Fernando Pessoa nos domínios do conto: duas narrativas completas, "A very original dinner", em inglês, escrita pelo heterônimo Alexander Search, e datada de junho de 1907, constituindo, assim, a sua primeira experiência no gênero; e "O banqueiro anarquista", publicada na revista *Contemporânea* (Lisboa, maio 1922). E outras, incompletas ou em fragmentos: "O caso Vargas", "O pergaminho roubado", "O caso do quarto fechado", "A morte de dom João", "A carta mágica", "O desaparecimento do dr. Reis Dores", "O roubo da Quinta das Vinhas", "O triplo fecho", "A janela estreita" e "O vencedor do tempo", conto (filosófico) de Pero Botelho. Outras várias, sob o título geral de *Contos de Pero Botelho,* tinha em projeto ou já esboçadas.[1]

Apesar de "O banqueiro anarquista" ser a explanação do modo como um anarquista, no curso da sua paulatina coerência entre a teoria e a prática ideológica, alcança a situação de banqueiro – e de "O vencedor do tempo" consistir no diálogo entre o professor Serzedas e o narrador em torno da seguinte questão: "Donde vem a Verdade-mais-erro de toda a teoria filosófica?"[2], as narrativas de Fernando Pessoa constroem-se sob o signo da análise especulativa. A rigor, alguns dos textos devem ser considerados mais propriamente ensaios de indagação filosófica, na linha dos diálogos platônicos, uma vez que a troca de razões entre os interlocutores envolve menos acontecimentos que conceitos.

No entanto, são indispensáveis para a compreensão e interpretação dos demais e para o esclarecimento das ideias filosóficas de Fernando Pessoa.

Os contos "policiários" (bem como os "de raciocínio" e o filosófico) caracterizam-se por uma dialética cerrada, assente em premissas que erigem o absurdo ou o paradoxo em princípio condutor. O raciocínio à volta de proposições lógicas ou firmadas pela tradição do pensar ocidental cede vez a um raciocínio que somente é lógico na forma, já que a estrutura do método científico reveste uma "lógica" heterodoxa em todos os instantes da sua progressão. Tudo se passa como se o *pensamento* tivesse duas formas de apresentar-se: a do processo cartesiano e a da lógica das proposições, de forma que o método não tivesse nada com os fins para que serve e as propostas que abrange. Mas, ao mesmo tempo, o método, porque rigoroso e sistemático, acabou dando a impressão de conduzir raciocínios lógicos, corretos e procedentes: quer o manipulador do raciocínio – a personagem que fala –, quer o leitor se dispõem, segundo um acordo tácito, a ingressar numa espécie de fantasia consentida, jogo de faz de conta, ato ilusório ou de hipnose, mediante a qual o protagonista se convence do que diz enquanto fala, por empregar um método aceito como lógico:

> "Descansou um momento da violência, novamente crescente, do seu entusiasmo pela exposição. Depois continuou, ainda com um certo calor, a sua narrativa. (...) Ora o meu processo estava certo, e eu servia-me legitimamente, como anarquista, de todos os meios para enriquecer."[3]

e o leitor assimila facilmente o pensamento labiríntico, enfeitiçado pelo canto de sereia do método. Este, inebriando o emissor e o receptor do raciocínio, termina prevalecendo sobre o pensamento que nele se enuncia. E no final do processo, ambos se dão conta de que o "pensamento" não é senão um método para ordenar as frases no corpo do discurso.

De tal modo se realiza o enlace do método (à Descartes) e do pensamento heterodoxo (à Fernando Pessoa) que às tantas a personagem narradora, dando-se conta de obedecer a um "impulso absolutamente sentimental", concorda que "naquele momento, [venceu] a dificuldade lógica com o sentimento, e não com o raciocínio".[4] A lucidez metodológica é que está em causa, não a doutrina que por meio dela se veicula, uma vez que a personagem parte de uma certeza – a das suas ideias – para o revestimento formal capaz de sustentá-la:

"Os nossos intuitos eram bons; as nossas doutrinas pareciam certas; seriam errados os nossos processos? Com certeza que deveriam ser. Mas onde diabo estava o erro?"[5]

Não estranha que, nessa ordem de ideias e de métodos, se infira que o "único sofisma" está em negar, "pois é afirmar que *uma coisa não é*, quando a própria discussão dessa coisa (que temos para podermos afirmar que ela não existe) é, por *pensada*, existente".[6]

Em suma, o meio torna-se a mensagem (McLuhan) que dissimula a outra (autêntica) mensagem que se pretende oferecer ao interlocutor: as personagens de Pessoa sabem que discordam, apuram-se em mostrar as divergências que impedem o entendimento pleno, mas desconhecem (ou fingem desconhecer) que combatem pelo método, não pelo que nele se transmite, ou seja, iludidas pelo fulgor do método, esquecem-se de que ele é, acima de tudo, o conduto do pensamento, nunca o próprio pensamento, e de que tergiversam por acalentar doutrinas opostas.

O resultado da confrontação entre o método (lógico) e o pensamento (não lógico) é a fusão entre as duas categorias, não na parte substantiva (o que iria dar num binômio correto: o método do pensamento), mas na parte adjetiva, e que gera um absurdo lógico, que consiste em ser lógico e não lógico ao mesmo tempo – lógico pelo método e não lógico pelo conteúdo. "O banqueiro anarquista" exemplifica muito bem, desde o título, esse paradoxo vivo, que a mente do leitor não repudia pelo fato de o seu brilho afastar a hipótese de ludíbrio, nem desmonta com uma gargalhada, pois o raciocínio (logicamente alógico) se organiza a sério. Somente como ironia transcendental levada à suprema potência, liberta da ganga emotiva que pesava na poesia de Antero, é possível admitir o encontro, e consequente amálgama, do método lógico e do conteúdo alógico. E como se o diálogo transcorresse num inusitado e rarefeito contexto, fora das habituais coordenadas euclidianas em que nos movemos, o protagonista conclui por uma sentença (filosófica) plena de satisfação, que não pode deixar de ser a do leitor, extasiado perante o luzidio espetáculo raciocinante que lhe foi dado contemplar:

"Hoje realizei o meu limitado sonho de anarquista prático e lúcido. Sou livre. Faço o que quero, dentro, é claro, do que é possível fazer."

O interlocutor, que não esconde o seu fascínio pelo malabarismo dialético, ainda levanta um contra-argumento, a modo de recurso derradeiro, mas acaba arrasado pela avalanche lógica:

"– Não, meu velho, você engana-se. Eu não criei tirania. A tirania, que pode ter resultado da minha ação de combate contra as ficções sociais, é uma tirania que não parte de mim, que portanto eu não criei; *está nas ficções sociais; eu não a juntei a elas*. Essa tirania é a *própria tirania das ficções sociais,* e eu não podia, nem me propus, *destruir* as ficções sociais".

raciocínio seguido de outros que anunciam a capitulação final (do interlocutor e do leitor):

"– Sim; você tem razão."[7]

2

Os contos "policiários" de Pessoa desenvolvem-se no âmbito das suas prosas filosóficas e assim devem ser entendidos, com uma sutil diferença: as prosas filosóficas envolvem questões puras, em abstrato, sem remeter necessariamente para a *praxis*, enquanto os contos "policiários" encerram a especulação filosófica sobre o dado real – o crime. Para Pessoa, da mesma forma que a especulação se propõe a deslindar o enigma do pensamento, a investigação da ocorrência policial visa à decifração do enigma do crime, como se houvesse simetria perfeita entre o pensamento e o crime, as duas formas de enigma para quem, como Fernando Pessoa, sonda os mundos esotéricos ou situados além da superfície da realidade. O crime, quebrando por momentos a "normalidade" do mundo, desvela o enigma que pulsa no interior da matéria. Sem a perturbação do crime, a normalidade permaneceria.

De onde os detetives pessoanos não precisarem examinar o local do crime: basta-lhes discriminar, à luz do pensamento, as hipóteses para deduzir, por uma espécie de lógica matemática infalível, que praticam a ruptura na opacidade do mundo. Tal ruptura exibe a face oculta da matéria, apenas acessível à especulação: o local do crime ofereceria o desarranjo ocasional dos objetos e seres, tão opaco quanto a ordem anterior para quem investigasse a aparência da realidade concreta. A desordenação constituiria, neste caso, um novo ajuste das coisas e não um atentado ao equilíbrio que as presidia: *qualquer* distribuição dos componentes da realidade equivaleria, assim, a *uma* ordem, anômala em relação à precedente para quem a divisasse especulativamente, igual à outra para quem não lhe visualizasse a transparência. O crime, causa eficiente do desarranjo, não se mostra na reordenação dos objetos e seres para quem os encarasse superficialmente; situa-se, em verdade, na dimensão apenas franqueada à indagação filosófica.

Desse modo, a ficção "policiária" tornar-se-ia, nas mãos de Pessoa, "a verdadeira expressão de uma teoria do conhecimento",[8] fundamentada em postulados que atestam o esforço duma coerência nuclear. Aceitando que "o pensamento é a base da realidade (...); a ideia, o pensamento é o que em nós há de mais absoluto, de mais tendente a absoluto... Conceber fortemente uma coisa é criá-la..." e "o *contraditório* é inexistente" – conclui que "o *mundo é uma coisa pensada*". O privilégio platonizante concedido à ideia remete para uma ontologia centrada no sujeito ("o pensamento é [...] o ser"), cujo limite se dilui na ideia de Deus:

"Deus, fazendo-se objeto de si mesmo, pensa-se, e pensando-se nasceram as ideias de tempo e espaço. Daí, logicamente as de número...

Pensa-se como Sujeito e Objeto: daí *tempo* e *espaço*; como não eu; daí o *número,* sendo Deus o fora do número; e como pensante: daí o movimento e a duração."[9]

Fundado nesse germe de epistemologia, que demandaria a consideração dos seus textos filosóficos para se configurar, Pessoa volta-se para o cosmos policial. Em vez de um único herói-detetive, como de hábito, imagina três, cada qual caracterizado por um tipo de inteligência. A primeira, "inteligência científica (...), examina os fatos, e tira deles as suas conclusões imediatas (...); observa, e determina, pela comparação das coisas observadas, o que vêm a ser os fatos". Representa-a o Chefe Guedes. A segunda, "inteligência filosófica", é a do dr. Abílio Quaresma e define-se como a que "aceita da inteligência científica, os fatos já determinados e tira deles as conclusões finais (...); extrai dos fatos o *fato*". A terceira, "inteligência crítica (...), nem possui a observação que é a base da inteligência científica, nem o raciocínio que é o fundamento da inteligência filosófica. Parasitária, indolente até, por natureza, como são as classes cultas e aristocráticas em relação às outras, ela vive apenas de ver as falhas que as suas antecessoras, por assim dizer, tiveram. Sobretudo vê as falhas da inteligência filosófica, que, por abstrata, é mais da natureza dela"[10]: é a do Tio Porco. Vê-se que, na linha de um raciocínio lógico sem frinchas, Pessoa concebe três investigadores que se notabilizam pela acuidade da inteligência e não pelo tirocínio em matéria de criminalística. Mais ainda, ostentam três modalidades de inteligência que, por completas e superiores, dão a impressão de que crime algum lhes poderia burlar a diuturna vigilância e penetração analítica.

3

O gosto esotérico pelo número três, que confere aos detetives uma auréola oracular, ainda se manifesta no critério de investigação preconizado pelo dr. Quaresma. Graças à sua inteligência filosófica, discrimina os três tempos da investigação: "O primeiro tempo é determinar quais são os fatos incontestáveis, absolutamente incontestáveis, eliminando todos os elementos que não o sejam, ou porque não há certeza deles, ou porque sejam conclusões – talvez lógicas, talvez inevitáveis – tiradas desses fatos, mas, em todo o caso conclusões e não fatos"; o segundo e o terceiro consistem "em descobrir qual é a hipótese que mais completamente liga e explica os fatos incontestáveis. Mas, descoberta esta hipótese, há que investigar que outras hipóteses haverá que também, embora com menos probabilidade aparente, se ajustem ao conjunto dos mesmos fatos", etc. O critério de investigação estriba-se, por sua vez, na "arte de raciocinar", inserta em "O caso Vargas", ainda de autoria do dr. Quaresma, e que, naturalmente, se desmembra em "três estádios de raciocínio (...); o primeiro é determinar se de fato houve crime. O segundo é, determinado isso positivamente, determinar como, quando e por que o crime foi praticado. O terceiro é, por meio de elementos colhidos no decurso desses dois estádios de investigação, e sobretudo do segundo, determinar quem praticou o crime".[11]

Não sendo o caso de comentar cada passo dessas tríades silogísticas, registre-se que nessa riqueza doutrinária, nesse convocar uma aparelhagem intelectual repleta de "agudezas" luminosas, é que reside o grande atrativo dos contos de Pessoa, permitindo colocá-lo a par dos mestres no gênero ou mesmo considerá-lo acima, "graças a invulgaríssimos dotes analíticos que, nele, estavam apurados ainda, em radicação cultural superior"[12]: no espaço imaginário que as narrativas criam, e no qual se resumem, tanto o narrador quanto o leitor supõem o mesmo embate lúdico, com a diferença de que, na ficção "ortodoxa" (ou ficção propriamente dita), o jogo não se arma senão no plano da sensibilidade criadora de imagens (no sentido de criar a ilusão de uma história, de um lugar, de personagens, etc.), ao passo que, em Fernando Pessoa, o seu clássico "fingimento" se desenvolve na esfera do raciocínio. Ficção lógica e não ficção psicológica, ficção intelectual e não ficção sensível, ficção filosófica ou especulativa e não ficção social.

4

Uma tão minuciosa e cristalina lucidez evidencia, uma vez mais, o gosto pessoano pelo jogo dos raciocínios, com a diferença de que, no caso dos três detetives, se apresenta com uma incrível verossimilhança. Pessoa continua a brincar com o caleidoscópio heteronímico: ainda que não seres à imagem e semelhança de Caeiro e discípulos, o Chefe Guedes, o dr. Quaresma e o Tio Porco são mais e menos do que personagens, visto que a sua corporeidade virtual se dissolve em favor de uma "realidade" lógica. A sua identidade se manifesta antes pelo raciocínio que pela "humanidade"; constituem, a rigor, polos energéticos que galvanizam e estruturam proposições lógicas; mais do que "pessoas", são materializações, emanações, de ideias, de paradigmas conceptuais. Quase heterônimos, ou semi-heterônimos.

De onde a permutabilidade, e a consequente fusão, de seus postulados detetivesco-lógicos, ou lógico-detetivescos, que recordam as falas das veladoras de *O marinheiro*: à indistinção das "personagens" do drama estático corresponde a uniformidade especulativa dos detetives. Os seus nomes não devem enganar, pois são "máscaras" de um ser lógico (espécie de lugar-comum humano, quase arquétipo, ou semiarquétipo), cuja identidade reside na polimorfia e na permanente mutabilidade facial. Embora se possa admitir intenção na escolha dos apelativos, não se percebe um nexo de conformidade "psicológica" entre eles e as ideias dos seus possuidores, uma vez que os conceitos poderiam perfeitamente ser expendidos por qualquer um dos detetives.

Afinal, não se tratava de contar uma simples história de crime, mas de pensá-la como uma grave e urgente questão, proposta pela realidade do mundo e do convívio social à consciência raciocinante treinada em tais casos: os detetives. Daí eles impressionarem, à primeira vista, por sua ferina clarividência; mas, a um exame mais demorado, escancararem o óbvio inerente a todo pensamento logicamente encadeado. O dr. Quaresma afirma que o primeiro passo consiste em "determinar se de fato houve crime", sem questionar a essência do crime (que é *crime*?), e sem supor que estava formulando um princípio elementar, não só como detetive, senão ainda como ser racional.

Efetivamente, ele escora-se numa premissa que o bom-senso lógico induz a formular, ou seja, "determinar se de fato houve crime": se não houve, nada a fazer, quer como detetive, quer como ser racional; se houve, justifica-se o trabalho de investigação e, portanto, o segundo passo: "*como*, quando e por que o crime foi praticado". Novamente, no modo ("como"), no tempo ("quando") e na razão ("por que") se manifesta a ordenação lógica, tão óbvia quanto uma equação matemática quando a inteligência pôde aceder aos seus princípios fundamentais. Por fim, "determinar quem praticou o crime", razão suficiente para que os três cérebros justifiquem o seu mister: ainda uma vez mais, o óbvio lógico, em forma de conclusão do silogismo armado pelas premissas.

Óbvio lógico: todo detetive que pensa corretamente admite os três estágios como impositivos, pois não existe outro modo de pensar coerentemente. Mas apoderar-se dessa impositividade "natural" ao pensamento é precisamente a tarefa dos detetives que se prezam, o que converte a sua missão, ao fim de contas, em puro ato de pensar. *Cosa mentale*. Como, aliás, para todo ser humano ao defrontar-se com os enigmas da realidade, do seu destino e dos fins últimos do homem. Aqui, o alcance das elucubrações cerebrinas dos detetives pessoanos, e mais uma das facetas satânicas do autor de *Mensagem*. Ainda e sempre, a esfinge e seus enigmas, ao espelho, a desafiar-se, a desafiar-nos.

Fruindo o perigoso prazer de trapezista do pensamento, Pessoa reduz a sondagem no crime a elementar incursão pelos meandros da lógica, seja por aceitar que o crime se resolve a distância, como um xadrez sem tabuleiro, seja por divertir-se, faustianamente, com a esgrima do pensamento. De qualquer modo, a sua genialidade comprazia-se com o embate dos raciocínios, situando-o, agora, no plano em que a realidade do mundo se projeta como "mistério" – o conto "policiário".

5

Se, para efeito de raciocínio, admitirmos duas ordens de ficção – a poética ou literária e a lógica ou filosófica –, notaremos que as duas se encontram nos contos "policiários" ou "de raciocínio" de Pessoa. A ficção por imagens, mais propriamente a poética ou literária, manifesta-se nos pormenores, no emprego da metáfora, na linguagem oblíqua, sob a aparência de "objetiva", direta: Quaresma e o Engenheiro Claro, interlocutores de "O roubo da Quinta das Vinhas", falam de "ausências", "suposições", "virtualidades", ainda que o primeiro construa pensamentos rigorosos do ângulo da armação lógica e o outro tenha em mente os "fatos", ou seja, o crime que praticou e que anseia esconder, por meio do álibi de afastar a hipótese de ser José Alves o seu autor. A mentira do Engenheiro corresponde à "verdade" de Quaresma, mas essa é também ficção, fingimento, já que é apenas verdade intelectual, cuja vigência se encerra quando o fato, o crime, se revela adequado a ela: somente enquanto mentira, ou ficção, é que se sustenta; tornada "verdade" no momento de mostrar ao Engenheiro quem era o assassino, deixa de ter razão de ser, deixa de ser ficção, para tornar-se "realidade", mas "realidade" de uma "ficção", que é o crime inventado.

Tudo se passa, pois, como duas ficções que se alternam, ou que assumem foros de mentira, uma, e de verdade, a outra. Mas tanto a "mentira" do Engenheiro é a "verdade" da ficção (literária) quanto a "verdade" de Quaresma é a "mentira", a suposição lógica, que somente existe como ficção, ou seja, uma forma de inverdade.

A ficção lógica ou filosófica manifesta-se no enunciado das palavras proferidas pelas "personagens" (entre aspas, pois falam por conceitos, ou melhor, os conceitos falam por seu intermédio): veículos da enunciação de pensamentos, "sombras", "ideias" – heterônimos ou projetos de –, mais do que entes "reais" ou protagonistas. Numa palavra: máscaras. Daí que, recaindo a tônica nos raciocínios, estes sejam o verdadeiro protagonista, ou, ao menos, o motor da ação dialogada.

Por outro lado, a ênfase nos raciocínios significa ênfase no sujeito, de modo que o seu objeto se localize na consciência, e não na realidade concreta: o crime seria tão-somente um motivo primário, logo internalizado e, como tal, analisado pelos interlocutores. Mas o relevo especial dado aos raciocínios não quer dizer que sejam filosoficamente rigorosos, ou antes, não se trata de silogismos, porquanto a transgressão da normalidade, o crime, não produz silogismos.

Os raciocínios em torno do crime, na pena de Pessoa, são sofismas: a ruptura da normalidade do real gera sofismas. A lógica não soluciona os crimes, pois que, sendo alógicos, requerem pensamentos análogos: a solução é sempre inesperada, infensa a qualquer previsão lógica. Ora, os sofismas são falsas aproximações "lógicas", mas autênticas imagens poéticas. O título "O banqueiro anarquista" é um paradoxo, inaceitável do prisma lógico, mas "natural" no universo da poesia, obediente que é à mesma equação das metáforas.

O sofisma, ou, se quisermos, o paradoxo, está para o pensar filosófico assim como a metáfora para a prosa detetivesca. Pero Botelho, o porventura heterônimo autor de contos filosóficos, o diz em "O vencedor do tempo": "Tudo quanto existe envolve contradição, porque envolve o *ser,* o ser e o não ser ao mesmo tempo". Ao denominar suas narrativas de contos "policiários" e não policiais, talvez Pessoa o desejasse pôr à mostra. Os seus contos, embora da linhagem dos de Poe, e centrados em casos de polícia, visam mais ao clima poético do raciocínio sofístico que à elaboração de um pensamento positivo.

6

Ainda cabe observar que os contos pessoanos se constroem como diálogo, ou um tipo de monólogo interior indireto – diálogo entre sombras emblemáticas que monologam: intemporais, inespaciais, como na poesia. O espaço é o do "eu", que pensa e sente; o tempo é o da enunciação, tempo do "eu". Não é o fato que importa, nem o crime em si (dada sua banalidade), senão o pensamento que o episódio deflagra: o acontecimento é passado, núcleo da viagem interior que Quaresma e o Engenheiro empreendem, contrariamente ao que ocorre nas histórias duma Agatha Christie e outros no gênero, em que o acontecimento é o motivo e o âmago da fabulação, mas à semelhança dos contos de Poe, cujo Dupin seria o modelo do dr. Quaresma, conforme a crítica já assinalou.

Contos "de raciocínio", por conseguinte, mesmo quando em torno de assunto criminal, escritos por um poeta, mas um poeta que se recusa a oferecer, como os habituais autores da ficção policial, mero passatempo. Os contos de Pessoa arquitetam-se como uma partida de xadrez, em que está em causa uma equação ôntica do ser e não apenas uma situação existencial ou histórica, assim como toda a poesia que se pretenda "alta e nobre e lúcida – Sim, verdadeiramente alta e nobre e lúcida", como diz Álvaro de Campos na "Tabacaria". De onde se fundirem indissoluvelmente, no âmbito dos contos, a prosa e a poesia: ao percorrer a sucessão de episódios, ou melhor, dos diálogos, o leitor entrevê, subjacente, a camada do "eu", como se decifrasse um palimpsesto, e vice-versa, mirando a camada do "eu" em primeiro lugar, logo percebesse emergir, como imagens ou fotografias justapostas, o estrato do "não eu".

Essa dualidade, visível no todo das narrativas, patenteia-se no modo como o dr. Quaresma recebe o narrador/Engenheiro Claro –, "com grande atenção, mas, se assim posso dizer, com uma atenção dividida. Parecia, ao mesmo tempo que me ouvia com os olhos, estar escutando uma voz que não era a minha" – e nas falas das "personagens": parecendo exprimir raciocínios "objetivos", desencadeados pelo crime, como evento fora de cada um, revelam a sua interioridade, quer lutando por escondê-la, no caso do Engenheiro, assassino que oculta o crime praticado, quer ao torná-la puro "silogismo", no caso do dr. Quaresma. Proferem frases simultaneamente "objetivas" e "subjetivas", compondo binômios "objetivo-subjetivos" ou "subjetivo-objetivos" cujo resultado é a prosa poética. O tênue fio narrativo urdido pelo crime, que comparece como alusão, funciona como alicerce para o erguimento de um edifício de imagens exprimindo o "eu" dos interlocutores. Em suma, contos de um poeta.[13]

1975

Notas

1. *Deve-se a Fernando Luso Soares a publicação dos contos de Fernando Pessoa, inicialmente em* Investigação *(revista mensal de ciência e literatura policial, Lisboa: nº 1, maio 1953), e posteriormente em livro (O* banqueiro anarquista e outros contos de raciocínio: *Lisboa, Lux, 1964). O volume consagrado às* Obras em prosa *de Pessoa, organizado por Cleonice Berardinelli (Rio de Janeiro: Aguilar, 1974), reproduz o texto do estudioso português. Em* Fernando Pessoa e a literatura de ficção *(Lisboa: Novaera, 1978), Maria Leonor Machado de Sousa transcreveu, traduziu e analisou "A very original dinner".*
2. Fernando Pessoa, Obras em prosa, p. 709.
3. Idem, ibidem, pp. 678, 679.
4. Idem, ibidem, p. 669.
5. Idem, ibidem, p. 672.
6. Idem, ibidem, p. 714.
7. Idem, ibidem, pp. 679, 680.
8. *António Quadros,* Fernando Pessoa, *Lisboa: Arcádia, s.d., p. 188.*
9. *Fernando Pessoa, op. cit., pp. 713, 717, 718, 719, 720.*
10. Idem, ibidem, p. 682.
11. Idem, ibidem, pp. 682, 688, 689, 704.
12. *António Quadros, op. cit., p. 179.*
13. *Para mais informações acerca dos contos pessoanos, ver a introdução a Fernando Pessoa,* O banqueiro anarquista e outras prosas, *desta mesma editora.*

8

O banqueiro anarquista: banquete sofístico?

1

Como se sabe, Fernando Pessoa estampou *O banqueiro anarquista* no primeiro número da revista *Contemporânea*, de maio de 1922. Redigiu-o em janeiro daquele ano. Por que o fez tão prontamente, quando o seu natural seria enfurná-lo na célebre arca, à espera de melhores dias, ou, talvez, de uma versão definitiva? – é uma indagação que logo nos acode à lembrança. A dúvida escapa a uma resposta convincente, mas é lícito supor que o movesse alguma razão superior, que a própria matéria do conto poderá insinuar.

O ato de mandar imprimi-lo precocemente sobe de ponto se nos recordarmos de que o autor confessava, na famosa carta a Adolfo Casais Monteiro de 13 de janeiro de 1935, estar "completando uma versão inteiramente remodelada de *O banqueiro anarquista*", que "deve estar pronta em breve e conto, desde que esteja pronta, publicá-la imediatamente".[1] Quanto a mim, desconheço se tal revisão chegou a bom termo. Por outro lado, não pode passar despercebido o seu desejo de, sem demora, entregar ao prelo a narrativa, o que nos remete de volta à perplexidade inicial. Por quê? Não parece exagero acreditar que ali se encontraria um dos seus textos fundamentais, como poeta, prosador e interveniente na realidade cultural de seu país –, e ele decerto o sabia.

Anote-se, ainda, que na missiva ao integrante da *Presença*, a referência a *O banqueiro anarquista* se segue sem intervalo às informações em torno da *Mensagem*, "que é uma manifestação unilateral". Após o quê, tencionava "prosseguir da seguinte maneira", e põe-se a tratar do conto, sublinhando que pensa traduzir "esse escrito para inglês, e vou ver se o posso publicar em Inglaterra. Tal qual deve ficar, tem probabilidades europeias" –, o que levanta questões que, obviamente, extrapolam deste ensaio interpretativo. Atendo-nos ao assunto em causa, será abusivo depreender que a narrativa e o poema épico se situariam no mesmo, ou próximo, nível de importância dentro do "plano futuro da publicação das minhas obras"?[2]

2

O conto chama-nos a atenção a partir do título, notoriamente calcado num paradoxo, ou, antes, constituindo um oxímoro: como aceitar de ânimo leve que um banqueiro se considere anarquista, quando tudo indica que sejam categorias estanques, por natureza e por definição? Como não estranhar a inusitada associação da ideia de "banqueiro", que implica a noção de dinheiro e da ética correspondente, votada ao lucro e nada mais, e a de "anarquista", caracterizada pelo niilismo e a inconformidade em relação aos regimes políticos vigentes, sejam eles quais forem?

Salta aos olhos o contrassenso de alguém ser a um só tempo obcecado pelo capital e suas benesses e adepto de doutrinas rebeldes à ordem e ao progresso. Mas o paradoxo do título vai muito além dessa irredutível antinomia: qualquer que fosse o estatuto político preconizado pelo banqueiro, e o resultado seria idêntico. Imaginemos um "banqueiro democrata": diminuiria sensivelmente o impacto do esdrúxulo binômio do título, mas sem afetar a antítese entre os seus componentes. E se um banqueiro se julgasse "democrata", não poucos labirintos teriam de percorrer sua imaginação e sua faculdade raciocinante para nos convencer da procedência "lógica" de sua opção política.

Outra que fosse a qualificação do sujeito, e enfrentaríamos análoga estranheza. Mesmo se, em vez de "democrata", o banqueiro se declarasse "monarquista". À primeira vista, a surpresa do título se desvaneceria, porquanto o absolutismo de um parece espelhar o do outro; todavia, a um exame mais cuidadoso, veríamos que a parelha do título continuaria a destilar paradoxo. Afinal, que função desempenharia um banqueiro sob uma monarquia senão a de executar fielmente, como vassalo servil, as prescrições do rei ou de alguém por ele? A essa luz, não há como fugir à inferência: o banqueiro tem somente uma inclinação política –, pelo dinheiro. O seu partido é o lucro, assim como o dinheiro é a sua doença, a sua ética e a sua estética. No centro da sua mundividência localiza-se um cifrão, e por ele tudo se mede.

Sucede, porém, que Pessoa, cônscio do caráter obsessivo desse Midas moderno, focaliza, como a fornecer um *exemplum* para o entretenimento e a edificação das consciências de seus contemporâneos, a mais inimaginável das alianças, a do dinheiro, concreto e forte, representado pelo banqueiro, com a ausência de governo ou o seu repúdio, vale dizer, a anarquia. E a estranheza pode dissolver-se pela mesma razão por que os demais pares ganhariam pertinência: não só porque o banqueiro se arma de sibilina argumentação para justificar-se, senão porque, e sobretudo, a condição de banqueiro, quando levada às últimas consequências, pressuporia o não haver uma classe dominante, ou melhor, o haver um único governo, eleito pelo dinheiro, ou seja, por quem fosse detentor dele, o banqueiro: ele é o rei da sua monarquia, o presidente da sua democracia, o primeiro-ministro do seu parlamento. Para sermos mais precisos, nem rei, nem presidente, nem primeiro-ministro, pois que ligados a sistemas inconciliáveis com a sua atividade: ele é simplesmente banqueiro, e nada mais, chefe de um Estado dentro do Estado, ou nele enredado, autodirigido e autossustentado. Como se o paraíso na Terra consistisse num mundo de banqueiros eternos e soberanos.

Tanto essas relações, de resto implícitas no diálogo que sustenta O *banqueiro anarquista,* e por certo não as únicas que o autor teria em vista, quanto a enxurrada argumentativa do banqueiro para confundir o ouvinte e o leitor, repousam num falso silogismo. Até pode ser que os demais raciocínios exibidos pelo miliardário se estruturem segundo uma lógica rigorosa. Mas bastou uma engenhosa e sutil distorção, mal percebida pelo interlocutor e pelo leitor, hipnotizados pela pirotecnia verbal, justamente praticada no fulcro do pensamento, para contaminá-lo e comprometer todo o diálogo.

Numa escalada "lógica" a que o parceiro não resiste, e com ele o leitor, o banqueiro vai desmontando uma a uma as objeções prováveis, ou levantadas pelo outro, contra o "absurdo" de ele ser quem é e professar o anarquismo. O ápice do espetáculo conceptual é assinalado, como se poderia prever, pelo capítulo do dinheiro. Afinal, que o anfitrião, ao repassar a sua trajetória desde a infância até os dias atuais, lembrasse que, após engajar-se convictamente no movimento anarquista, se isolasse do grupo de partidários para não "criar tirania, e não só tirania, mas tirania nova, e tirania exercida por nós, os oprimidos, uns sobre os outros"; que combatesse as "ficções sociais" ("desde a família ao dinheiro, desde a religião ao Estado"), pois não adiantava abater seus representantes; que resolvesse preparar a "revolução social" pelos meios anárquicos a seu ver mais adequados; que entendesse a anarquia como sinônimo de liberdade, e por intermédio desse sentimento justificasse tudo o mais; que se julgasse "*mais* anarquista do que eles", isto é, "os anarquistas vulgares",[3] desse modo prenunciando o George Orwell da *Revolução dos bichos*, e sugerindo um estudo paralelo dos dois textos, etc. – não incomoda nem o conviva nem o leitor, desde que assimilados, como se constituíssem estocadas precisas de um hábil esgrimista, os argumentos arrasadores do banqueiro. Mas que a posse do dinheiro:

> O processo era só um – *adquiri-lo,* adquiri-lo em quantidade bastante para lhe não sentir a influência; e em quanto mais quantidade o adquirisse, tanto mais livre eu estaria dessa influência.[4]

fosse o instrumento de ele se tornar "superior à força do dinheiro",[5] não pode prosseguir sem uma enérgica reação do interlocutor e a suspeita do leitor. É que está em causa a própria natureza do banqueiro, dada pelo acúmulo do dinheiro.

3

E assim mergulhamos no sofisma que nucleia o conto. Para ser banqueiro, era imprescindível possuir dinheiro, explorá-lo e reproduzi-lo como fim exclusivo e em si próprio. Para ser anarquista, era decisivo negar todos os sistemas de governo, pregar a liberdade absoluta. Mas, em vez de abranger na liberdade irrestrita tudo quanto agrilhoa, inclusive o dinheiro, o banqueiro – que tinha começado por ser anarquista "teórico" na mocidade, antes de "evoluir" – simplesmente desvia o rumo da conversa, e entra a postular que a multiplicação do vil metal era o meio mais eficaz para libertar-se e, portanto, realizar-se como anarquista. Imprevistamente, pois, o ser anarquista lhe serviu como justificativa, e arma dialética, para amealhar dinheiro e ser banqueiro, como se um conduzisse, por necessidade, ao outro.[6]

Era como se o banqueiro – ou o seu trabalho como tal – apenas florescesse plenamente na anarquia: esta seria a condição indispensável para o banqueiro exercer o seu ofício de ganhar dinheiro, reproduzir o lucro *ad infinitum*. Onde estivesse ausente o Estado, ou meramente não se instaurasse, ou imperasse a desordem, estariam dadas as condições para o exercício da usura. Inesperadamente, certa "lógica" parece conduzir esse díptico: os banqueiros se desenvolveriam graças ao caos político, ao relaxamento dos costumes, etc. Trata-se, porém, de uma falsa lógica.

O sofisma, que preside o diálogo da primeira à última linha, aqui ostenta todo o seu poder: *O banqueiro anarquista* monta-se como um diálogo sofístico, travado após um lauto jantar. É a chama da argumentação, a luminosidade do pensamento, a imaginosa catadupa de reflexões que, inebriando manhosamente a inteligência, persuade o interlocutor. Ai do conviva se não se rendesse aos argumentos: daria demonstração de pouca lucidez, ou incapacidade de acompanhar o denso raciocínio do anfitrião. A lógica é ferida o tempo todo, e nem por isso o interlocutor tem como reagir, a não ser dando a desprimorosa evidência de situar-se aquém do oponente, que, por sua vez, manobra com astúcia essa circunstancial fragilidade psicológica. E quando o faz, procede como se tão-somente espicaçasse o banqueiro, visando a ouvi-lo prolongar a chusma de frases aparentemente lógicas.

Mal percebe – e se o percebe, retruca com entusiasmo, surpresa, incompreensão ou um ponto de ironia, ensaiando uma tímida reação positiva e consequente – que uma outra "lógica", a do absurdo, expressa pela cadeia de sofismas de ofuscante brilho, substitui o rigor dos argumentos. A tal ponto, que o banqueiro fala em "boa lógica" para referir-se ao método como suas ideias se articulam e se apresentam, assim fazendo seu autoelogio, sonegando ao interlocutor qualquer possibilidade de defesa e constrangendo-o a aceitar como válida a moeda falsa que lhe exibe liberrimamente: como recusá-la sem sofrer o vexame de ouvir do outro um juízo negativo acerca dessa falta de conhecimento do que seja a "boa lógica"? Como passar por ignorante em face de raciocínios tão "cristalinos" e "incontrovertidos"? Isso para não mencionar que provavelmente seria de mau tom discordar do generoso anfitrião que acabara de oferecer-lhe um repasto digno dos deuses.

É a retórica pela retórica, a vitória da eloquência frondosa e altissonante sobre o silêncio, a sábia circunspeção ou o raciocínio subordinado a critérios de verdade (ou ao menos de probabilidade científica). Em suma, é um festim de sofistas, à maneira de Górgias e outros, como Platão pinta no *Banquete,* ou define no *Sofista* e no *Político,* que presenciamos em *O banqueiro anarquista.*

4

Em dois planos superpostos se delineia o enquadramento do conto: o do seu autor e o do banqueiro. Ambos recorrem ao diálogo para seus respectivos fins: aquele, para divisar uma situação em que a conversa após o jantar pode dar margem à concretização de seus propósitos, literários ou não, sem dúvida vinculados ao projeto de reorganização da cultura portuguesa; esse, para distrair e convencer o ouvinte, desempenhar com eficiência o seu papel de anfitrião disposto a não deixar cair o diálogo digestivo e, a um só tempo, ganhar o outro para suas ideias, dar praça de inteligência aguda e, quem sabe, justificar a mesa farta.

O diálogo filosófico, praticado tanto por sofistas quanto por Sócrates, Platão e outros, é, como lembra um estudioso, na esteira de Aristóteles (*Poética,* 1447 b), "uma forma de mimo [...]; é uma forma artística. É uma ficção".[7] O caráter ficcional do texto pessoano é dado pelo seu arcabouço imaginário e, evidentemente, pelo fato de ser um conto. Conto dialogado, ou diálogo com estrutura de narrativa breve. Disso tinha plena consciência o seu autor. E o banqueiro, sabe que arquiteta um diálogo à maneira dos sofistas? Tudo indica que não, embora uma referência ao sofisma e a reiterada preocupação em mostrar ao convidado que pensara em todas as contestações às suas ideias, antecipando-se assim ao adversário no malabarismo retórico, façam pensar que não lhe faltava agilidade mental bastante para saber que empregava conceitos falíveis, sujeitos a provas.

Ora, *O banqueiro anarquista* é um conto de raciocínio, em que a trama se constitui de um cerrado processo argumentativo. Se o silogismo fosse utilizado em toda a extensão, ressaltaria o concerto da razão, a harmonia do pensamento, mas o aspecto estético sairia comprometido, mesmo porque, tratando-se de um conto, não caberia outro intuito que o fulgor do ritual fictício. Pedir ao diálogo entre o banqueiro e o visitante a coerência silogística que se encontra nos diálogos platônicos, ou nos textos filosóficos em geral, é esperar de *O banqueiro anarquista* o que ele não pretende oferecer. O seu perfil decorre de ser um texto literário e não filosófico.

Contudo, o texto suscita um problema: sendo ficção – é imaginária a situação, imaginários os protagonistas, ao contrário dos diálogos de Platão –, expressa um conteúdo polêmico, desde já evidente no oxímoro do título e na forma, que evoca a oratória sofística. Nos sofistas, bem como no autor do *Banquete* e noutros, o diálogo funciona como instrumento estético de um objetivo não estético, o de veicular filosofia, ou seja, exprimir o conhecimento do ser e do mundo. Em *O banqueiro anarquista*, a ficção é dominante, desde a travemestra formal até o pensamento que nela se plasma. Dir-se-ia que o diálogo como manifestação lúdica, na esteira da sofística, alcança o apogeu em *O banqueiro anarquista*: a teatralidade principia na composição dialógica, à maneira dos simpósios platônicos, e termina no seu conteúdo. Nada mais intrigante: no *Banquete* fascina-nos o modo como se engendra o diálogo, o brilho da linguagem, o ritmo plástico da frase, etc., mas nosso olhar volta-se, galvanizado, para a coesão das ideias, a incandescência e profundidade dos raciocínios, em suma, para o esplendor da verdade.

Em *O banqueiro anarquista*, tudo se organiza como ficção. Entretanto, é o corpo a corpo do pensamento – pois que disso se trata – que seduz o interlocutor e o leitor, como se, na verdade, a única beleza a contemplar fosse a do jogo, o jogo do raciocínio. O que isso contém de embuste, armadilha – que a tradição filosófica atribui ao discurso dos sofistas –, não escapa a ninguém que tome contacto com a saraivada mental do banqueiro: é uma aprazível festa para a inteligência e para a imaginação, ainda que, ou por isso que, fictício/factício, produto mais do fingimento que da razão, ou antes, mais do fingir que se raciocina que do raciocínio propriamente dito. E é como fingimento – obra que é de um poeta inflamado pela aliança entre o sentir e o pensar –, que *O banqueiro anarquista* deve ser examinado: finge-se um banquete em que, a fingir que se fala de coisas sérias, se fazem declarações absurdas, ou em que se enfileiram disparates a sério, como se de uma encenação teatral se tratasse, a fim de que os comensais passassem o tempo amenamente, e nós, leitores, com eles. Banquete sofístico, portanto.

5

Por que Pessoa teria optado por esse expediente, ele que sempre buscou o rigor lógico, notadamente nos textos em prosa? Qual teria sido a sua intenção, uma vez que não temos o direito de admitir que se comportasse gratuitamente, isto é, como um autêntico sofista desgarrado no século XX?

Já faz parte do acervo de ideias assentes que Pessoa é um exímio jogador intelectual, ou mais do que isso, uma espécie de prestidigitador, mágico, que executa com gravidade os seus passes, o seu ilusionismo, provavelmente seguro de que "verdade" e "ilusão" constituem, quando muito, faces da mesma moeda. Para ele, a "verdade" é uma convenção da inteligência ou do hábito, ou, por outras palavras, o resultado do discurso verbal, do arranjo entre os vocábulos na sequência dos períodos, de modo que o pensamento (necessariamente estruturado em palavras) se torna pertinente – recamado de "verdade" – se houver "lógica", argumentação persuasiva ou convincente, entre os termos da oração.

Tal critério de verdade ampara-se, ao ver dele (como se deduz de seus escritos), na maneira como os vocábulos se conjugam, não entre eles e a "realidade", dado que essa depende do discurso que a revela ou aponta, quando não a engendra. O discurso, no seu entender, precederia a realidade, interpondo-se à ação da inteligência, que acaba lidando, por isso, menos com a realidade que com a linguagem destinada a analisá-la e interpretá-la. E é precisamente no logocentrismo a que o pensamento está condenado, que radica a prestidigitação pessoana: o *homo ludens* que se expõe na pena de Pessoa é antes de mais nada verbal; é no intercurso das palavras que se mostra.

Divisada a questão desse prisma, compreende-se que Pessoa esteja em pleno transe lúdico – embora no seu grau mais elevado –, ao manusear deliberadamente o sofisma, a ponto de transformar o ágape num verdadeiro banquete sofístico. Acontece, porém, que ele o emprega como meio e não como fim, ou melhor, como método. E é como método que o põe em discussão: o espetáculo a que assistimos gravita ao redor do sofisma entendido como método (inerente ao ato) de pensar.

Primeiro, método para desmascarar anarquistas e banqueiros; segundo, para escrever o conto e, por seu intermédio, assinalar o recorte sofístico do texto literário, não só no tocante ao recheio ideológico (pois esse lhe é indiferente, como evidencia o próprio conto, ao "demonstrar" que um anarquista pode e "deve" ser banqueiro para realizar-se como tal), mas também no que diz respeito à sua construção. Afinal, a metáfora, ao aproximar o que está distante, e separar o que está próximo, pode agir como um sofisma, ou o seu resultado avultar como tal: dela se espera não o rigor lógico senão a beleza evocativa, a emoção perante o novo ou o desconhecido. E essa emoção é semelhante à que se experimenta ante um banquete sofístico quando o vemos literariamente, ou quando se reduz ao que de fato é: nele, não importa o que se diz, mas, sim, o modo como se diz. Assim, o tema central do diálogo é o fato de o banqueiro ser anarquista: é um objeto histórico, social, político, etc. Por outro lado, o sofisma é um objeto intelectual, um recurso de pensamento, subjacente ao primeiro.

Dois objetos, por conseguinte, são postos em causa, ocupando diferentes planos, de forma que o objeto visível, ou concretizável, no diálogo, acessível ao leitor e tornado ícone no título do conto, esconde o outro. E se aquele (a fusão banqueiro e anarquista) reúne condições de choque para desconcertar o interlocutor e o leitor, o outro (o sofisma) está presente o tempo todo, como música de fundo, nos raciocínios do anfitrião, na mente do conviva e na percepção (ainda que vaga, obscura) do leitor: o primeiro é manipulado conscientemente pelo banqueiro, ou por um automatismo que se confunde com a sua natureza de homem de negócios, e sempre em meio a labaredas diabólicas, que vão consumindo implacavelmente as veleidades intelectuais do oponente. E este, acaba derrotado por deixar-se persuadir, a pouco e pouco sendo induzido a crer que suas réplicas estão eivadas de sofismas, enquanto as falas do banqueiro comportam "insofismável" lógica, tudo em vez do que realmente é: o que parece ser não é, o que é não (a)parece. E o leitor somente se dá conta de presenciar uma feérica queima de fogos de artifício quando, pelo distanciamento, se recobra da hipnose da leitura e se dispõe a pensar na trama "lógica", por consequência sofística, em que, malgrado seu, se envolveu.

Descortinando *O banqueiro anarquista* da perspectiva do autor, não podemos fazer-lhe a injustiça de supô-lo inconsciente de haver escrito um conto. Já conhecemos de sobra a proverbial lucidez inventiva de Pessoa, apoiada em sólida erudição, e não seria agora que ela lhe faltaria. Antes pelo contrário. Não só ele sabia dentro de que perímetro estrutural se movimenta o diálogo entre os protagonistas, como ainda recorria ao sofisma de caso pensado. Usa-o como expediente literário, primeiro que tudo, visto que o texto participa do universo da Literatura. Não nos surpreende que o faça, habituados que estamos à presença do paradoxo, da antítese, do oxímoro, etc., na sua produção poética e prosística: o título do conto, antes de mostrar-se falacioso, encerra, como vimos, uma impossibilidade radical. Essas figuras de linguagem pululam de tal modo na obra pessoana que não parece temerário vislumbrá-la como um amplo e múltiplo sofisma, que o desdobramento heteronímico, e nele as antinomias de fundo, tão bem exemplificam.

Mas aqui se trata de atribuir a uma personagem – embrião de *alter ego?* de quase-heterônimo, como os detetives dos contos policiários? – o exercício compacto e ostensivo do sofisma: teríamos, pois, um recurso literário por parte do autor, e não literário, ao menos na superfície, por parte do banqueiro. Por que o fez?

O sofisma, muito mais do que um instrumento retórico e literário, é uma arma política, como denunciava o viés político da sofística helênica, expresso num diálogo pedagógico, aberto a todos os interessados. Pessoa imagina uma situação em que um diálogo similar se trava entre dois homens maduros, não com a finalidade de ensinar, mas de convencer. E de um convencer o outro do conteúdo político subentendido na relação insólita entre ser banqueiro e ser anarquista.

Acompanhamos, assim, um banquete sofístico, em que se busca provar o improvável, à semelhança de todo discurso político, fundamentado, por essência, no sofisma. É o discurso da política, destinado a persuadir e ludibriar, que Pessoa tem em mira com a cavilosa retórica do banqueiro. As artimanhas do homem público, do político profissional, ainda quando bem-intencionadas, compõem-se de sofismas, meias ou falsas verdades, bem como a longa explanação do banqueiro. A sua argumentação é, por isso, eminentemente política, como se, ante o eleitorado, um deputado, senador ou governador, pretendesse convencê-lo de suas propostas saneadoras do tesouro nacional por meio da emissão, pura e simples, de moeda. Do contrário, a torrencial verborragia do usurário não seria um festival sofístico, nem o discurso político visaria conquistar as boas graças do eleitor desavisado por meio do engano, da aparência, da dissimulação, da mentira.[8]

Banquete sofístico, *O banqueiro anarquista?* Concluímos anteriormente pela resposta positiva. Sofístico como todo discurso político, ou antes, é um discurso político. Não esqueçamos que os sofistas foram os primeiros a ensinar filosofia (e tudo o mais que lhes solicitassem) por dinheiro. Tudo se passa como se o banqueiro fosse o sofista-mor de nossos dias, com a diferença de que, no conto, não se propõe a edificar o conviva, mas, sim, a defender a sua condição de "grande comerciante e açambarcador notável", partidário do anarquismo. E, neste caso, a sua exótica fé anarquista parece ganhar coerência de outro ângulo.

Na verdade, se entendermos o anarquismo como a defesa do individualismo enquanto prática moral, social e política, o fato de o banqueiro ser anarquista assumirá, contra toda expectativa, caráter "lógico". É que o banqueiro, sendo por natureza egocêntrico, refratário a todas as formas de coerção do seu exercício, venham elas de onde vierem, sobretudo do governo ou do Estado, igualmente seria anarquista.[9] Assim, não haveria surpresa ou nada de espantoso na circunstância de o loquaz anfitrião ser um banqueiro anarquista, já que a sua avidez pelo dinheiro o implica, necessariamente. Sofisma, ainda?

Desvestido o anarquismo da sua roupagem política (a negação do Estado), o pensamento do banqueiro parece convincente, visto o cinismo da sua obsessão monetarista e da sua pregação *post prandium* encontrar eco na recusa de todo governo por parte da sua fé anarquista. Sucede que a feição política do anarquismo – além de encerrar a sua marca identificadora – é que conduz o diálogo, reafirmando que a prédica do banqueiro se arma ainda sobre o sofisma, derivado precisamente de raciocinar sem perder de vista a categoria do político, inalienável à ideia de anarquismo e à dialética sofística, desde a Antiguidade.

Como um bom sofista, ao banqueiro não importa a verdade, ou seja, que ele não pode ser simultaneamente banqueiro e anarquista. Todo o seu esforço oratório se dirige no sentido de persuadir o convidado de que possa ser um e outro ao mesmo tempo. O convencimento não decorre, porém, da coerência dos conceitos ou do conteúdo da razão, e, sim, da habilidosa ordenação das palavras, do ludo verbal, ao modo dum passe de mágica, que distrai, engana, ilude, com a sua aparência de verdade. Sofisma puro. Banquete sofístico.

Basta lembrar que o banqueiro rechaça com veemência as ficções sociais, não sem descriminar quais sejam –, chegando mesmo a permitir que nelas se inscreva a própria arte literária –, mas exercita-as com mão de mestre ao tentar a conquista do interlocutor e do leitor por intermédio de um método que a tradição filosófica já se habituara a caracterizar como ficção. Precisamente como fazem os políticos. Dos companheiros de anarquia ele se afastou por sentir que criava tirania, esquecido (ou nem tanto?) de que, para sustentar o seu projeto de enriquecimento sem perda de sua filiação anarquista, precisava alimentar uma ficção, posto que sutil, como a elaboração do diálogo patenteia.

Ainda que ficasse provado que o verboso banqueiro era anarquista de fato e de direito, sem nenhum atentado à Lógica, restaria deduzir que todos os banqueiros são (ou podem ser) anarquistas. Não se podendo inferir desse modo, o raciocínio mostra sua tortuosa equação, levando a pensar que o caso do banqueiro focalizado pela retina pessoana – tirante a hipótese, de resto inconcebível, de tratar-se de um exemplo isolado, único, excepcional –, é fruto de uma engenhosa alquimia do discurso, que poderia até convencer, mas sem ocultar por muito tempo seu arcabouço sofístico. Pura arte verbal, jogo, para enganar e entreter. E, acima de tudo, para desnudar o rosto sofístico da linguagem política. Ali, divertimento; aqui, forma de conhecimento e de intervenção, como se espera de toda obra literária digna do nome.

6

Por que Pessoa elegeu o anarquismo como opção política do banqueiro? Os dados fornecidos pelo conto nos sugerem que o autor de *Mensagem* o fez para negar o governo, ou o sistema político, que o ser banqueiro pudesse representar. O anarquista autêntico, para o ser, não precisa declará-lo; ao menos em última instância; é suficiente que viva como anarquista, cultivando o silêncio total e o desrespeito incendiário às instituições, praticando a "desobediência civil". Quando o declara, quando o defende com unhas e dentes, é porque a sua condição de anarquista está abalada ou a dúvida se instalou em seus domínios: ele pode estar deixando de o ser no momento em que o enuncia.

Assim, o banqueiro, ao proclamar-se eloquentemente como tal, não corre o risco de o ser. Mais ainda: dá-se o direito de duelar em prol da sua fé anarquista sem perder o seu confortável *status*. Ao confessar-se anarquista, estava verdadeiramente argumentando em favor da sua condição de banqueiro, como, mal comparando, em nossos dias, quando alguns se dizem "democratas" para disfarçar, e justificar, o seu coração totalitário. Daí o rosário de sofismas, o banquete sofístico, em que se converte o seu diálogo com o amigo após o delicioso jantar.

Ainda faltaria examinar em que medida a própria gênese dos heterônimos radica no emprego amplo e diverso do sofisma. Por outro lado, se Pessoa se mascarou de sofista em *O banqueiro anarquista*, na sua vida de isolamento – à imagem e semelhança do individualismo político do banqueiro – parece ter sido um anarquista acabado. Desfazia, pela existência e pela beneditina dedicação ao labor intelectual – na defesa do Anarquismo? –, o envoltório sofístico do conto. Mas esses aspectos têm de ficar para outra ocasião.[10]

1991

Notas

1. *Fernando Pessoa: Páginas de doutrina estética* (Sel., pref. e notas de Jorge de Sena), Lisboa: Inquérito, 1946, p. 258.
2. Idem, ibidem.
3. Utilizo o texto de O banqueiro anarquista *inserido em* O banqueiro anarquista e outras prosas, *publicado por esta editora em 1988, e republicado em 2007. Em outro escrito ("Explicação de um Livro:* Mensagem"), *igualmente publicado nesse volume, Pessoa sublinha:*
   "Há três realidades sociais – o indivíduo, a Nação, a Humanidade. Tudo mais é fictício.
   São ficções a Família, a Religião, a Classe. É ficção o Estado. É ficção a Civilização." (p. 70)
   Quanto à tirania, recorde-se que Pessoa destinou ao assunto "Cinco diálogos", insertos em Ultimatum e páginas de sociologia política *(Textos recolhidos por Maria Isabel Rocheta e Maria Paula Morão, introdução e organização de Joel Serrão, Lisboa: Ática, 1980). Quer nas passagens do conto em que procura determinar o sentido de "tirania", quer nos diálogos acima referidos, encontra-se idêntica tendência para o paradoxo, que permeia a falação tribunícia do banqueiro. E se confrontássemos as noções existentes no diálogo fictício com as que integram os "Cinco diálogos", ganharia relevo o emprego ambíguo, contraditório, despistante, do conceito. Levá-lo a efeito, no entanto, refoge dos limites deste ensaio. Por fim, sem querer alongar demais esta referência ao problema da tirania, anote-se que a repulsa a "criar tirania", por parte do banqueiro, encontra suporte nas correntes anarquistas dos fins do século XIX (cf. Jean* TOUCHARD: História das ideias políticas, *trad. port., 7 vols., Lisboa: 1970, vol. VII, p. 22).*
4. *Fernando Pessoa,* Obras em prosa, *p. 678.*
5. Idem, ibidem.
6. *Se, para Fernando Pessoa, os anarquistas pertencem aos "bizantinismos sociológicos", lado a lado com os democratas e os socialistas (cf.* Páginas íntimas e de autointerpretação. *Textos estabelecidos e prefaciados por Georg Rudolf Lind e Jacinto do Prado Coelho, Lisboa: Ática, 1966, p. 265), é de inferir que o anarquismo do banqueiro não passa de bizantinismo lógico, concretizado no paradoxo, ou, mais propriamente, no sofisma que lhe escora a longa fala digestiva.*
7. *Johan Huizinga:* Homo ludens. Essai sur la function sociale du jeu, *trad. francesa, Paris: 1951, p. 245.*

8. *Num texto até há pouco inédito, e que ocupa as páginas 264 e 265 de* Ultimatum e páginas de sociologia política, *Pessoa se refere explicitamente à mentira como ingrediente peculiar a alguns "ismos" políticos, dentre os quais o anarquismo:*
"*O amor à verdade substitui, na mocidade de hoje, o amor à mentira, ainda que generosamente encarado, que caracterizava a mocidade de ontem e de antes de ontem. De nada serve servir à mentira, por generosidade que seja. O anarquismo, o socialismo, o democratismo – todo esse lixo de teorias simpáticas que se esquecem de que teorizam para a humanidade de carne e osso – foram divinizações da mentira. E foram essa cousa a que Carlyle chama a pior espécie da mentira – a mentira que se julga verdade. Não foram o erro, que é admissível. Foram a mentira inconsciente. Qualquer erra. Mas não todos mentem inconscientemente.*"
9. *No tocante à soberania do "eu" e, portanto, ao repúdio às ideologias de feição coletivista, que caracteriza o anarquismo, ver Henri* ARVON: L' Anarchisme, *Paris: 1987;* L'Anarchisme au XXe siècle, *Paris: 1979.*
10. *Tenha-se em mente, à guisa de ilustração, que a ideia de anarquia não só enforma o* Ultimatum *de Álvaro de Campos, como também ressurge na prosa pessoana, não raro de forma ambígua: ora Pessoa propugna por uma anarquia portuguesa, ora diz que "a democracia moderna é a sistematização da anarquia"* (Obras em prosa, *pp. 601, 612).*

9

O Livro do desassossego: livro-caixa, livro-sensação?

Em escrito destinado a prefaciar a referida antologia da prosa pessoana (*O banqueiro anarquista e outras prosas*, 1988), tive oportunidade de assinalar brevemente em que medida o *Livro do desassossego* parecia um livro-caixa, produto que era da pena dum "ajudante de guarda-livros na cidade de Lisboa", ou um livro-sensação, onde se registrasse o dia a dia dum semi-heterônimo sonolento, guiado precipuamente pela emoção. Volto agora ao assunto, dando-lhe um pouco mais de amplitude, conforme o espaço concedido pela comissão organizadora do Encontro Internacional do Centenário de Fernando Pessoa.

Que Fernando Pessoa tenha pensado e redigido o *Livro do desassossego* como um livro-razão, ou um livro-caixa, em coerência com a condição de guarda-livros de Bernardo Soares, depreende-se da leitura da obra. Evidentemente, estamos perante mais um passe de mágica do autor da "Tabacaria": imaginando o seu semi-heterônimo um guarda-livros cansado, podia dar livre curso à sua tendência para escrever fragmentos, obras curtas, que se juntariam quando o Acaso o determinasse. Assim, a pertinência na escolha da profissão do narrador autoriza o fragmentarismo dos textos e liberta o autor de fazer mais, ou de fazer menos, do que lhe era permitido como tal. Mas essa mesma harmonia incomoda, motivando interrogações do gênero "o que estará por trás dela?"; "não estará Pessoa mais uma vez burlando a atenção do leitor, enganando-o, despistando-o?"

Ocorre que o *Livro do desassossego* não é rigorosamente um livro-caixa, é *como* o livro-caixa de um guarda-livros imaginário, ou, ainda, de um guarda-livros que, em vez de livros, guardasse sensações. Alberto Caeiro é guardador de rebanhos, de ideias? Ou antes, agia *como se* os guardasse? e seus rebanhos eram suas ideias? Bernardo Soares guarda livros, ou melhor, *como que* guarda livros, que são suas sensações. Um, era guardador de rebanhos/ideias; o outro, guardador de livros/sensações. Ali, as ideias, e mesmo as sensações; aqui, as sensações. Irmãos na guarda de análogas manifestações da subjetividade? E um deles, Caeiro, o mestre dos heterônimos, incluiria Bernardo Soares entre seus discípulos?

Os fragmentos, as páginas do diário, registram sensações, como se o dia a dia de Bernardo Soares não fosse de contas, ou o deve/haver dos negócios, mas de sensações. Dar conta delas, fazer-lhes o deve/haver, eis o seu monótono ofício cotidiano: "Sábio é quem monotoniza a existência, pois então cada pequeno incidente tem um privilégio de maravilha. (...) Monotonizar a existência, para que ela não seja monótona." Guardador de sensações, Bernardo Soares pensaria ordená-las segundo a passagem do tempo, como um autêntico diário comercial? Ou que outra ordem lhes conferir? Haveria algum arranjo natural ou lógico para as sensações? Ou seriam convivas duma mesa-redonda em movimento, de sorte que não obedecessem ao calendário ou a qualquer sequência, coexistindo sempre, além do espaço e do tempo? Contemporâneas, coextensivas, geradas como que dum jacto só, por um cérebro que as registrasse como um enxadrista enfrentando vários adversários simultaneamente, podem ser dispostas, do ângulo gráfico, de qualquer maneira –, pensaria o semi-heterônimo, e com ele Fernando Pessoa – e poderiam pensar o leitor e o crítico, atentos não à ecdótica senão à congenialidade substancial dos fragmentos. Porque de sensações se trata, fruto dum inconsciente que jorra sem parar, não há antes nem depois, mas uma perenidade que se cumpre no ato de enunciá-las.

Nivelando-se com o poeta "sem metafísica" nessa equação, a de guardador, Bernardo Soares leva mais adiante, em meio à solidão e ao tédio que o inundam, a semelhança com Alberto Caeiro: "Reparar em tudo pela primeira vez, não apocalipticamente, como revelações do Mistério, mas diretamente como florações da Realidade", diz ele, como se burilasse um postulado. E noutro passo acrescenta: "Releio passivamente, recebendo o que sinto como uma inspiração e um livramento, aquelas frases simples de Caeiro, na referência natural do que resulta do pequeno tamanho da sua aldeia." Mas em determinado momento/sensação, ei-lo a confessar, não sem recôndita mágoa: "Nunca tive alguém a quem pudesse chamar 'mestre'. Não morreu por mim nenhum Cristo. Nenhum Buda me indicou um caminho. No alto dos meus sonhos nenhum Apolo ou Atena me apareceram, para que me iluminassem a alma." Escaparia Bernardo Soares do circuito de Caeiro? Criando-o como semi-heterônimo, Pessoa subtrair-se-ia, ou subtrá-lo-ia, ao mestre? Ou, por outra, o semi-heterônimo seria, verdadeiramente, um semimestre? O mestre que Pessoa foi para si próprio, ao criar (seu mestre) Caeiro, ainda o seria ao inventar Bernardo Soares, uma espécie de Caeiro citadino? Teria tido Pessoa dois mestres, um, "por inteiro", e outro, "pela metade"?

Como sempre, no discurso de Pessoa, falando por si ou por meio de um dos heterônimos, ou deixando-se ver na totalidade dos versos e da prosa, a igualdade acaba significando diferença, ou implicando-a, e vice-versa. Se Bernardo Soares guarda sensações, como Caeiro guarda ideias/sensações; se é mestre de si próprio, a parecença logo mostra uma disparidade quase radical. Por pastorearem ou registrarem sensações, avizinham-se; entretanto, por estar um na cidade e outro no campo, é razão suficiente para se distinguirem, ou ainda para se antagonizarem. Afinal, sendo Bernardo Soares sem mestre, não surpreende que se oponha a todo mestre que não seja Cristo ou Buda, Apolo ou Atena. Para guardar sensações, parece dizer ele, não é preciso mestre. E por isso, se suas sensações são urbanas, logo repudiam qualquer sensação doutro tipo. Pondera ele: "Para mim, ou para os que sentem como eu, o artificial passou a ser o natural, e é o natural que é estranho. Não digo bem: o artificial não passou a ser o natural; o natural passou a ser diferente." E depois de afirmar que detesta os produtos da tecnologia (o telefone, o telégrafo, os veículos, etc.), ei-lo a dizer, contrariamente à filosofia de Caeiro: "Nada o campo ou a natureza me pode dar que valha a majestade irregular da cidade tranquila, sob o luar, vista da Graça ou de S. Pedro de Alcântara. Não há para mim flores como, sob o sol, o colorido variadíssimo de Lisboa."

Anti-Caeiro? Em muitos aspectos, a resposta é positiva, menos como um discípulo que rejeitasse o mestre, do que um (semi)mestre que disputasse com outro. Dir-se-ia que Caeiro é mestre de poetas, e Bernardo Soares, de prosadores? E, portanto, quando se tratasse de focalizar a produção prosística de Pessoa, é ao ajudante de guarda-livros que devemos invocar, já que, certamente, ninguém se lembraria de Caeiro? Um mestre de poesia e um mestre de prosa, de onde a rivalidade essencial entre ambos, apesar da possível identificação que os envolve? Tudo leva a crer que sim: *O guardador de rebanhos* estaria para a poesia pessoana, nela incluída a dos heterônimos e a ortônima, assim como o *Livro do desassossego* estaria para a prosa de Pessoa, composta de ficção, estética, política, filosofia, sociologia, etc. Por que Pessoa, tão lúcido, não teria percebido, e caso o percebesse, não o declarou? Talvez porque se tratasse dum mestre a meias, oblíquo, reticente, sibilino, como são os mestres da prosa desde sempre? E, consequentemente, dum mestre que se esconde, que se anula, para o ser, ou que se desconhece como tal?

As interrogações flutuam no ar, mas não é de estranhar que apontem para uma resposta afirmativa: ainda não era um mestre completo –, com respeito à prosa, os códigos, as retóricas, estariam sempre abertas, inconclusas – o mestre (da prosa) que habitava o cérebro de Pessoa. Quando o fosse integralmente, se o fosse, o declará-lo existente seria tão natural quanto no caso de Caeiro. Intriga, porém, que, na famosa carta de 13 de janeiro de 1935, Pessoa faça menção de Bernardo Soares: considerava-o discípulo de Caeiro, à semelhança dos outros? Mas, nesse caso, por que o ajudante de guarda-livros o nega no *Livro do desassossego*, opostamente aos demais, que não só o reconhecem como lhe dedicam páginas de interpretação?

Recorde-se que Pessoa se refere a Bernardo Soares entre parênteses, depois de haver examinado os três heterônimos principais. E diz que "é um semi-heterônimo, porque, não sendo a personalidade a minha, é não diferente da minha, mas uma simples mutilação dela". Para ser heterônimo, pleno deveria ser, portanto, diferente de Pessoa e não "uma simples mutilação" dele: ainda não é heterônimo, visto ser o signatário da carta "menos o raciocínio e a afetividade". Note-se que é o único semi-heterônimo declarado; os outros, ficaram em projeto, esboçados ou escassamente expressos, inclusive A. Mora, seu *alter ego* filosófico mais fecundo. E todos eles, não só têm seus nomes calados na carta, como também não levaram avante os planos que Pessoa lhes consignara: decerto estariam à espera do mestre, dado que Caeiro não o podia ser. Mestre de poetas, sem dúvida, mas não de prosadores. Esses, precisariam de um mestre –, com muita probabilidade o autor do *Livro do desassossego,* cuja prosa, além de ser "um constante devaneio", é igual à de Pessoa, "e o português perfeitamente igual". Bernardo Soares seria, por conseguinte, o mestre esperado, em vão, pelos prosadores. A complexidade do *Livro do desassossego* o diz: para além do problema de sua montagem, a diversidade dos temas e das maneiras de tratá-los, acompanhando o vaivém das sensações, suspensas que são "as qualidades de raciocínio e de inibição", podem servir de modelo a ficcionistas, ensaístas, poetas em prosa, etc.

É sintomático, nessa ordem de ideias, que Pessoa, reportando-se à "futura publicação de obras minhas", confidenciava hesitar entre "um livro de umas 350 páginas" –, englobando as várias subpersonalidades de Fernando Pessoa "ele-mesmo", ou se deveria abrir com "uma novela policiária, que ainda não consegui completar". Por que destacar a "novela policiária" da produção das subpersonalidades, senão para marcar uma diferença que é, no fundo, não só quanto aos gêneros literários, mas também, e acima de tudo, de haver um mestre para cada um deles?

Em suma: Bernardo Soares repele a liderança de Caeiro por ser prosador. Pessoa talvez não chegasse a terminar o processo de fazê-lo heterônimo completo, circunstância que não o tornaria discípulo, mas mestre consumado: quem sabe, o autor de *Mensagem* teria concebido dois mestres, um de poesia (Caeiro) e um de prosa (Bernardo Soares), sem levar a termo, no entanto, a construção do último. De onde a semi-heteronímia. Como quer que seja, a genialidade pessoana, ainda reservando surpresas para o investigador, mais uma vez se confirma.

1988

10

Fernando Pessoa e o cinema

1

Durante anos tem sido ponto de referência para as minhas sondagens no universo literário o enigma de *Cidadão Kane,* a obra-prima de Orson Welles. A história do menino que é arrancado ao seu trenó de brinquedo para se tornar um senhor todo-poderoso, mas guardando um segredo que lhe frustra o gosto das conquistas sucessivas e ascendentes, segredo esse que leva ao túmulo – constituía um desafio e, a um só tempo, um paradigma. Muito da sua grandeza como arte cinematográfica decorre exatamente da fusão genial entre a imagem em movimento e o ser uma *história exemplar:* poucas vezes o cinema alcançou dizer com tanta ênfase que a sua linguagem é intransferível e única para exprimir situações como tais. O espectador *vê* a obsessão do herói repetir-se ao longo da vida – a palavra *"rosebud",* que lhe aflora aos lábios ao morrer –, e somente o espectador, porquanto no contexto do filme ninguém mais tem acesso ao segredo. E é apenas no desfecho, quando o trenó se deixa devorar pelas chamas que consumiam os restos do império Kane, que o mistério se revela: o trenó chama-se *Rosebud.* O arquimilionário Charles Foster Kane não trocaria, não trocou, seu brinquedo de infância por todos os êxitos e coisas que lhe foi dado colecionar: até o desenlace continuará preso à imagem que lhe recorda a meninice irremediavelmente perdida.

Não menos fascinante e enigmática para mim, como para tanta gente, e não menos presente em meus estudos e leituras, desde que pela primeira vez tomei contacto com ela, nos fins da década de 40 – é a poesia de Fernando Pessoa. Compreende-se, assim, que a pouco e pouco as duas vertentes confluíssem para o mesmo ponto, seja em razão dessa presença no fio dos anos, seja por uma semelhança de raiz que se foi gradualmente impondo à minha atenção. E é precisamente essa semelhança que procurarei discernir nestas páginas.

Antes de mais nada, é preciso afastar a ideia de influência de um sobre outro, em qualquer das direções. O paralelo a ser feito não pressupõe, evidentemente, o contacto entre o Poeta e o filme, ou entre Orson Welles e a obra pessoana. Pessoa morreu em 1935, *Cidadão Kane* é de 1941. Nem se pode dizer que foram contemporâneos; no entanto, a película transcorre num tempo em que o Poeta ainda vivia. Não é, porém, essa contemporaneidade, por assim dizer intrínseca, que importa, senão a analogia entre a poesia de um e a substância de outro. Tudo se passa como se a obra poética servisse de legenda a *Cidadão Kane;* numa palavra, há coincidências sutis entre ambos que merecem exame. Entretanto, o que está em causa é a compreensão do Poeta, razão por que o confronto se ocupará do filme na medida em que ilumina a obra de Pessoa.

É sabido que colocar face a face uma narrativa ou uma peça de teatro e um filme não constitui novidade. Mas comparar a obra de um poeta e uma obra cinematográfica pertence à esfera do inusitado: não é de hábito aproximar a poesia e o cinema, e vice-versa, por motivos óbvios, ou seja, são linguagens incompatíveis; é impossível, salvo em se tratando de poemas narrativos, transportar para a tela o conteúdo da poesia. Mesmo assim, é imediato entender que o poema se submete à transferência, com as naturais adaptações, naquilo em que participa da prosa de ficção ou da arte teatral. No caso, o cotejo parece inesperado, mas, como este capítulo pretende mostrar, nem por isso menos procedente.

2

Todos quantos assistiram a *Cidadão Kane* por certo guardam na memória as primeiras cenas flagrantemente expressionistas, ou entre expressionistas e surrealistas, focalizando Xanadu, palácio-fortaleza, onde Charles Foster Kane se refugiara nos últimos anos de vida. Nada mais simbólico do mundo de luzes e sombras que logo mais se desenrolará aos olhos deslumbrados do espectador: Xanadu é o paraíso, réplica de Shangri-lá, Eldorado ou Casbah. Mas nada mais ambíguo: começando pelo fim – por Xanadu, a utopia que alimenta o sonho dos visionários –, o filme nos conduziria a acreditar que o senhor da cidadela, ao construir uma ilha de fantasia acima do solo e dos homens, entestando com as nuvens e circundada de névoa perene, afinal conseguira realizar a sua grande quimera.

Nada mais enganoso. O filme principia por uma antífrase; somente o saberemos, contudo, à medida que a existência tumultuada e brilhante de Charles Foster Kane se for desvendando (ou ocultando?) à nossa frente, em sucessivos *flashbacks* que retomam o mesmo núcleo obscuro, acrescentando-lhe dados novos, com o intuito, de resto malogrado, de torná-lo cristalino. E nessa ressignificação do passado, que ao mesmo tempo esclarece e obnubila a figura do herói (herói degradado, diria Lucien Goldman), projeta-se a marca registrada desse filme de singular qualidade técnica, espécie de filme-escola e fábula dos nossos dias.

E de pronto se instala o mistério, cerne da ação e de todo o drama de Charles Foster Kane, quando Rawlston, querendo conhecer as derradeiras palavras do ex-senhor todo-poderoso, dono de um império que lhe dava a sensação de invulnerabilidade, é informado de que se resumia numa única: "*rosebud*". Todo o filme se desdobra na busca paciente do significado do vocábulo: Thompson é o repórter e guia nessa incursão no labirinto (revisitação involuntária da cosmogonia dantesca?) em que se transformara a vida do protagonista. Após manusear o diário do sr. Thatcher, depositado na biblioteca de Filadélfia que leva o seu nome, Thompson entrevista as várias pessoas com quem mais de perto conviveu o herói: sua segunda mulher, Susan Alexander Kane, e seus amigos. E é na leitura das páginas íntimas do banqueiro Thatcher que regressamos às cenas que registram a conversa dele com os pais de Charles e a posterior partida do menino para a educação esmerada na cidade grande, as conquistas, a concretização do vaticínio e desejo do pai: "Serás um dia, sem dúvida, o homem mais rico da América."[1] E ele o será, até que o seu império vem abaixo, na sequência de uma intriga amorosa, o afastamento de todos, o recolhimento em Xanadu, a amargar toda uma vida vazia, e a morte, inglória e solitária.

Pessoa, como todos sabem, cedo perdeu o pai (ia pelos cinco anos), e a mãe contrai novas núpcias. A família vai para Durban, onde ele faz seus estudos. Regresso a Lisboa, o intento de cursar a Faculdade de Letras, o *Orpheu*, a sobrevivência como correspondente em firmas comerciais, a intensa produção até a morte. Trajetória inversa à de Charles Foster Kane, se a divisarmos do ângulo das realizações materiais, a glória, a fama, o poder. Mas se nos ativermos ao pormenor central – a perda do pai, etc. –, é possível encontrar uma semelhança fundamental. Perder o pai realmente, perder a mãe psicologicamente, teria significado para ele a perda da infância: para o menino Charles, o abandono do trenó sob a neve que caía permanecera como símbolo da infância interrompida, roubada pelo adulto, emissário ou mago, que chega com promessas miríficas, cuja realização, ainda que plena, jamais preencherá o vácuo da perda original, a expulsão do paraíso. Para o menino Fernando, o exílio de Lisboa, sem o pai e com a mãe noutros braços, significaria a perda definitiva da infância, que nada substituirá. Volta, passados anos, a Lisboa, ao cenário da infância, mas não a encontra, assim como Charles Foster Kane não reconstruíra em Xanadu o seu paraíso perdido. "Lisbon revisited" (de 1923 e 1926) é a expressão, magoada e triste, desse reencontro, a busca da remota infância, em tom lírico e plangente:

"Ó céu azul – o mesmo da minha infância –
Eterna verdade vazia e perfeita!
Ó macio Tejo ancestral e mudo,
Pequena verdade, onde o céu se reflete!
Ó mágoa revisitada, Lisboa de outrora de hoje!
Nada me dais, nada me tirais, nada sois que eu me sinta"

ou em tom de contida indignação:

"Outra vez te revejo,
Mas, ai, a mim não me revejo!
Partiu-se o espelho mágico em que me revia idêntico,
E em cada fragmento fatídico vejo só um bocado de mim –
Um bocado de ti e de mim!..."

para terminar, como Charles Foster Kane, não em suas palavras, mas em sua biografia:

"Deixem-me em paz! Não tardo, que eu nunca tardo...
E enquanto tarda o Abismo e o Silêncio quero estar sozinho!"[2]

Nem falta uma espécie de antevisão da última cena do filme, quando o protagonista, com o rosto enrugado, estático, atravessa o corredor de espelhos paralelos em direcão à morte, já agora desfeitos os laços que o prendiam à Vida. O Poeta diz, ainda pela voz de Álvaro de Campos:

"Estrangeiro aqui como em toda a parte,
Casual na vida como na alma,
Fantasma a errar em salas de recordações,
Ao ruído dos ratos e das tábuas que rangem
No castelo maldito de ter que viver..."[3]

É inevitável que, lendo os versos, nos lembremos da derradeira passagem do filme, ou que, vendo esta, nos recordemos de "Lisbon revisited". Uma e outros articulam-se em circularidade, sugerindo-nos pensar em situações exemplares, arquetípicas, pertencentes ao acervo do inconsciente coletivo dos seres e povos. Ou, ao menos, expressão do espírito de época, o mesmo que gerou a obra dum Proust e todo o mergulho no intrapsíquico do ser humano após as descobertas de Freud e discípulos.

Diríamos, contudo, que é flagrante a semelhança entre o filme e a obra do Poeta, como se um imponderável determinasse a congenialidade de talentos distantes no espaço, mas não na cultura e, destacadamente, na biografia (de Kane) e na obra. Por isso, quando, em "Ode marítima", Álvaro de Campos exclama:

"Ó meu passado de infância, boneco que me partiram!"[4]

podemos substituir o segundo hemistíquio por "trenó que me roubaram!" para manter o sentido primordial e transferir para o magnata da *mass media* dos anos 20/30 a mágoa do Poeta, e vice-versa: se a um partiram o boneco (ou "o espelho mágico em que me revia idêntico"), e ao outro subtraíram o trenó, o resultado não se altera, assim como o significado da metáfora. Um passara a vida em busca de algo que só *"Rosebud"* poderia dar; o outro, perseguia um vago "*rosebud*", projetado num tempo que durou como as rosas de Malherbe. Ambos, no entanto, tinham o mesmo objetivo: a infância perdida.

E se a interpretação do filme, bem como do homem Charles Foster Kane, não pode ser levada a cabo sem referência ao trenó e ao seu nome de batismo (afinal confundidos na trama do filme), a hermenêutica da obra pessoana pede que consideremos a infância (biográfica e literária) como ponto de partida.

No caso de Pessoa, o tema da infância é obsessivo em sua poesia, como a crítica já vem assinalando, e obsessivo não apenas como puro fingimento, senão como transposição de estados d'alma que podemos suspeitar verídicos. Quando o Poeta diz: "Pobre velha casa da minha infância perdida!"[5] –, estará, certamente, em pleno voo da imaginação, mas não tanto que dispense o apoio da sua biografia real, sobretudo no capítulo da primeira infância. Para todos quantos têm frequentado o universo pessoano, é dispensável fazer outras ponderações. Não resisto, porém, à tentação de transcrever outros dois versos igualmente significativos:

"Não poder viajar pra o passado, para aquela casa e aquela afeição,
E ficar lá sempre, sempre criança e sempre contente!"[6]

Afinal, quem era Fernando Pessoa, homem e poeta? Quem era Charles Foster Kane? O enigma foge à decifração, e portanto pode devorar-nos quando dele nos acercamos, mas não há como resistir ao convite, e aceitá-lo é considerar imprescindível o exame do centro nevrálgico – a infância – e suas consequências.

3

Quem era Fernando Pessoa? indagamos nós. Quem era Charles Foster Kane? indagam os que tiveram a sorte (ou a desdita) de o conhecer, e indagamos nós. O Poeta despista-se, e despista-nos, em heterônimos, estilhaça-se noutros "eus" que diligenciam preencher um "eu" vazio ou exprimir um "eu" multímodo, incapaz da unicidade (ainda que aparente) do mortal comum: multiplica-se para se encontrar ou para liberar a multidão que lhe habita a alma, mas sempre para ocultar-se, rodear de sombras o rosto de esfinge, recoberto de máscaras definitivamente coladas à face, como diz, pela voz de Álvaro de Campos, em "Tabacaria".

Igualmente tomado pelo vácuo, o trauma de um momento decisivo, a parada no tempo ou a fixação num instante crucial (o abandono do trenó), Kane transforma todas as pessoas que dele se acercam em brinquedos em suas mãos ávidas de poder, glória e dinheiro (sequiosas, na verdade, de *"Rosebud"*). Sucedâneos dum trenó infantil, ele os manipula como a criança que tiraniza os adultos ou desmonta os brinquedos a ver se lhe mostram a concretização do brinquedo armazenado na fantasia ou lhe compensam a trágica ausência. E de comparsas desse "drama em gente", para usar as palavras com que Pessoa se refere às suas criações, transmuta-os em heterônimos: é por meio deles que sabemos (o pouco ou nada que sabemos) da misteriosa figura demiúrgica que os controla e destrói sem piedade.

Os amigos ou interlocutores e a segunda mulher, todos são, ao fim de contas, heterônimos – curiosamente em número de quatro –, não só porque nos contam de sua experiência com Charles Foster Kane (como apêndice dele), mas também, e acima de tudo, porque acabam sendo seus desdobramentos: suas vidas dependem da do herói, a ponto de ocupá-las e justificá-las o encontro ou desencontro com ele. Cada qual tenciona auxiliar o repórter a desvendar o enigma de *"Rosebud"*, mas ao fazê-lo, crentes de possuírem a explicação, evidenciam que Charles Foster Kane se multiplicava em vários outros, à proporção que conhecia pessoas em sua escalada social e política. Dando dele a imagem que lhe ficou indelével na memória, oferecem o perfil de si próprias, de modo a transparecer que constituem apenas o desenvolvimento de uma força carismática que as transcendia e as amoldava a seu belprazer: numa palavra, heterônimos, ou próximos de, que a um só tempo revelam e camuflam o segredo da fonte alquímica que os alimentou em vida e continua a alimentá-los após a morte.

Charles Foster Kane colecionava pessoas, para nelas se encontrar, ou para, nelas espelhando-se, compor o rosto esquecido na longínqua infância. E colecionava objetos, estátuas, quadros, ruínas de um castelo escocês, um templo birmanês, etc., "suficientes para mobiliar dez museus", diz o narrador, colecionava "fosse o que fosse...", lembra Thompson, inclusive o fogão pertencente à sua mãe, Mary Kane, o que não é pouco significativo.[7] Substitutos, pobres substitutos de *"Rosebud"*, ainda quando custassem milhões, funcionam como expressão duma heteronímia meio esquizofrênica, lançada também para o mundo dos objetos concretos, como se, devolvendo-lhe vicariamente o trenó da infância, a trouxessem de volta e lhe restaurassem a identidade roubada na meninice.

Tirante essa obsessão de juntar coisas, ao falar de Charles Foster Kane parece que falamos de Fernando Pessoa, ou pelo menos do Pessoa habitante do castelo mental que erigiu para si, ao realizar ao pé da letra o conselho que dava aos leitores: "Cerca de grandes muros quem te sonhas."[8] Todavia, não se interrompe aí a cadeia analógica entre o Poeta e Kane.

Recluso Charles Foster Kane na pertinaz rememoração de *"Rosebud"*, confinado Fernando Pessoa em seu sonho messiânico, o "drama em gente", os dois dissimulam cuidadosamente o seu conflito íntimo. Os espectadores do filme – e tão-somente eles, para além do protagonista central – sabem que Xanadu é um simulacro de *"Rosebud"*, e que o vocábulo misterioso carrega a chave e o símbolo de uma existência atormentada. E se Fernando Pessoa ruminava o seu *"rosebud"*, identificado com a sua infância truncada, sabemo-lo nós, mas não os heterônimos. Os amigos e convivas de Charles Foster Kane suspeitam do significado da palavra, chegam a crer conhecê-lo; nenhum deles, porém, o sabe ao certo, como vemos na derradeira cena da película.

E os heterônimos pessoanos ignoram que fazem parte de uma engenhosa prestidigitação visando a esconder/revelar o segredo de uma genialidade poética fundada numa despersonalização que encontrava na infância sua mais entranhada raiz. E tanto quanto os contemporâneos de Kane, os heterônimos por vezes vislumbram os sentimentos ocultos por trás das máscaras que representam ou envergam: a magia da infância despedaçada se faz presente aqui e ali, como um vago e fugaz clarão numa noite de trevas. Todos têm intuições, mas não alcançam o conhecimento decisivo, ciosamente guardado por trás das *personae* que o Poeta foi coligindo no curso do tempo. E é enfeixando todos esses vislumbres que o *"rosebud"* pessoano se manifesta com a mesma mágoa com que o herói do filme se recorda do seu trenó infantil.

Xanadu é, no dizer de um crítico de *Cidadão Kane*, uma "paródia do ato de criação de Deus",[9] uma espécie de arca de Noé encravada num monte Ararat onírico: o seu morador ali estocara toda sorte de animais, formando um vasto zoológico. Pessoa repete o Demiurgo ao criar uma legião de seres: mal comparando, seu cérebro seria o seu Xanadu. E tomando-lhe o étimo do sobrenome, entende-se que nele ter-se-ia dado a inflação da *persona,* em detrimento do *ego,* originando o "vazio" interior que, segundo a interpretação junguiana, ocorre nesses casos.[10] Ouçamos o Poeta:

"Temos todos duas vidas:
A verdadeira, que é a que sonhamos na infância,
E que continuamos sonhando, adultos num substrato de névoa;
A falsa, que é a que vivemos em convivência com outros,
Que é a prática, a útil,
Aquela em que acabam por nos meter num caixão"[11]

O mesmo estudioso do filme de Orson Welles fala em "Kubla-Kane", trocadilho referente a Xanadu, reminiscência do poema de Coleridge. Uma vez que a película – a ser correta a tese de David Bordwell – traça o itinerário de um homem possesso da ânsia de poder, é lícito ver no sobrenome do herói – Kane – o verbo *(to) can,* apontando na mesma direção. E Foster mereceria uma atenção à parte, que não cabe neste estudo: de qualquer forma, o nome todo do magnata sugere ter sido escolhido com muito cuidado; mesmo o prenome Charles parece pleno de intenções. Similarmente, é possível detectar no âmago do processo criativo de Fernando Pessoa uma nota de onipotência divina, sentir-se Deus ou algo no gênero:

"Sou EU, um universo pensante de carne e osso, querendo passar,
E que há de passar por força, porque quando quero passar sou Deus!"[12]

4

Para quem se lembra da metamorfose do rosto de Charles Foster Kane ao longo dos anos, desde os primeiros *close-ups* surpreendendo os olhos brilhantes dum otimista e confiante, emoldurados por um sorriso de homem destinado ao sucesso, até a derradeira imagem por entre os espelhos, e tem presente a fotografia de Fernando Pessoa envelhecido, às vésperas da morte, mergulhado em penumbras a indicar alguém que já transpôs os umbrais do tempo – impressiona a semelhança entre ambos. O Poeta afivelara máscaras que não pode tirar; e se os heterônimos são feições de um rosto que se procura, a última foto é um ícone desse mascaramento, como se o rosto fugisse ao olhar, reverberando vários outros, numa mutação caleidoscópica sem fim: vemos uma fisionomia que se esvai, fugidia, resvalante, à custa de recolher-se atrás das máscaras, por meio das quais se buscava idêntica. E o exilado de Xanadu ostenta, no fim da sua *via crucis*, um rosto incerto, imobilizado pelo espessamento deixado pelas marcas do tempo, à espera da morte. Igualmente ícone, ele próprio estátua de mágoa, derrotado, a caminhar num túnel de espelhos para o desaparecimento com passos de sonâmbulo. Ambos, como se tivessem mil anos, exibem na face um cansaço imemorial, proveniente de viver muitas vidas numa só, no encalço do paraíso roubado na infância.

Antes de morrer, Kane fita longamente a bola de cristal que encerra uma casa coberta de neve, enquanto murmura: *"Rosebud..."* A seguir, deixa-a cair ao solo e destroçar-se; "tem lágrimas nos olhos". Quem não se recordará de um dos poemas natalinos de Pessoa, tocante de melancolia e desespero existencial:

"Natal. . Na província neva.
Nos lares aconchegados,
Um sentimento conserva
Os sentimentos passados.

Coração oposto ao mundo,
Como a família é verdade!
Meu pensamento é profundo,
'Stou só e sonho saudade.

E como é branca de graça
A paisagem que não sei,
Vista de trás da vidraça,
Do lar que nunca terei!"[13]

Entrevisto de uma perspectiva ética, ou se se preferir, não estética, ao desdobrar-se em heterônimos, Pessoa criava obra de gênio, mas perdia ainda mais – se é possível – o objeto procurado. A heteronímia seria, a essa luz, efeito e causa a um só tempo, expressão e expresso, de uma irreparável perda. Multiplicara-se para se encontrar, provavelmente consciente de que, assim procedendo, perdia/perdia-se para sempre. Inócuo, do prisma ético (e/ou psicológico), embora genial do estético. Paralelamente, com reproduzir-se ao infinito no corredor de espelhos, Kane era mil e um iguais a si próprio, mil e um inúteis: *personae* ou *clones* em série, nem por isso lhe devolvem a grandeza, menos ainda a longínqua infância. Ao contrário: pode-se ler essa atomização como paradoxo, ironia, por meio da qual se pretende dizer da falácia de transfigurar-se em heterônimos, ou falsos heterônimos, para recuperar a infância, o trenó, a Lisboa "de outrora de hoje". Heterônimos desiguais, independentes, fictícios, no Poeta, heterônimos idênticos, "reais", no magnata, mas que não trazem de volta o paraíso perdido. Presos à infância, o Poeta e o grão-senhor revelam tendências acentuadamente neuróticas, diria um psicanalista.[14] Seja como for, a semelhança do Poeta com Charles Foster Kane é transparente de muitos pontos de vista, inclusive deste.

Ambos querem ocultar a sua biografia, ou o que dela supunham capaz de ser abstraído à evidência da curiosidade alheia, na obra criada, nos atos praticados, dos amigos que conquistavam. E ninguém mais do que eles fez da própria obra a representação dessa biografia marcada por um toque mágico, tão fortemente impressivo que acabou enformando todos os seus gestos, seus atos, suas obras, e as relações com amigos e contemporâneos.

Em ambos, a busca da identidade como obsessão e razão da existência. Naquele, a busca da identidade perdida num tempo fora da memória, certamente ligado à infância, manifesta no estilhaçamento heteronímico. A procura do "em si", ou do *self*, que nem chegaria a constituir-se, mercê desse "afastamento" psíquico, que os transes dos primeiros anos de vida podem simbolizar ou explicar, ou dum *self* cedo despedaçado em fragmentos que passou os seus dias a recolher, no afã de uma unidade sempre adiada ou cada vez mais recuada, embora latente em cada um deles. Em Charles Foster Kane, a busca da identidade subtraída num tempo determinado, mas irrecuperável, associado a um objeto, por sua vez símbolo duma perda insubstituível, perda não apenas dum trenó, mas, sobretudo, dum estado d'alma. Aquele não teve um lugar ou coisa a que se vinculasse, salvo lugar ou coisa sentidos como ausência, e por vezes identificados com Lisboa, o Largo de

São Carlos, etc. O outro arrastou pela vida em fora a fixação a *"Rosebud"*, o éden da remota infância.

Identidade e infância se correspondem, por conseguinte, de modo que a busca de uma equivale à da outra. O ser de Fernando Pessoa é uma ausência cujo espaço virtual se localizara na infância, ou ainda nela se enraíza, se admitirmos que o Poeta a traz dentro de si, ou não a superara jamais. Ser, para ele, é ser na infância, uma infância, como o mostra essa invenção mítica dos heterônimos, que começa sendo (e talvez acabe por ser) fruto da magia infantil, o povoar o universo concreto de seres imaginários. Aliás, como procedia desde cedo, é sabido por todos. Ser, para Charles Foster Kane, é uma eterna procura, qual Aasverus, baldada procura, dum passado extinto, fixado num trenó, lembrança comovida de alguém que se despojaria de todas as suas posses pelo encantamento da infância, da infância cortada ao meio. Infância que conserva dentro de si, que também não pôde ultrapassar, mas que sabe dolorosamente inesgotável, como utopia colocada no passado. Ambos buscam a si próprios, anelam a vera efígie, dispersa ou moldada num objeto ou no termo que o reenvia à memória. E ambos ao mesmo tempo sonham uma impossibilidade; em ambos o existir de hoje soa como exílio da longínqua infância. Se no primeiro a intelectualização parece suprir a dorida ausência, como se a razão pensante lhe ofertasse o substituto anestesiante da infância, no outro, a apropriação de coisas e pessoas (sempre tomadas como coisas) é um ópio de efeito rápido e insatisfatório. Ambos pediam o mesmo à vida. Leland diz de Kane:

> "O que ele pedia à vida era, antes de tudo, amor. Essa a história de Charlie... a história de como perdeu esse amor"

ao que retruca Pessoa:

> "Mas, se eu pedi amor, por que é que me trouxeram
> Dobrada à moda do Porto fria?"[15]

E os dois tiveram a sua Ofélia: um a perdeu por não ser vocacionado para o casamento, para o convívio com o "outro", e soube-o em tempo, não antes de escrever ridículas cartas de amor; Kane se desgraçou por Susan, crente da sua inabalável segurança, arrastado por um sentimento que por instantes lhe devolvia, no espelho côncavo do tempo, a vaga ambiência de sua lancinante saudade da infância.

5

Ao principiar, dizíamos que a poesia de Fernando Pessoa podia servir de legenda para *Cidadão Kane*. Agora é o momento de inverter a equação: afinal, o filme pode ser visto como ilustração, plástica e sonora, da poesia pessoana. Por meio daquele, entendemos (entendemos?) esta, e por meio desta, conhecemos um tanto mais o enigma de *"Rosebud"*. Quando pouco, funcionam entre si como espelhos paralelos, assim reeditando o movimento especular de que se nutrem isoladamente, aumentando ao infinito, como cada qual sugere, à sua maneira, a proliferação de imagens e de paradoxos. Seria Charles Foster Kane um heterônimo de Fernando Pessoa? Tão heterônimo quanto nós, quando nos defrontamos com o brilho sutil que irradia a sua poesia, ou mais do que nós, por ter sabido o filme exprimir de forma incomum, na perspectiva da tela, a pulverização intencional do Poeta? Pelo sim, pelo não, o mistério do Poeta, se não se desvenda na comparação com *Cidadão Kane* (e decifrá-lo não era nosso propósito), ao menos se evidencia mais intrigante, pois tem a enriquecê-lo um filme de gênio, simetricamente montado sobre o mistério da personalidade cuja infância perdura intacta no recesso da memória e dos sentidos, impedindo-o de fruir a existência. Paradoxo puro, no qual se perde o homem, mas no qual ganha a Arte, por levar a limites extremos a possibilidade de enfrentar e refletir o "drama em gente" que todos nós, bem ou mal, carregamos sem o saber.

1985

Notas

1. *Orson Welles,* Ciudadano Kane, *tr. espanhola, 2ª ed., Barcelona: Aymá, 1977, p. 59.*
2. *Fernando Pessoa,* Obra poética, *Rio de Janeiro, Aguilar: 1960, pp. 317, 318, 321.*
3. Idem, ibidem, *p. 321.*
4. Idem, ibidem, *p. 288.*
5. Idem, ibidem, *p. 357.*
6. Idem, ibidem, *p. 288.*
7. *Orson Welles,* op. cit., *pp. 34-35, 164.*
8. *Fernando Pessoa,* op. cit., *p. 119.*
9. *David Bordwell, "Citizen Kane", in Ronald Gottesman (org.),* Focus on Orson Welles, *New Jersey: Prentice-Hall/Englewood Cliffs, 1976, p. 120.*
10. *James A. Hall,* Jung e a interpretação dos sonhos, *tr. brasileira, São Paulo: Cultrix, 1985, p. 24.*
11. *Fernando Pessoa,* op. cit., *p. 355.*
12. Idem, ibidem, *p. 295.*
13. Idem, ibidem, *p. 79.*
14. *Franz Alexander,* Fundamentos da psicanálise, *tr. brasileira, Rio de Janeiro: Zahar, 1965, p. 20.*
15. *Orson Welles,* op. cit., *p. 102; Fernando Pessoa,* op. cit., *p. 359.*

11

Alberto Caeiro, mestre de poesia? – I

1

Sempre me intrigou, no complexo universo de Fernando Pessoa, a sua afirmação, na famosa carta a Adolfo Casais Monteiro acerca da gênese dos heterônimos, de 13 de janeiro de 1935, a poucos meses do seu falecimento, segundo a qual Alberto Caeiro era seu mestre e, consequentemente, dos outros heterônimos. Logo aceita como óbvia, ou simples bizarria ou prestidigitação de gênio, a equação guardaria um segredo capaz de figurar na galeria de quantos outros ainda escondem o vulto e o espólio do Poeta. Por que Alberto Caeiro seria o mestre de Fernando Pessoa e seus heterônimos? Ou seja, por que Fernando Pessoa o considerou o "seu mestre"?

Três hipóteses explicativas podem ser arroladas, a meu ver: a ocultista, a afetiva e a intrínseca. Reservando-me para examinar as duas primeiras em outra ocasião, por envolverem questões de ordem periférica, vou ater-me à última, diretamente vinculada ao texto do autor de *O guardador de rebanhos*. Como se sabe, Alberto Caeiro é, dentre os heterônimos, o que se pretende, ou parece, meramente poeta. Para tanto, volta-se para a Natureza, quem sabe partindo da premissa de que o poeta autêntico assim procede, desde tempos imemoriais. Na verdade, como informa Pessoa na mesma carta, "Caeiro viveu quase toda a sua vida no campo" e "não teve profissão nem educação quase alguma". Com certeza, se tivesse de declarar a sua ocupação, diria ser poeta e nada mais. E, portanto, poeta natural.

Sucede, porém, que a sua identificação com a Natureza talvez não o fizesse poeta, mas prosador. Com efeito, de todos os heterônimos é ele o que mais se aproxima da cosmovisão prosística, na medida em que o seu ideal estético pressupõe a subtração do "eu" em favor do "não eu", representado pela Natureza.

Paradoxal, como se vê, a equação armada entre Alberto Caeiro e os irmãos de heteronímia: sua condição de mestre de poetas, parecendo decorrente de ser *o* poeta, apenas poeta, na verdade resultaria do oposto, de avizinhar-se da prosa. Mestre de poetas não porque poeta: o paradoxo está em que, para ser mestre de poesia, seria preciso não ser poeta; e para não ser mestre de poesia, seria preciso sê-lo. Como não raro, Fernando Pessoa jogava jogo duplo: ao fingir a existência de um mestre para si e os heterônimos, inventava um mestre "de dentro", inventava o seu mestre, inventava-se mestre de si próprio, esquivando-se a qualquer magistério "de fora". E ainda inventava um mestre que era poeta, assim congeminando um mestre paradigmático e poeta "puro", tão puro quanto mais mestre, e tão paradigmático quanto mais poeta.

2

Assim, se o mestre ensina a discípulos, Alberto Caeiro ensinaria aos heterônimos (tão inventados como ele, é evidente) a arte da poesia, precisamente por correr o risco de, almejando-se poeta "puro", não o ser, ou melhor, sua poesia resvalar na prosa. Tudo se passa como se, sendo poeta, lhe fosse vedada a função de mestre, uma vez que os poetas autênticos, que o são por vocação, porque nascem poetas, não necessitam de mestres, e quando o necessitam, é porque não são poetas ou são-no parcialmente.

De onde, se foi mestre de poetas (tomando a assertiva de Fernando Pessoa ao pé da letra) é por ensinar o que não é (ainda que pretenda ardentemente o ser) para quem o é (e ainda não o sabe), ou pode ser ou deseja ser. Do contrário, a observação de Fernando Pessoa naquela carta cai por terra. Se mestre foi é porque "à beira-da-prosa" (com o à-vontade que lhe empresta a condição de mestre "por dentro", paradigmático e "puro"); daí, com o seu exemplo, servir de modelo aos que podem ser (ou são) poetas. Mestre de poesia porque seus textos enfrentavam o perigo de não ser poesia, de representar exatamente a não poesia (ao menos a poesia que se praticava até então), sob o pretexto de buscá-la, deixando aberto o espaço em que ela se cumpre e funciona como paradigma aos demais heterônimos. O labiríntico paradoxo em que se deleita Pessoa encontraria nesse jogo especular provavelmente a sua forma mais aguda: mestre paradoxal, Alberto Caeiro fingia-se mestre (ou Fernando Pessoa por ele), fingindo-se poeta; fingia-se poeta, fingindo-se natural.

É mestre, pois, por fingir-se natural; a sua poesia não é natural; deseja-se natural, finge-se natural, natural como as coisas da Natureza o são, mas sabendo (ou pressentindo) que a poesia é por definição antinatural. De qualquer modo, pretende-se natural, à imagem e semelhança da Natureza, mostra-se natural para servir aos heterônimos, não como modelo de poesia, senão como estímulo para o percurso no rumo da Natureza, matriz da poesia. Percorresse ele o caminho para a Natureza, poderia ser poeta, e poeta que exemplificasse aos heterônimos o que é ser poeta (natural), mas deixaria de ser mestre. O "natural", nele, deve ser fingido, porquanto, se autêntico, faria dele tudo, menos um mestre de poetas: ele é mestre por saber que a naturalidade é o alvo dos poetas, mas ao mesmo tempo por saber que não lhe cabe ser natural – apenas fingir que o é, visto ser mestre de poesia.

A naturalidade torna-se, por conseguinte, necessária aos poetas precisamente por Caeiro a fingir: realizasse a naturalidade, não poderia transmitir aos discípulos a boa nova. Contrariamente aos poetas que conseguem ser naturais – mas que não seguem modelo, uma vez que são poetas e não (são) a Natureza –, ele se finge natural para não ser modelo como poeta, e, sim, mestre que aponta a direção. Se preconizasse a leitura dos poetas em vez da leitura da Natureza, não poderia ser poeta "natural" sem contradizer-se e, portanto, sem deixar de ser mestre. Entretanto, podia fingir-se natural, o que lhe permite ser poeta (poeta não natural ou "natural") e mestre, não por apresentar-se como o paradigma a ter em conta, senão por, negando-se como poeta a imitar, sugerir a viagem de retorno à Natureza.

Se Caeiro propõe que não se leiam os poetas, mas que se veja a Natureza, por coerência se inclui entre os que devem ser evitados. Não espera, portanto, ser lido, lido como os poetas o são, porém lido como um teórico, ou, se se preferir, *ser visto*, como se vê a Natureza, ou como ele próprio se nega ser poeta:

"Eu nem sequer sou poeta: vejo."

Não poderia, pois, sem contradizer-se, esperar que fosse lido como poeta. Repudiando os poetas em favor da Natureza, rejeitava-se como poeta, para mostrar-se como teórico (e mestre) e como Natureza, ou, ao menos como o mestre que ensina o caminho para ela, onde, a seu ver, mora a Poesia. Ensinaria, assim, o mecanismo do ato poético, como autêntico mestre, que ensina a fazer mostrando *como se faz,* sem esperar que seja imitado *naquilo que faz:* cada discípulo aplicará ao seu objeto próprio a lição aprendida, ou seja, Caeiro não espera que os demais heterônimos sejam "naturais" como ele, mas que, captando-lhe a "naturalidade", busquem construir a poesia que a sua visão do mundo suscita.

Como tudo no poeta, tanto quanto em Fernando Pessoa, a naturalidade é pelo menos dupla, quando não multiplamente fingida: 1) porque fingido todo ato poético (para não dizer estético), ao pretender mostrar o fictício como real, e 2) porque a sua naturalidade, como ser/poeta, expresso pelos versos/no mundo que os versos engendram –, é fingida. Não fosse responder ao paradoxo com expediente análogo, que apenas desenvolveria outra etapa do quebra-cabeça original, diria que a sua naturalidade é fingida por ser artificial, quando pouco elaborada, postiça, teatral, suposta. Ainda que movido do "sincero" empenho em ser natural, conforme à Natureza, o Poeta não oculta que posa de o ser, fingindo o que não é (mas deseja ser): já pertence ao consenso, ou estamos fartos de o dizer e pensar, que a sua naturalidade é fruto dum intelectualismo (o pessoano) levado ao extremo. Sem embargo disso, percebe-se que o Poeta não só tem vontade que seus versos reflitam a Natureza:

> "E assim escrevo, querendo sentir a Natureza, nem sequer como um homem,
> Mas como quem sente a Natureza, e mais nada"

como também simula o que deseja; em suma, finge-se natural. Por que não o seria autenticamente? Simplificando, teríamos: 1) que, se fosse realmente natural, ou seja, homem natural, como as pedras, as plantas, etc., o são, deixaria (ou não precisaria) de ser poeta, e 2) que buscava ser natural justamente por não o ser, procurando na Natureza o antídoto para o seu desenfreado intelectualismo, tudo, é claro, tendo em vista os versos e não a "biografia" do heterônimo.

3

Mas, interessando-nos no momento focalizar-lhe a condição de mestre, é nessa perspectiva que a sua naturalidade se define, uma vez que, duplamente fingida, está na raiz da sua missão perante os demais heterônimos, incluindo o Fernando Pessoa "ele mesmo". Porque mestre, natural; porque natural, mestre, como sempre acontece aos mestres, não porque naturais, como Alberto Caeiro foi ou o seu criador assim o quis, senão porque os discípulos sempre leem no mestre a naturalidade que a sua obra transpira: os discípulos é que fazem o mestre, não este àqueles.

Em Alberto Caeiro, sem prejuízo de os discípulos lhe reconhecerem a superioridade, a histórica equação se inverte. Ao poeta de *O guardador de rebanhos* não bastava fazer versos para ser mestre; era preciso fazer versos naturais para o ser (ao menos para aqueles discípulos), visto que o seu magistério era, por cálculo, contemporâneo da obra de seus seguidores. Para tanto, era preciso ser concretamente, deliberadamente, natural, como se lhe cumprisse o único destino de ser mestre, não de ser um poeta no qual possíveis epígonos divisassem o mestre. Naturalmente mestre, e nada mais, como se os seus versos compusessem uma teoria estética que os discípulos devessem respeitar, e a função de mestre não lhe facultasse pensar em si como poeta.

Daí uma espécie de poética da despoetização, semelhante à que João Cabral de Melo Neto realizaria nos anos de 1940, com a diferença de a despoetização de Alberto Caeiro implicar, posto que transversalmente, a emoção:

"Graças a Deus que as pedras são só pedras,
E que os rios não são senão rios,
E que as flores são apenas flores."

E também implicar a condição de mestre: Alberto Caeiro pretendia ensinar o regresso à matriz das metáforas – a Natureza –, como a advertir que aos poetas, seus discípulos, cumpria efetuar tal retorno caso desejassem conquistar a (superior) poesia, em vez de recorrer aos outros poetas. Mestre de poetas, e ele próprio poeta, somente exerceria o seu ofício ensinante predicando a Natureza e, simultaneamente, abstraindo-se como poeta. Mesmo porque, se chamasse a atenção sobre si, estaria em flagrante contradição: deixaria de apontar para a Natureza para apontar um poeta como modelo.

Com a despoetização do poema, ou com o seu projeto de o realizar chamando as coisas pelo nome "natural", Caeiro cria o espaço da poesia, ou assinala-o para quem deseje habitá-lo, tornando-se, por contraste, mestre de poetas. Agindo como um poeta que se finge de prosador, já que a despoetização do poema o leva à beira da prosa, mostrava o limiar entre uma e outra instância do fazer literário, assim cumprindo a sua missão de mestre que nomeia, questiona, interroga e submete-se (?) ao paradoxo imanente em sua condição de mestre.

Ademais, a naturalidade fingida é que lhe permite manter-se nesse equilíbrio instável entre ser e não ser poeta, entre ser mestre e criador a um só tempo. A explicação disso está em que a naturalidade fingida se instaura no limite entre a poesia e a prosa, marcado por um ato "puro", de modo que os objetos naturais se apresentassem na sua identidade primordial, "em si", antes da invasão do Logos, ou do pensamento:

"Há metafísica bastante em não pensar em nada."
[......................................]
"E a minha poesia é natural como o levantar-se vento..."

Aqui, o *ver*, com toda a sua imensa complexidade, reponta nos domínios do poeta-mestre: mestre por ensinar a ver, a ver a fronteira entre a poesia e a prosa, por ensinar poetas a ver objetos em si, não a sua representação. Ensinando a ver objetos como tais, ou fingindo que o faz, estaria ensinando os poetas a redescobrirem a fonte perene da poesia: ver objetos em si não para proceder como os prosadores, mas para (re)criar a partir da realidade natural, não a partir das imagens cunhadas por outros poetas. Era preciso voltar à Natureza, ao "não eu", como fazem os prosadores, não para produzir prosa, obviamente, e, sim, para remontar às raízes da poesia. Um poeta que se restringisse a ler/ver seus pares, estaria assimilando uma visão alheia da Natureza, e sua obra se deixaria definitivamente marcar pelo sinete da imitação (no sentido menor do vocábulo): um mestre não o sugeriria sem abdicar de sua função.

Ler outros poetas, sem dúvida, mas ler também, e principalmente, no livro da Natureza – eis a lição de Alberto Caeiro.

De onde não insinuar, em momento algum, que seja imitado: anticlássico, ou um dos últimos românticos, prega a volta à Natureza, em vez do culto aos poetas (inclusive ele próprio). Mas não poderia aconselhá-lo sem (correr o risco de) ser poeta; e, portanto, sem mergulhar numa radical ambiguidade: ao compor versos como um prosador que versejasse:

"Por mim, escrevo a prosa dos meus versos"

estava sendo mestre de poetas sem ser prosador, uma vez que, se assumisse ostensivamente a missão do prosador, lhe estaria vedada a possibilidade de ser mestre de poetas. Ou era poeta, declinando de sua qualidade de mestre, ou era mestre, ainda que comprometendo sua obra de poeta: preferiu esta alternativa, e não só se realizou como poeta, mas também se tornou mestre. Poeta quando lido por todos, mestre quando pelos discípulos; aqui, mais uma vez, a diabólica engenhosidade de Fernando Pessoa se desvela em toda a sua finura.

4

Para alcançar tal objetivo, Alberto Caeiro não só aponta a fímbria que separa a poesia da prosa como ainda nela se situa, de modo a exemplificar com a sua obra o preceito estético (por sinal implícito nela). Além de referir-se à "prosa de [seus] versos", fala deles como se estivessem fora dos que redige – e vamos lendo – para o efeito pedagógico. Tudo se passa como se os poemas contivessem uma arte poética, em versos, cuja coerência fosse garantida pelas composições, do mesmo autor, com existência própria:

"E ao lerem os meus versos pensem
que sou qualquer coisa natural –
Por exemplo, a árvore antiga", etc.

Não sem manter a ambiguidade poesia/prosa, o poeta reporta-se a um plano externo, gerando uma espécie de ambiguidade segunda, de caráter espacial: o "dentro" e o "fora". Assim procedendo, Alberto Caeiro estava ao mesmo tempo realizando a típica equação poética e dando ensinamento aos discípulos: ao colocar-se na divisória entre a poesia e a prosa, seus versos se enunciam como presença/ausência, ou seja, como alusividade. Referida a fatos, pessoas, obras, lugares, etc., portanto historicamente determinada, a alusão é inerente à prosa e *pode* inscrever-se no universo poético quando se sujeita às suas leis. A essa *alusividade circunstancial* se opõe a *alusividade essencial,* caracterizada pela referência a sentimentos ou emoções, fora do contexto original; e a *alusividade semântica* é inerente à poesia. Encarada doutro ângulo, a alusão circunstancial *pode* adquirir conotação no interior do contexto, enquanto a essencial é conotativa por definição e natureza. A alusão circunstancial pode ultrapassar a denotação ao instalar-se no perímetro poético, ao passo que a essencial é naturalmente ambígua. Dir-se-ia que a primeira assume caráter metafórico graças à inclusão no circuito poético, e a segunda se define como metáfora: o fato histórico (e/ou natural) pode ser um membro da díade metafórica, enquanto o sentimento e a emoção (como fatos psicológicos) o são por natureza.

A poesia de Alberto Caeiro, sendo a de um mestre, procurou instaurar-se como alusividade essencial. De onde referir-se a um subtexto ou subdiscurso, com o qual estabelece relação dual, porquanto, ao alinhar os seus versos – os que vamos lendo –, tem como objeto um plano fora deles, mas a um só tempo aludido por eles: sem eles, não podemos ter acesso ao mundo aludido, e este, por sua vez, não teria razão de ser sem eles. Cessada a alusividade, os versos – ou os segmentos que se oferecem como tais – exprimem prosa em vez de poesia, da mesma forma que uma página de romance pode veicular poesia se contiver a alusividade em causa. A essa luz, compreende-se o oxímoro que o poeta arma ao identificar seus versos como prosa, ou, impulsionado pela certeza de ser "um intérprete da Natureza", a declaração, entre irritada e benevolente, que serve de núcleo ao poema XXXI:

"Se às vezes digo que as flores sorriem
E se eu disser que os rios cantam,
Não é porque eu julgue que há sorrisos nas flores
E canto no correr dos rios...
É porque assim faço mais sentir aos homens falsos
A existência verdadeiramente real das flores e dos rios.

Porque escrevo para eles me lerem sacrifico-me às vezes
À sua estupidez de sentidos...
Não concordo comigo mas absolvo-me,
Porque só sou essa coisa séria, um intérprete da Natureza,
Porque há homens que não percebem a sua linguagem,
Por ela não ser linguagem nenhuma."

Sacrifício – escrever sem naturalidade, e, pregando metáforas claras, definidas: "flores sorriem", "rios cantam" – para ser entendido, como se a "estupidez de sentidos" significasse não lograr a naturalidade, não perceber a linguagem da Natureza "por ela não ser linguagem nenhuma"? Preferiria o engano da metáfora, da não naturalidade, por conseguinte, da poesia à prosa? Aqui, toda a ambiguidade de Alberto Caeiro e o ensinamento nela contido: – "a aprendizagem de desaprender" – pressuporia o aprender a despoetizar o mundo a fim de o ver com(o) naturalidade. Alberto Caeiro ensinaria a ser poeta por *antífrase:* a naturalidade (prosística) indicaria, por antífrase, a naturalidade poética, ou a matriz da poesia. Era como se aconselhasse a moldar metáforas latentes, aproximando os espaços e sentidos referidos, portanto, a trabalhar com a alusividade semântica que a naturalidade suscita, repudiando-se a alusividade circunstancial, decerto porque muleta da inspiração, vale dizer, a metáfora-explícita, pois, sendo definidora da coisa, impede o acesso à sua total naturalidade. Em suma, era preciso remontar à Natureza, (re)vê-la como tal; assim, descobrindo que "o único sentido oculto das coisas / É elas não terem sentido oculto nenhum", o poeta desenvolvia as implicações, os sentidos secretos que desencadeiam a alusividade essencial, cerne da poesia.

Ao pôr ênfase no reencontro da alusividade essencial, ou da naturalidade, Alberto Caeiro procura ensinar o repúdio à metafísica, ao "Grande Mistério de que os poetas falsos falam", ou à filosofia, pois "com filosofia não há árvores: há ideias apenas". A sua naturalidade pede a árvore, o rio, a pedra, razão suficiente e necessária da criação poética, uma vez que "há uma cousa oculta em cada cousa que vês. / O que vês, vê-lo sempre para veres outra cousa". Desse modo, a transcendência possível vincula-se inseparavelmente à imanência, como se o aqui e agora já fosse o oculto, ou o mistério bastantemente real para que possa haver poesia. Rechaçando a abstração conceptual, desgarrada da realidade material, e consequentemente antagônica à poesia, Alberto Caeiro ensinaria a ver a realidade material como o reservatório permanente de poesia: esta, aloja-se nas coisas da Natureza como virtualidade, bastando vê-las pela primeira vez, como descoberta original, anterior ao Logos, para lhes descortinar a oculta face ou coisa, que é "não terem sentido oculto nenhum", numa equação que já é poética porque essencialmente alusiva e, portanto, metafórica.

Caeiro se quis apenas poeta, mas poeta consoante seriam os seres primitivos em face da Natureza, antes que o Logos se instalasse no mundo: seres imersos no mito, identificados com a Natureza, em meio a um tempo que não se contava pelos dias, anterior à noção de história, fluindo sem começo, nem meio, nem fim, para espaços fora do alcance da mente humana. Poeta essencialista, tanto quanto Álvaro de Campos era existencialista, visava restaurar a perdida identificação do ser com as coisas, recuperar a sua onticidade, por meio do instrumento que operara a cisão entre a consciência primitiva ou mítica e o cosmos: o Logos. Impossível a tentativa de retorno a uma identidade espontânea sem a mediação da palavra, só lhe restava apelar para ela, a fim de buscar, no seu espaço peculiar, a longínqua unidade primordial.

De onde querer-se livre de preconceitos e transcendências, apenas voltado para a Natureza, como o lugar em que se encontra a sua identidade, mas uma Natureza vestida de extrema simplicidade, ou, se se permite o pleonasmo, "naturalidade", como se o poeta a divisasse extasiado na aurora do Universo e do Tempo. Por isso é que a tônica se desloca para ela e não para ele.

De notar, contudo, que Caeiro se extrema em retomar a identificação com a Natureza, que, sendo anterior ao Logos, é-o também à Poesia: esta teria nascido quando o Logos se insinuou entre o Ser e a Natureza, quando o Logos, atributo supremo dos Poderes disseminados pelo Mundo, foi concedido ao Ser para denominar as Coisas. Condenado à prisão da Linguagem, o poeta procura, em vão, alcançar a irredutível essência das Coisas sem apelo ao nome, mas empregando-o para designá-las. E nem a convicção de que a metáfora lhe oferece (um)a liberdade virtual o consola dessa radical impossibilidade.

Enleado no crucial paradoxo, beirando o silêncio místico da sabedoria oriental, compreende-se que desdenhasse a Música: infenso à melopeia, buscaria atingir, por intermédio do seu "prosaísmo", a unidade anterior ao consórcio entre a Poesia e a Música, em que a palavra cede parte da sua função nomeativa para o som. A consciência mítica, que Caeiro anseia reaver, desconhecia a Arte e, portanto, a Música. Assim, a poesia genuína, expressão desse reencontro do Ser com o Cosmos, se caracterizaria por ser puro Verbo, sem o apoio da melodia, estranha à consciência primitiva.

5

A poesia se originaria, pois, de um movimento do olhar, apenas do olhar, substancialmente do olhar, a ponto de os demais sentidos lhe estarem afetos:

"Mesmo ouvir nunca foi para mim senão um acompanhamento de ver"

olhar em direção às coisas da Natureza, no encalço do seu (re)conhecimento primordial:

"A espantosa realidade das coisas
É a minha descoberta de todos os dias."

sustentado numa "ciência de ver", que acaba sendo a razão primeira e última do fazer poético: como a prenunciar as investigações de Wittgenstein, Alberto Caeiro preconiza a visão original, a visão da Natureza sem o véu da linguagem ou do conhecimento, já que "conhecer é nunca ter visto pela primeira vez".

Ver a Natureza é condição para criar poesia, porquanto implica a outra coisa que somente se desvela ao olhar "primitivo". Ver coisas, não fatos nem ações; ver coisas fora do tempo, no rumo do seu duplo ou da sua faceta oculta, vê-las pela primeira vez. A ênfase no objeto não faz de Alberto Caeiro um poeta materialista, como lembra ter sido chamado, visto nem sequer se considerar poeta, e nem mesmo prosador: o seu discurso é o de um poeta, em razão da alusividade essencial, ao mesmo tempo que se coloca à beira do discurso em prosa, que provém do mesmo apelo ao objeto e da sua condição de mestre. Mestre porque teórico de poesia, não de um tipo de poesia, como se diria da arte de Horácio ou de Boileau, mas da poesia *tout court*, e concomitantemente poeta por ilustrar com seus versos a teoria que veiculam, assim tornando-se não apenas mestre de Pessoa e heterônimos, mas algo como *o* mestre de poesia, que todos os poetas trazem dentro de si e que revelariam caso possuíssem a faculdade ideativa genial de Fernando Pessoa.

Todos os que se inclinam a escrever poemas com programas estéticos ou artes poéticas o fazem tangidos pelo mesmo mecanismo que acionou a criação dos heterônimos, tendo Alberto Caeiro como mestre: o mestre de todos os poetas estaria na própria interioridade de cada um, e ditaria as mesmas regras de regresso (fingido) à Natureza. Dando existência "real" e "objetiva" a Alberto Caeiro, Fernando Pessoa concretizaria uma virtualidade situada na mente dos poetas, somando outro rasgo de genialidade à sua incomparável cerebração poética. Mestre de si próprio, em suma, como todos os poetas são ou deveriam ser, em vez de atribuírem, projetivamente, a outro poeta de existência histórica a função inerente à sua latência interior, e mestre de si próprio corresponde à (re)descoberta "primitiva" da Natureza – eis a suprema lição do mestre Caeiro.

6

A chave da interpretação da poesia pessoana estaria, pois, nessa imaginária situação em que um poeta suposto, extraído da própria interioridade de Pessoa, é considerado "mestre": esse primeiro desdobramento, primeiro não no sentido histórico, senão no psico/metafísico/ontológico, explicaria os demais. Aliás, ele o diz na carta a Adolfo Casais Monteiro, repetidas vezes citada. Sempre pareceu banal a existência de mestre e discípulos, formando a chamada geração ou grupo. Agora, Pessoa produz, sozinho, a sua geração, a geração de sua poesia: "sou hoje o ponto de reunião de uma pequena humanidade só minha", confidencia ele no rascunho da carta ao poeta da *Presença*.

Por fim, chama a atenção o fato de Caeiro ser o mestre confesso, mas as frases emblemáticas – "o que em mim sente 'stá pensando", "o poeta é um fingidor", etc. – serem de Fernando Pessoa "ele mesmo". O mestre não ditaria sentenças, à maneira de postulados? Somente o fariam os falsos mestres? Ou os falsos criadores, como Eugênio de Castro, no prefácio a *Oaristos*, ou Olavo Bilac na "Profissão de fé"? O verdadeiro mestre – Caeiro – não ditava regras mas dava o exemplo com a sua própria poesia? A resposta às indagações somente pode ser positiva, com a diferença de que o Fernando Pessoa "ele mesmo" não é o falso mestre, senão o verdadeiro discípulo que traduz em axiomas o saber colhido no exemplo do mestre. Como fazem, de resto, todos os discípulos.

Neste caso, o Fernando Pessoa "ele mesmo" seria coerente: discípulo confesso de Caeiro, poderia condensar-lhe as lições em uma "profissão de fé". E, ao fazê-lo, mais uma vez dava mostras de genialidade: para ser mestre de si próprio – e assim o proclama a poesia heteronímica – , tornou-se discípulo da criatura que gerou de suas entranhas psíquicas. Livre para ser discípulo e mestre de si próprio, habilmente conferindo a um "duplo" seu essa capacidade, sem cair na equação grosseira dos (falsos) mestres, que ditam regras, e dos discípulos que os acompanham obedientemente. Livre, consequentemente, de qualquer mestre de fora, Camões, Shakespeare, William Blake, Baudelaire, ou outro que lhe assomasse no horizonte.

1985

12

Alberto Caeiro, mestre de poesia? – II

1

Noutro escrito sob o mesmo título[1], dizíamos que três hipóteses podem ser levantadas para explicar o fato de Fernando Pessoa atribuir a Alberto Caeiro as funções de mestre dos heterônimos e dele próprio. E advertíamos que duas delas (a afetiva e a ocultista) teriam de aguardar melhor ocasião para submeter-se a exame. O presente ensaio visa equacionar a tese segundo a qual o autor de *Mensagem* se escoraria também em razões de ordem afetiva, ou estético-afetiva, para dar vazão ao guia *zen* dos seres imaginários que a sua mente produzia sem cessar. E tais razões estético-afetivas estariam vinculadas à sua amizade fraterna com Mário de Sá-Carneiro.

Estranha tese, diriam alguns leitores de Pessoa, uma vez que Alberto Caeiro, graças ao apego à Natureza (para apenas nos cingirmos a esse aspecto), parece antípoda de Sá-Carneiro: este, como sublinha Dieter Woll[2], desprezava a Natureza, por movimentar-se poeticamente no âmbito do Decadentismo. Assim, cairia por terra a referida tese. Mas, se a virmos com um pouco mais de atenção, é de crer que a hipótese se sustenta. E, contra todas as expectativas, sai reforçada.

2

Até onde nos é dado ver na selva intricada da obra e do psiquismo de Pessoa, ele se inspiraria em Sá-Carneiro para delinear o contorno do seu mestre Caeiro, em razão de o autor de *Dispersão* ser uma personalidade autêntica de poeta. Sá-Carneiro encarnaria, para o Pessoa às vésperas do aparecimento do *Orpheu*, o protótipo do poeta: seria *o* poeta, por excelência. Pela emotividade transbordante, não raro à beira do delírio pré-surrealista, pelo esteticismo, como bom filho da *Belle Époque* esfusiante de amor à beleza, pelo culto do "eu", pelo gosto das sinestesias, entrelaçando cores, luzes e sons num *ballet* feérico – ele seria *o* poeta, a personificação do lirismo mais puro. E quando o fosse, admitindo-se que em alguns momentos a equação pudesse oscilar em torno do seu eixo, Sá-Carneiro se relacionaria com as emoções, as sensações e os sentimentos como se postado em face da Natureza.

Se é certo que Sá-Carneiro, alimentado pelo ideário decadentista, menosprezava a Natureza, também é verdade que isso não o impedia de ser poeta, de ser o tipo acabado de poeta. Antes pelo contrário: deixaria de o ser se a tônica de seus poemas se alojasse no "não eu" em vez de procurar abrigo na subjetividade. Ao sonegar-lhe o acesso à Natureza, o Decadentismo estava-lhe franqueando o caminho que levava à poesia, à poesia e nada mais. Por outro lado, correspondia à mais íntima pulsão da sua sensibilidade, temperamento e caráter. Identificava-se, pois, com o Decadentismo por uma congenialidade imanente, inarredável e invulnerável às veleidades intelectualistas.

Assim, o voltar-se para dentro de si, para a sua interioridade, obedecia a um imperativo de época, mas ainda, e notadamente, a motivações pessoais. Sá-Carneiro era substancialmente poeta, e poeta lírico, no sentido de que o "eu" prevalece sobre a determinação dos objetos fora dele. E quando ocorre de haver excursão para a realidade empírica, ou para a Natureza, é por meio do mecanismo projetivo: o "eu" vê-se refletido no "não eu", ou, quando pouco, descobre-se prolongado nele, a ponto de o "fora" parecer a concretização do "dentro". Do contrário, haveria tudo menos poesia.

Ora, Sá-Carneiro movia-se no espaço das emoções, dos conflitos da alma, das turbulências psíquicas, "exilado" que se sentia da realidade física, a dialogar obsessivamente com suas sensações, fantasias e reminiscências de um passado de hipersensível. A Natureza parece não estar fora dele, mas dentro dele: as coisas naturais constituem metáforas, conjugadas numa macrometáfora, para designar as suas intuições, as suas inquietações mais profundas. A Natureza é as suas sensações, emoções, ideias; é o palco interior, o filme exibido *n* vezes em sua mente. A Natureza, para ele, não é o lá-fora, pois este não existe senão como espelho do seu interior, ou como a paisagem onde o olhar encontra correspondência com o que se passa na subjetividade.

Enfim, se Alberto Caeiro é o poeta natural, "o único poeta da Natureza"[3], ou simplesmente poeta, porque a sua naturalidade é o desejo de aceder, por intermédio da mais radical intelectualização, à naturalidade anterior ao advento do Logos, Sá-Carneiro é o poeta natural porque a sua naturalidade é outra, não considera a Natureza ao enfrentar a realidade do mundo: a sua naturalidade não é fruto da experiência da Natureza, senão dos embates da sensibilidade. A sua naturalidade é a de um infante – não raro ele fala de si como criança ou menino, e rememora plangentemente seus primeiros anos de vida –, é a do primitivo, do instintivo, do ser ainda não corrompido pela civilização, que morreu antes de singrar o estágio em que o cinismo se torna sinônimo de bom senso, espécie de bom selvagem do asfalto, ingênuo e crédulo.

É irônico que assim seja: ele era, na verdade, "o desaparecido / Que sentia comovido / Os Domingos de Paris"[4]. A sua paixão pela capital da França era avassaladora. Sá-Carneiro personificava o homem urbano, herdeiro de Baudelaire, para quem não pode haver outra vida fora do ambiente das grandes cidades. Diríamos, no entanto, que a sua Paris é a natural, detentora de uma insólita beleza, que nada deveria à civilização, uma beleza que se preservasse apesar disso, manifesta no jogo de luzes, cores, sons, perspectivas, relevos. Ou seja, a Natureza de/ou filtrada por suas emoções, imagens, sensações: ele flanava por Paris assim como Caeiro pela paisagem natural, olhando para as suas emoções e ideias de beleza, da mesma forma que Caeiro, contemplando as pedras, as flores, os riachos, as borboletas, guardava seus pensamentos e sensações. Em Paris, Sá-Carneiro enfastiava-se dos pernósticos ou bárbaros (especialmente quando eram patrícios) que não comungavam com o seu anseio de naturalidade primordial, à semelhança de Caeiro, que se desenganava ante os "homens falsos (...) // que não percebem a (...) linguagem" da Natureza.[5]

Ambos convivem de modo análogo com a sua respectiva Natureza, mas invertendo a relação: a Natureza de Sá-Carneiro é real, concreta, na medida em que seguia o traçado e o contorno da capital da França; a de Caeiro é ideal, abstrata, a ponto de parecer-lhe inexistente:

"Vi que não há Natureza,
Que Natureza não existe,
Que há montes, vales, planícies,
Que há árvores, flores, ervas,
Que há rios e pedras."

Um, desvenda na "cidade-luz", no modelo de cidade para o tempo que medeia entre 1890 e 1915, a Natureza como reflexo da sua própria naturalidade original; o outro, prega a concepção de uma Natureza sem metafísica, que "não tem dentro", em que pedra fosse pedra, riacho fosse riacho, e assim por diante, visto que "a Natureza é partes sem um todo".[6] O percurso é distinto, não assim o diálogo com a realidade concreta: cada um possui uma Natureza, à sua imagem e semelhança.

Acontece que a Natureza de Sá-Carneiro é anterior na ordem da sua biografia e de Fernando Pessoa, mas posterior na ordem da história da poesia, uma vez que o intercurso com a Natureza acompanhou o fazer poético desde antes da irrupção das cidades. É essa precedência biográfica – em dois poetas que se irmanavam no sentimento da amizade e na Arte – que deve ser considerada: o molde de Caeiro seria Sá-Carneiro, um molde afetivo, estético-afetivo, porém não menos enfático, do mestre que Caeiro seria para os seus companheiros de geração.

Por outro lado, é de notar que Sá-Carneiro era um individualista doentiamente fletido sobre si, com as costas voltadas para a Natureza empírica e para o espetáculo humano, satisfeito com palmilhar o mundo ocluso de suas emoções, imagens e sensações. E Caeiro talvez seja o heterônimo mais individualista de todos, na medida em que, nele, a subjetividade, incluindo-se também a intelectualidade, tem primazia: a sua Natureza é um ente racional, e ele não vê, ou não quer ver, o "outro":

"Ah, como os mais simples dos homens
São doentes e confusos e estúpidos
Ao pé da clara simplicidade

E saúde em existir
Das árvores e das plantas!"

O seu diálogo é um perene monólogo, visto que o seu interlocutor é um conceito, ou uma realidade tomada como tal, ausente e presente a um só tempo, muda ou transparente, passiva à sua indagação, ao seu afã de certezas. Individualismo de idealista, para quem os pensamentos/sensações são o território do real:

"Sou um guardador de rebanhos.
O rebanho é os meus pensamentos
E os meus pensamentos são todos sensações."[7]

3

Fernando Pessoa, como se sabe, custou a aparecer publicamente como poeta, apesar da insistência de Sá-Carneiro para que mostrasse logo essa faceta do seu espírito criativo e não continuasse a ser conhecido apenas como crítico de *A águia*, órgão da "Renascença Portuguesa". Enquanto isso, e mesmo ao longo da sua carreira, Sá-Carneiro se julgava prosador acima de tudo, relegando ao plano da produção diletante os seus poemas. Não temos as cartas de Pessoa ao amigo, mas não parece abusivo acreditar que o autor de "Chuva oblíqua" cedo teria percebido o poeta-nato que era Sá-Carneiro, ainda quando se expressasse em prosa, ou por vezes "rimadamente":

"Não dou importância alguma aos meus versos. Como há escritores que nas suas horas vagas são pintores, eu, nas minhas horas vagas, sou poeta – na expressão de escrever rimadamente, apenas." E noutra carta, repisa o assunto: "As minhas horas de ócio são ocupadas, não a pintar, como o Bataille, mas a fazer versos. Puro diletantismo."[8]

O autor de *Mensagem* veria no amigo "exilado" em Paris o poeta autêntico, o perfil irretocável do lírico de nascença, como Baudelaire e Rimbaud, o artista da palavra dotado de uma sensibilidade apurada, refratário a prosaísmos ou meras descrições da realidade física, e ao mesmo tempo infenso aos exageros da moda que fizeram noutros tempos os românticos descabelados. Veria nele o poeta que todos os versejadores desejariam ser, incluindo-se a si próprio, que saberia, claro está, de sua grandeza, mas reconhecia a genialidade (poética) do amigo "desterrado" em França.

As cartas de Sá-Carneiro, lidas como resposta, ainda que oblíqua, às de Pessoa, infelizmente perdidas, autorizam pensá-lo. E se de alguma comprovação objetiva necessitássemos, bastaria atentar para o significativo trecho do autor da "Tabacaria" transcrito pelo destinatário: "Afinal estou em crer que em plena altura, pelo menos quanto a sentimento artístico, há em Portugal só nós dois." Ou para esta observação do autor de "Manicure": "Eu a cada linha mais sua que leio sinto crescer o meu orgulho: o meu orgulho por ser, em todo o caso, aquele cuja obra mais perto está da sua – perto como a terra do Sol – por o contar no número dos bem íntimos e em suma: *porque o Fernando Pessoa gosta do que eu escrevo.*"[9] Podia-se entrever nessas passagens e noutras a megalomania que impulsionava os dois poetas do *Orpheu*, mas não a negativa do que, graças à fraternidade estético-afetiva entre os dois, acabaria por inspirar a criação do mestre Caeiro.

Outros momentos há, contudo, em que a grandiloquência cede vez à depressão, seu polo diametralmente oposto, revelando quão dependente era Sá-Carneiro do estímulo do amigo em Lisboa, que jamais lhe faltou:

"Quanto a pessoas, as minhas saudades vão àqueles que compuseram a minha infância – e vão a si, ao Rola, ao Cabreira: os dois últimos como precursores de si, você como o amigo, o companheiro dos brinquedos do meu gênio – e aquele que assistiu ao seu nascimento, à sua infância, que arrumou a sua roupa, lhe aconchegou os cobertores – aquele a quem sempre confiadamente recorri e corri mostrando as minhas obras – como corria à minha ama para me deitar – e, antes de adormecer, não queria que ela fosse embora de ao pé de mim com medos dos ladrões..."[10]

Acrescente-se que talvez o sensacionismo de Pessoa, ao menos em teoria, tenha vindo depois do sensacionismo-arte de Sá-Carneiro, a ter como plausíveis as datas de seus escritos a respeito, geralmente de 1916. É possível que o autor de *O marinheiro* teorizasse o que o amigo produzia (em prosa e verso) e que não transformava em doutrina (salvo o pouco que se revela nas cartas a Fernando Pessoa), porque falto de inclinação para o xadrez intelectivo, que era o forte de Pessoa. Este, como se sabe, no "Prefácio para uma antologia de poetas sensacionistas", sem data e recolhido pela primeira vez em *Tricórnio*, antologia de inéditos organizada por José-Augusto França e publicada em 1952, começa por dizer, significativamente, que

"o sensacionismo começou com a amizade entre Fernando Pessoa e Mário de Sá-Carneiro. Provavelmente é difícil separar a parte que cada um deles teve na origem do movimento e decerto completamente inútil determiná-la. O fato é que eles ergueram os começos entre si".

E mais adiante sentencia, dando margem a imaginar-se, contrariamente à afirmação inicial, qual teria sido a contribuição de Sá-Carneiro:

"Nenhum sensacionista elevou-se mais alto do que Sá-Carneiro na expressão do que pode ser chamado, em sensacionismo, de sentimentos coloridos. Sua imaginação – uma das mais puras da literatura moderna, pois ele excedeu Poe no conto de dedução, em *A estranha morte do professor Antena* – desenfreia-se entre os elementos a ela dados pelos sentidos e seu senso da cor é um dos mais intensos entre os homens de letras." E arremata, falando de si próprio na terceira pessoa, mas não com menos lucidez e pertinência: "Fernando Pessoa é mais puramente intelectual; sua força jaz mais na análise intelectual do sentimento e da emoção, que ele levou a uma perfeição que nos deixa quase sem fôlego."[11]

Nessa ordem de reminiscências autobiográficas, recorde-se que Fernando Pessoa, na famosa carta a Adolfo Casais Monteiro, de 13 de janeiro de 1935, informa que "ano e meio, ou dois depois" de 1912, "lembrei-me um dia de fazer uma partida ao Sá-Carneiro – de inventar um poeta bucólico, de espécie complicada, e apresentar-lho, já me não lembro, como, em qualquer espécie de realidade". Por que "inventar um poeta bucólico" seria "fazer uma partida ao Sá-Carneiro?" Na sequência, Pessoa diz que "num dia em que finalmente desistira – foi em 8 de março de 1914 – acerquei-me de uma cômoda alta, e, tomando um papel, comecei a escrever, de pé, como escrevo sempre que posso. E escrevi trinta e tantos poemas a fio, numa espécie de êxtase cuja natureza não conseguirei definir".[12]

Compare-se isso com uma referência de Sá-Carneiro em carta a Pessoa de 3 de maio de 1913: "E de súbito comecei a escrever versos, mas como que automaticamente."[13] O restante da carta de Pessoa a Adolfo Casais Monteiro, no que diz respeito a Caeiro, conquanto sobejamente conhecido, é útil para a hipótese que fundamenta este ensaio interpretativo. Diz ele: "aparecera em mim o meu mestre. Foi essa a sensação imediata que tive".

Que mestre seria esse, inventado por Pessoa como heterônimo, um mestre que não ele próprio? Um mestre que pensasse o Sensacionismo ao mesmo tempo que "escrevia a prosa dos / seus / versos"[14], espelhado em Sá-Carneiro, nele se inspirando mas transfigurando-o pelo avesso, com imaginá-lo bucólico, guardador de rebanhos/pensamentos/sensações, um poeta que fosse nada mais que poeta, tão natural quanto a Natureza o pode ser, "o único poeta inteiramente sincero do mundo"[15].

4

O aparecimento do mestre Caeiro desenrola-se, consequentemente, por transferência: para além de o nome "Caeiro" poder originar-se de "Carneiro" com só lhe retirar as consoantes "rn", ou de que, como bem observa Jorge de Sena, "viveu *exatamente o mesmo tempo que a Mário de Sá-Carneiro foi dado viver até ao suicídio*"[16], o modelo estará no autor de "Partida". Não o modelo em si, como qualquer poeta epigonal em busca de um norte (o que, neste caso, tornaria Sá-Carneiro mestre *real* de Pessoa e heterônimos), mas para a *sua* família mental, como se Sá-Carneiro dela fizesse parte, senão como heterônimo, ao menos como aquele que, sem o pensar e sem o pretender, serviu de fonte inspiradora. Assim procedendo, Pessoa integrava o amigo distante em sua geração e não somente no grupo de *Orpheu,* fazendo-o membro efetivo da sua *entourage.* Mais do que isso, divisando-o como um arquétipo. O que não é pouco, diga-se de passagem: modelo, representação de uma ideia milenar, subjacente ao esforço de todo poeta para levar a bom termo o seu projeto estético.

Modelo era, pois, Sá-Carneiro, modelo no modo como se relacionava com o mundo e não apenas nos versos que escandiu. Não se trataria de imitar-lhe as síncopes verbais, as insólitas desconstruções frásicas, as regências sintáticas rebeldes ao código gramatical, etc. – pois que a adoção delas por todo o grupo órfico não permite que se fale em nítidas paternidades – senão de aprender, na absorção do mecanismo gerador de seus poemas, o processo criador de poesia. Tal ocorreria em razão de Sá-Carneiro ser a quintessência do poeta? – indagaria Pessoa no recesso do seu labirinto íntimo, quem sabe conduzido por uma associação fugaz entre suas inquietações e as do "Emigrado Astral". E a resposta, positiva de resto, deu-a por intermédio do (seu) mestre Alberto Caeiro.

Caeiro é o Sá-Carneiro que intelectualizasse a sua visão da Natureza e sua vida interior: o que em Sá-Carneiro era o natural puramente estético (o belo pelo belo, destituído de carga moral, de sentido, de "dentro"), como que desintelectualizado, volve-se em Caeiro o natural pensado, o natural do pensamento. O que num é mero sentir, sem pensar, ou pensado em função da beleza plástica, fruto da emoção e da sensação, no outro se transfigura em pensamento voltado para a emoção e a sensação. Se o clérigo é, como lembra Camilo Castelo Branco, pastor de almas[17], Alberto Caeiro é o filósofo por ser guardador de ideias/sensações. Ser mestre, por isso, é decorrência natural da sua condição de filósofo, pastor de pensamentos/emoções. Se até o advento de Caeiro não se levava em conta que o pensador estava para as ideias assim como o clérigo para as suas almas, depois dele se pode admitir que assim seja. Ele seria mestre também por descobrir, no exercício de ser poeta, o de ser filósofo, aquele que pastoreia ideias, conceitos.

Assim, a sua condição de mestre estaria intimamente vinculada à sua condição de pastor de ideias, ou seja, de filósofo – ou, quando pouco, poeta-filósofo, à maneira dos poetas da Natureza, como Lucrécio, que por isso se avizinharam da Filosofia, correndo mesmo o risco de abandonar o recinto da poesia. Sá-Carneiro seria, em contrapartida, o poeta-esteta. Caeiro guarda rebanhos/ pensamentos/emoções/sensações, enquanto Sá-Carneiro não guarda rebanhos/ ideias/emoções/sensações: ele não as guarda no sentido da *cogitatio*, de cuidar de seres fora do pensamento/sensação, como faz o pastor de ovelhas. Ele não as guarda, não as põe em cogitação, não as submete à reflexão conceptiva: tem-nas, incorporadas em si, como matéria inalienável ao seu modo de enfrentar a realidade do mundo. Em síntese, Caeiro guarda o que, em Sá-Carneiro, era sua naturalidade congênita, manifesta em sensações/emoções/imagens.

Essa diferença explica por que Caeiro se tornou o mestre dos heterônimos, ao passo que a Sá-Carneiro restaria a função de modelo, fonte de inspiração (o que não é pouco, convenhamos): faltava-lhe, para alcançar tal objetivo, pôr o intelecto em funcionamento para analisar e compreender a relação com a Natureza. Ele simplesmente viveu, experimentou com suma intensidade, suas emoções/sensações/imagens, e soube expressá-las como ninguém antes dele em vernáculo – e talvez ninguém depois – mas isso não o transformaria em mestre. Portanto, precisaria pensar suas emoções e imagens. Por outro lado, o Pessoa "ele mesmo" não poderia ser o mestre, porque nele também o sentir era possessivo, o culto da beleza (por momentos representado nos "ismos" que lançou em circulação, desde o Paulismo até o Paganismo) predominava, marejava-lhe os olhos de bruma. E por isso acabaria igualmente discípulo do Caeiro que se mirou em Sá-Carneiro para constituir-se.

Como também Bernardo Soares, esse excêntrico semi-heterônimo que surge ao seu criador sempre que está "cansado ou sonolento, de sorte que tenha um pouco suspensas as qualidades de raciocínio e de inibição"[18]. Parece referir-se a Sá-Carneiro, não é verdade? O autor do *Livro do desassossego* era, ao fim e ao cabo, um heterônimo decadente, puro sentimento e mágoa, uma espécie de *alter ego* de Sá-Carneiro, ou o heterônimo "Sá-Carneiro" de Pessoa. Ele o sugere em seu livro-caixa, livro-sensação: "E tudo se me confunde num labirinto onde, comigo, me extravio de mim." Mais adiante confessa:

"Numa grande dispersão unificada, ubiquito-me neles e eu crio e sou, a cada momento da conversa, uma multidão de seres, conscientes e inconscientes, analisados e analíticos, que se reúnem em leque aberto."

Note-se ainda esta confidência: "Perder-se entre paisagens como quadros. Não ser a longe e cores..." Mais isto: "Desolo-me a seda rota. Desconheço-me a luz e tédio." E por fim: "Não posso ser nada nem tudo: sou a ponte de passagem entre o que não tenho e o que não quero."[19] Quem se negaria a reconhecer que parece estarmos ante o poeta de *Indícios de oiro* ou o contista lírico de *Céu em fogo?*

Era preciso, portanto, alguém que transfigurasse, caldeasse, o sentimento, a emoção, por meio do pensamento, assim apontando aos discípulos (heterônimos) onde/como a poesia se manifestava. Operasse Caeiro como Sá-Carneiro, e apenas lhe repetiria a trajetória, sem erguer-se ao nível do mestre. Para o ser, impunha-se pensar o que no outro era puro sentir; e foi o que aconteceu, graças ao movimento desestruturador do intelecto de Pessoa: o que dentro dele sabia que Sá-Carneiro era *o* poeta (como que impelido pelo "o que em mim sente 'stá pensando") põe-se a pensá-lo para o conhecer melhor, ver-lhe a máquina alquímica em plena atividade, assimilá-la, reproduzi-la. E ao fazê-lo, criava-se mestre, criava o seu mestre. O privilégio de ter como amigo íntimo e companheiro de geração um poeta da têmpera de Sá-Carneiro possibilitava-lhe imaginar o mestre para os heterônimos e, quem sabe, desenvolver-se como poeta: ali encontrava a matriz na qual se abeberava para, dando forma ao seu mestre, gerar as suas criaturas mentais.

5

Se a nossa hipótese procede, estaremos a braços com uma explicação que, adensando ainda mais a genialidade pessoana, autoriza trazer à luz a magnitude de Sá-Carneiro como poeta. Afinal, Fernando Pessoa soube perceber que dialogava com uma sensibilidade rara em qualquer literatura, talvez cônscio de que ela marginalizaria o seu portador – como de fato sucedeu – em relação ao seu tempo, e o prejudicaria no tocante à posteridade. O que também se verificou: Sá-Carneiro ainda se encolhe, injustamente, na imensa sombra projetada por Fernando Pessoa. Sem perfilhar o juízo de José Régio, segundo o qual, "a par da força e da intuição com que, talvez em razão da sua própria anormalidade, o gênio de Sá-Carneiro exprime isso que parece uma antevisão ou um sonho dum homem futuro mais completo – a personalidade múltipla – parece a tentativa do seu amigo Fernando Pessoa, com a criação dos seus heterônimos, um arremedo pobre de intelectual,"[20] trata-se do segundo grande poeta de sua geração. E o fato de ter sido, provavelmente, o modelo para que Caeiro se mostrasse o mestre dos heterônimos é razão suficiente para o tirar do relativo ostracismo em que jaz.

Por fim, não se perca de vista que esta hipótese ganha em ser confrontada com a outra, que expusemos noutro lugar. Ambas, e mais a terceira, que esperamos examinar noutra ocasião, explicariam, até onde nos é dado ver claro nesse "novelo embrulhado para o lado de dentro", por que Alberto Caeiro se tornou o mentor de Fernando Pessoa e demais heterônimos. Ao fim de contas, a complexa e múltipla interpretação que se possa erguer para a eleição de Caeiro como mestre não poderia escapar de refletir a emaranhada e multímoda personalidade do seu criador.

1992

Notas

1. Publicado no suplemento literário "Cultura", de O Estado de S. Paulo, de 24 de novembro de 1985, e mais tarde inserido em Fernando Pessoa: o espelho e a esfinge, S. Paulo: Cultrix/EDUSP, 1988, pp. 147-160.
2. Dieter Woll, Realidade e idealidade na lírica de Sá-Carneiro, tr. port., Lisboa: Delfos, 1968, pp. 77, 78, 79.
3. Alberto Caeiro, Poemas, Lisboa: Ática, 1946, p. 87, em cotejo com a edição facsimilada e o texto crítico, organizados por Ivo Castro: O manuscrito de "O guardador de rebanhos" de Alberto Caeiro, Lisboa: Publicações Dom Quixote, 1986.
4. Mário de Sá-Carneiro, Poesias, Lisboa: Ática, 1946, p. 62.
5. Alberto Caeiro, op. cit., p. 54.
6. Idem, ibidem, pp. 52-68.
7. Idem, ibidem, p. 37.
8. Mário de Sá-Carneiro, Cartas a Fernando Pessoa, 2 vols., Lisboa: Ática, 1958-1959, vol. I, pp. 73, 88.
9. Idem, ibidem, vol. I, pp. 133, 171.
10. Idem, ibidem, vol. I, p. 173.
11. Fernando Pessoa, Obras em prosa, org. de Cleonice Berardinelli, Rio de Janeiro: Aguilar, 1974, p. 450.
12. Fernando Pessoa, Páginas de doutrina estética, org. de Jorge de Sena: Lisboa, Inquérito, 1946, pp. 263-264.
13. Mário de Sá-Carneiro, Cartas a Fernando Pessoa, vol. 1, p. 110.
14. Alberto Caeiro, op. cit., p. 52.
15. Fernando Pessoa, Obras em prosa, p. 270.
16. Jorge de Sena, Fernando Pessoa & Cia. heterónima, 2ª ed., Lisboa: Edições 70, 1984, p. 450.
17. Camilo Castelo Branco, O Bem e o mal, 19ª ed., Lisboa: Parceria A.M. Pereira, Ltda., p. 24.
18. Fernando Pessoa, Páginas de doutrina estética, p. 268.
19. Bernardo Soares, Livro do desassossego, 2 vols., recolha e transcrição dos textos de Maria Aliete Galhoz e Teresa Sobral Cunha, pref. e org. de Jacinto do Prado Coelho, Lisboa: Ática, 1982, vol. l, pp. 25, 29, 196, vol. II, pp. 21, 163.
20. José Régio, Pequena história da moderna poesia portuguesa, Lisboa: Inquérito, 1941, p. 83.

13

Fernando Pessoa e os poemas dramáticos

1

"Drama em gente", "despersonalização dramática", assim Pessoa denominou, como sabemos, o mecanismo gerador dos heterônimos. Traía, com isso, a sua vocação dramatúrgica, ou a sua aspiração maior: tornar-se um autor de teatro, à maneira dum Shakespeare, tantas vezes citado e referido em sua prosa. Em missiva a João Gaspar Simões, de 11 de dezembro de 1931, fornece ao destinatário o que seria, a seu ver, a chave da sua personalidade:

"Desde que o crítico fixe, porém, que sou essencialmente poeta dramático, tem a chave da minha personalidade, no que pode interessá-lo a ele, ou a qualquer pessoa que não seja um psiquiatra, que, por hipótese, o crítico não tem que ser. Munido dessa chave, ele pode abrir lentamente todas as fechaduras da minha expressão. Sabe que, como poeta, sinto; que, como poeta dramático, sinto despegando-me de mim; que, como dramático (sem poeta), transmudo automaticamente o que sinto para uma expressão alheia ao que senti, construindo na emoção uma pessoa inexistente que a sentisse verdadeiramente, e por isso sentisse, em derivação, outras emoções que eu, puramente eu, me esqueci de sentir."

E em carta a Adolfo Casais Monteiro de 20 de janeiro de 1935, em continuação daquela famosa de 13 do mesmo mês, em que explica a gênese dos heterônimos, diz, inequivocamente:

"O que sou essencialmente – por trás das máscaras involuntárias do poeta, do raciocinador e do que mais haja – é dramaturgo."[1]

Não poucas ilações se tiraram dessas confidências, notadamente para desvendar o mistério da heteronímia. Por outro lado, sabe-se da grande admiração de Pessoa por Shakespeare, a ponto de fazer supor que sua vontade máxima seria igualá-lo e, talvez, suplantá-lo. "Histeroneurastênico" é a classificação que lhe ocorre ao falar de si, mas histeroneurastênicos lhe parecem Hamlet e o seu criador. A sintomática identificação não se interrompe aí: ao estudar os graus da poesia lírica, leva a empatia com o dramaturgo inglês ao extremo, ou, se preferirmos, ao fundo do seu "caso" – a heteronímia –, pelo menos da sua própria perspectiva. Expõe ele:

"O quarto grau da poesia lírica é aquele, muito mais raro, em que o poeta, mais intelectual ainda mas igualmente imaginativo, entra em plena despersonalização. Não só sente, mas vive, os estados de alma que não tem diretamente. Em grande número de casos, cairá na poesia dramática, propriamente dita, como fez Shakespeare, poeta substancialmente lírico erguido a dramático pelo espantoso grau de despersonalização que atingiu."[2]

Não estranha que tal consciência, ou pretensão, ou proposta, se convertesse numa série de obras, denominadas "poemas dramáticos", ou "dramas estáticos" ou "teatro estático". Que conteúdo discernia ele nessas expressões? Por que não simplesmente peças de teatro, ou o emprego dos títulos sem o rótulo?

Como de hábito, Pessoa não deixa sem esclarecimento os pontos fulcrais da sua doutrina. Se optou por tais nomeações é porque acreditava serem as mais adequadas aos textos que já escrevera ou tinha em projeto. E não só: elaborava a fundamentação teórica que lhe garantia a prática desse tipo de drama. Quanto ao "teatro estático", equivalente, na sua pena, a "drama estático", legou pelo menos um fragmento, presumivelmente de 1914, em que lhe elucida o sentido:

"Chamo teatro estático àquele cujo enredo dramático não constitui ação – isto é, onde as figuras não só não agem, porque nem se deslocam nem dialogam sobre deslocarem-se, mas nem sequer têm sentidos capazes de produzir uma ação; onde não há conflito nem perfeito enredo. Dir-se-á que isto não é teatro. Creio que o é porque creio que o teatro tende a teatro meramente lírico e que o enredo do teatro é, não a ação nem a progressão e consequência da ação – mas, mais abrangentemente, a revelação das almas através das palavras trocadas e a criação de situações (...) Pode haver revelação de almas sem ação, e pode haver criação de situações de inércia, momentos de alma sem janelas ou portas para a realidade."[3]

Lucidamente, Pessoa assinala a característica básica dessa modalidade teatral: a ausência de ação, de conflito, de enredo. E na sequência do pensamento, antecipa-se a responder ao possível argumento negando a teatralidade do "drama estático". Primeiro: acredita "que o teatro tende a teatro meramente lírico", o que só pode ser entendido como generalização discutível, ou mesmo inaceitável – da corrente predominante no teatro simbolista. Não obstante, a afirmativa é relevante por evidenciar a inclinação de Pessoa nessa altura da sua carreira, para não dizer de toda ela: a fusão do drama com a poesia. Para ele, "o tipo sintético do drama atinge a sua plenitude no drama em verso. Por ser em verso atinge o máximo da expressão verbal de um temperamento, que em verso se acentua muito mais que em prosa. Por ser drama reduz essa [expressão] verbal à objetividade"[4] – não permitindo que se duvide de suas preferências em matéria de teatro.

Segundo: ele entende que "o enredo de teatro é, não a ação nem a progressão e consequência da ação", etc., o que suscita reparos por preconizar a especificidade do enredo teatral, mas indispensável pelo restante da explanação. Afinal, o drama estático encerra a "revelação de almas": aqui se localiza, inquestionavelmente, uma das chaves, se não *a* chave, para a interpretação dos "dramas estáticos" pessoanos.

No mesmo texto em que trata dos graus da poesia lírica, Pessoa apresenta outra chave importante para o (seu) entendimento do "poema dramático". Após creditar a Browning o apelativo, esclarece que "os poemas dramáticos (...) não são dialogados, mas monólogos revelando almas diversas, com que o poeta não tem identidade, não a pretende ter e muitas vezes não a quer ter".

Monólogos, dispostos em falsos diálogos, por meio dos quais as almas se revelam, sem apelo à ação, conflito ou enredo – eis, em síntese, a luminosa teoria de Pessoa a esse respeito. Como sempre, a lucidez pessoana trabalha com o paradoxo ou a contradição, de resto implícita na própria dicotomia "poema dramático" ou "drama estático". Os dois termos contrastam entre si: o vocábulo "poema", que se liga etimologicamente à ideia de "criar, construir, elaborar", remete para a poesia, enquanto "dramático" e "drama", cuja etimologia aponta o sentido de "ação, ação representada", se vinculam ao teatro.

Não obstante todas as formas e tentativas de fundi-los, o teatro e a poesia constituem atividades por natureza divergentes, a principiar do fato de o teatro ser a arte do espetáculo, assim como a ópera, o *ballet,* a mímica, o circo, etc. E se aceitarmos que o vocábulo "drama" designa o texto destinado à representação, somente como texto é que pode enquadrar-se no perímetro da literatura. Sucede que Pessoa emprega indistintamente "teatro" e "drama", levando a pensar que, na sua mente, esse gênero de teatro visava também à encenação, o que, por certo, não é pertinente.

Se a poesia se identifica pela expressão metafórica do "eu", e o teatro é a arte do espetáculo, que no diálogo entre personagens descobre a sua razão de ser, segue-se que a junção de ambos cria, pelo menos, o paradoxo. Tudo se passa como se o poeta vazasse num molde oco, o teatro, um conteúdo inadequado, o poético: o continente é dramático; o conteúdo, poético. Dramático, ou teatral, por sua forma, dado que se organiza como uma cadeia de diálogos, num cenário que se descreve com minúcias. Formalmente, teatro, visando ao espetáculo; essencialmente, poesia, numa tensão a um só tempo negativa e positiva: não podendo ser teatro, isto é, transformar-se em representação, o texto retira dessa virtualidade um alto efeito, o de sugerir um espaço para o diálogo, ou melhor, para a poesia. E, não podendo ser um único monólogo, como na poesia, especialmente a lírica, o texto extrai da multiplicidade de vozes, que o teatro implica, efeitos surpreendentes, como se vários poemas, em vez de personagens, contracenassem no espaço imaginário.

A tensão entre a forma teatral e o conteúdo poético não poderia, pois, manter-se caso as duas categorias perdurassem como tais, preservando a forma o halo teatral e resistindo o conteúdo ao arcabouço em que se hospeda. E ambos se entregam a uma inevitável osmose: o dramático torna-se poético, e a poesia se dramatiza, ou se teatraliza. A permuta objetiva-se e submete-se à prova por intermédio da leitura: o poema, destinado a ser lido, passa a ser visto; e o drama, votado ao espetáculo, é lido. Lemos o drama e vemos o poema. A imaginação, em vez de concentrar-se no cenário e na ação, vaga no espaço que a poesia descortina: ver e imaginar se correspondem e a leitura revolve a planície do drama.

Ao percorrer as linhas que formam os diálogos, enfrentamos duas camadas estéticas, não semânticas: os olhos acompanham as falas 1) como se lessem o espetáculo que transcorreria no palco se tivesse condições para tanto; e 2) como se presenciassem o poema. Este, ganha iconicidade; aquele, torna-se espetáculo, numa mobilidade que é a das figuras de um vitral animadas de voz, único gesto a denunciar a existência de vida. A tensão se estabelece, pois, entre o poético concebido como encenação, e o drama, como estatuária. De onde o nome, "drama estático": o estático refere-se ao drama precisamente porque o poema conquista inesperada mobilidade, como se as palavras acelerassem ao máximo o dinamismo que, gerado pela interação das forças de coesão e repulsão, ostentam nos textos poéticos. Ou como se a exclusiva ação fosse a das palavras, em perpétuo movimento.

A essa luz, compreende-se que não se trata de teatro propriamente dito, para representar, mas também não é teatro de gabinete, que aspira à vida em cena. Os "poemas dramáticos" somente se destinam à leitura, não apenas por faltar-lhes a ação, senão porque o autor vê o texto como o espaço em que o "eu", qual à frente de um espelho, se dramatiza a si próprio. A forma é dramática na aparência, pois a dramatização se opera dentro de um "eu" que se manifesta como uma série de duplos em diálogo. O teatro se passa no íntimo do "eu", e por isso reclama ser visto como a exibição do "eu", portanto como poesia, num momento de suprema transfiguração, quando o "eu" se desdobra em projeções caracterizadas como tonalidades, não como personagens. Qualquer semelhança com os heterônimos (não) é mera coincidência: o narrador é um só, o "eu", e as personagens não possuem autonomia, pois cada duplo gerado é idêntico ao "eu", numa interminável sucessividade. Pode mudar o nome (Alberto Caeiro, etc.), podem ser três veladoras, como em *O marinheiro*, que o resultado é sempre o "eu" pessoano a multiplicar-se em seus iguais, como as células se dividem para dar origem a outros organismos.

Pessoa parece realizar nos "poemas dramáticos" o ideal de Poesia que perseguiu a vida inteira: o espetáculo ("dramático") está no texto impresso para a contemplação do leitor; e a poesia ("poema"), nas falas das personagens. Nesse intercâmbio, de suma ambivalência, ainda se reconhece o ideal de Poesia: esta, não mora no poema, senão além dele; as palavras que lhe desenham a forma simbolizam a Poesia, situada antes ou depois do poema. Com os "poemas dramáticos", Pessoa concretiza o sonho de todo poeta: fazer que a poesia se instile nas palavras, miradas no horizonte da página. Poesia sinônimo de palavra; daí esta exibir espessura e tornar-se fim, e não meio. Estamos, ainda e sempre, perante a esfinge ao espelho, o oculto revelado, mas não decifrado, força motriz da cosmovisão pessoana.

2

Deixando para mais adiante outros aspectos da ênfase no poético, relembremos que o "poema dramático" tem origem no Simbolismo, e entre as bordas dessa corrente literária se movimenta. A Maeterlinck se deve não só a expressão "drama estático", mas ainda o modelo que teria servido a Pessoa e aos demais cultores desse gênero de teatro, alinhados com a estética simbolista, como Eugênio de Castro e Antônio Patrício.[5]

Ao terminar *O marinheiro*, a 11/12 de outubro de 1913, Pessoa tentou publicá-lo em *A águia*, de que era colaborador. Mas os dirigentes do órgão da "Renascença Portuguesa" e do Saudosismo de Teixeira de Pascoaes decerto julgaram-no demasiado insólito, conforme sublinha Maria Teresa Rita Lopes, estudiosa do teatro pessoano. Seja como for, tendo-o pronto, ou preferindo-o aos demais em elaboração, veio a estampá-lo no número inaugural de *Orpheu*, saído em 1915, o que por si só documenta a ligação da revista com o Simbolismo e o Decadentismo e, mais particularmente, o quanto Pessoa ambicionava ser conhecido como dramaturgo.

Como se, pondo-o em letra de fôrma, cumprisse a missão de cunhar um símbolo de múltiplos sentidos, englobando tudo o mais que fizesse nesse terreno, Pessoa não mais dará a lume outro texto análogo, nem mesmo completará vários que trazia em mãos ou em plano. *O Primeiro Fausto*, sendo o que mais se aproximou do seu termo, não recebeu a arrumação final que o Poeta lhe emprestaria, à semelhança de *O marinheiro*. Além deles, outros ficaram a meio caminho, oscilando entre uma página e dezenas delas, manuscritas e/ou datilografadas, a saber: *O encoberto, Catástrofe, Inês de Castro, Leonor Teles, Briareu, Livor, Encetado, Typhon, Cephisa, Ligeia, Sessão dos deuses, Calvário, Sakyamuni, Prometeus revinctus* (mais adiante batizado de *Prometeus rebound*),

Salomé, A *morte do príncipe, Diálogo no jardim do palácio*. Quanto a "Na floresta do alheamento", por vezes incluído entre os "poemas dramáticos", é um poema em prosa pertencente ao *Livro do desassossego*.

O exame desses "poemas dramáticos" incompletos, e na quase totalidade inéditos[6], permite adivinhar, para além de a temática ser a histórica e/ou mítica, denominadores comuns, como se, em verdade, com *O marinheiro* Pessoa esgotasse o seu repertório de símbolos ou arquétipos dramáticos, ou buscasse, naquele e demais textos, o "poema dramático" que lhe condensasse a visão do mundo. Em *Diálogo no jardim do palácio*, a personagem A diz: "Ando atada a um meu sonho que sou eu", e B recorda "o mistério das cousas", como hipotético assunto para preencher as horas vazias. Em A *morte do príncipe*, o protagonista interroga: "Por que não seremos nós – homens, deuses, e mundo – sonhos que alguém sonha, pensamentos que alguém pensa, postos fora sempre do que existe?", ou confessa: "Talvez que as minhas sensações é que me sintam a mim...", ou horroriza-se: "Há em mim labirintos de não poder ver... (...) Vejo através das cousas... (...) Vejo através das cousas como através de um véu leve que tivesse sobre os olhos... Vejo através das cousas como através dos meus olhos... As cidades sonhadas é que eram... reais..." Em nota igualmente transcrita por Maria Teresa Rita Lopes, Pessoa assinala o *sentido* que porventura pretendia desenvolver nesse poema: "intersecção do Mistério com a Sensação". E num outro apontamento, classifica "Os cinco tipos de ritual", acrescentando-lhes uma explicação que vale a pena registar: "O símbolo e o ritual são os modos de uma alma superior comunicar com outra, inferior, sem que tenha necessidade de palavras. São como um olhar que se entende, olhando, com outro olhar." Não fosse deixar de lado outras facetas relevantes da produção poético-dramática de Pessoa, dir-se-ia que aí se congregam as suas principais matrizes, ou pelo menos algumas delas, necessárias à interpretação dos outros "poemas dramáticos".

3

Tanto quanto *Mensagem*, que levou toda a vida a burilar, decerto seguindo o exemplo de Goethe, Pessoa propôs-se desde muito cedo a escrever a sua versão do mito de Fausto. O fragmento mais antigo data de 1908, tinha ele vinte anos, e o derradeiro é de 1933, dois anos antes da sua morte. Inicialmente, o projeto envolvia dois Faustos; mais tarde, pensou adicionar-lhe um terceiro, mas apenas deixou retalhos do primeiro e um roteiro que nos fornece clara ideia da sua intenção nessa espécie de *Urfaust* lusíada.

Começa por dizer que "o conjunto do drama representa a luta entre a Inteligência e a Vida, em que a Inteligência é sempre vencida. A Inteligência é representada por Fausto, e a Vida diversamente, segundo as circunstâncias acidentais do drama". Essa luta se prolongaria por cinco atos: "No 1º ato, a luta consiste em a Inteligência querer compreender a Vida, sendo derrotada, e compreendendo só que não podemos compreender a Vida (...); no 2º ato a luta passa a ser da Inteligência para dirigir a Vida, sofrendo na tentativa igual derrota, embora de outra maneira (...); o 3º ato envolve a luta da Inteligência para se adaptar à Vida, que, neste ponto, é, como é de esperar, representada pelo amor, isto é, por uma figura feminina, Maria (...); no 4º ato a tentativa que falha é a de dissolver a Vida, em que a raiva da inimizade falha entre a capacidade de reação da Vida (...) e a Indiferença entre os grandes fins (...); no 5º ato temos, finalmente, a Morte, a falência final da Inteligência ante a Vida." Quanto ao "tema geral, aliás da obra inteira, pois que é o tema central da Inteligência", é dado pelo "mistério do Mundo".[7]

O Fausto que cruza essas etapas de peregrinação existencial é a personificação do ser dilacerado entre o conhecimento e a inocência (ou o Amor). Espécie de heterônimo, mas heterônimo-síntese, ou heterônimo primordial, encarna a crise do Humanismo detonada pelo Romantismo. É não só a noção de "homem" que entra no ocaso, como também a do liberalismo inaugurado com o advento do ideário romântico. De ascendência germânica quinhentista, a lenda do Fausto alcançou dimensões universais na visão de Goethe. O protagonista vende a alma a Mefistófeles em troca do saber, mas sente falta da inocência, representada por Gretchen (ou Margarida). No fim da segunda parte, a alma de Fausto é salva por um coro de anjos.

Na pena de Pessoa, o mito adapta-se ao mundo latino: Fausto contracena com um Velho (reminiscência do Velho do Restelo?) em lugar de Mefistófeles, acabando por estrangulá-lo para apossar-se do filtro que lhe daria o ambicionado conhecimento. E em vez de Maria, defronta-se com a própria encarnação do Amor. Na óptica goethiana, o mito assume cariz alegórico, simbolizando o desmoronar do mundo clássico pela irrupção do Romantismo, e a um só tempo manifestando a nostalgia da ordem, fundada na ideia de que o conhecimento libertaria o ser humano. Pessoa atribui ao mito feição romântica: Fausto pede amor a Maria, desconfiado de que o saber não o redimiria, visto que o filtro do Velho, em vez de trazer-lhe a paz decorrente da posse do saber, mergulha-o em angustiante conflito interior.

Assim, o mito fáustico, na interpretação pessoana, prenuncia o desabar do universo romântico, a crise ou a falência do culto à individualidade, e a suspeita de que no íntimo de Fausto mora a dolorosa reminiscência duma utopia, não como espaço anterior, num tempo pretérito, e que é necessário perseguir, ainda que à custa da própria vida. Fausto representaria os poetas, e o ser humano em geral, para quem o sonho é condição vital, e não apenas no sentido psicológico.

A esfinge, reduplicada em mil imagens, indaga-se em vão, "como um quarto com inúmeros espelhos fantásticos que torcem para reflexões falsas uma única anterior realidade que não está em nenhuma e está em todas".[8] A esfinge agora é, ou descobre-se que é, ao fim de contas, o Fausto, a sua projeção fundamental, o seu duplo, no dizer de um crítico[9], como se nele deparasse a vera (única) efígie e lograsse saber quem é, e nos permitisse saber quem ele é e quem somos. O processo heteronímico, movido pelo processo do conhecimento, concentra-se, capta o símbolo-matriz, o do saber em plenitude. Se "fingir é conhecer-se", Fausto é o supremo fingimento de que Pessoa foi capaz. A sua morte, porém, significa a derrocada do saber diante da Vida, mas também denota que a Inteligência somente tem sentido em face da Vida, e vice-versa. Preso à Vida, apenas resta a Fausto/Pessoa, a busca do saber, não para salvar-se – pois não há salvação para quem naufraga na Imanência –, senão para doar um sentido à Vida. Esse, em síntese, o significado, ou um dos significados fundamentais, do *Fausto* pessoano.

4

Escrevendo *O marinheiro* duma só assentada, a ser verdadeira a data de 11/12 de outubro de 1913 registrada no final do texto, e publicando-o na íntegra em *Orpheu*, decerto Pessoa realizava uma secreta, mas talvez não de todo inconsciente, aspiração, e oferecia a (ou uma) súmula de sua visão da literatura e da Vida. É lícito suspeitar que a sua aspiração fosse provavelmente a de *ver* o seu projeto poético de uma forma unitária e cristalina, para nortear-se dali por diante e para que à sua luz fosse compreendido tudo quanto lhe escorresse da pena. Em suma, um programa estético não teórico, entendido desde logo como prática: a poética pessoana.

A suspeita torna-se plausível na medida em que não percamos de vista a particularidade de *O marinheiro* 1) ter sido o *único* "poema dramático" integral e sistematicamente escrito, 2) ter sido o *único* publicado em vida, e 3) conter soluções estéticas imprescindíveis ao entendimento de toda a obra de Pessoa, a começar do persistente problema dos heterônimos até convergir para recantos esotéricos ou ocultos da sua personalidade e dos seus processos de criação literária.

Pessoa imagina um quarto circular num "castelo antigo", onde três donzelas velam uma donzela morta, sentadas à frente duma "única janela, alta e estreita, dando para onde só se vê, entre dois montes longínquos, um pequeno espaço de mar". As três veladoras passam a noite a conversar, e uma delas, a segunda, narra um sonho com um marinheiro.

Note-se, primeiro que tudo, a circularidade do espaço, fazendo eco à circunstância nada fortuita de o quarto encontrar-se num "castelo antigo". Trata-se, pois, de uma torre – uma torre de marfim. As donzelas estão fora da realidade, insuladas nas alturas, apenas descortinando uma nesga de mar ao longe. Dão costas ao mundo lá fora assim como à morta, única razão de estarem ali. E a torre desse "castelo antigo" onde se localiza? Em parte alguma, ou em toda parte onde seja verossímil haver um "castelo antigo", o que dá no mesmo: o drama transcorre sob o signo da inespacialidade. Observe-se que o fato de ser circular o quarto acentua o caráter indeterminado, e a um só tempo infinito, da geografia do poema. "Drama estático", *O marinheiro* situa-se na Utopia.

A circularidade espacial reflete, ou coincide com, a circularidade do tempo, visto que uma inclui a outra: sabe-se que é noite, e nada mais; *vê-se* que as horas pingam dum relógio ausente, e o velório (e o poema) finaliza(m) com o despontar da aurora. Mas em que tempo? Nem o presente, nem o passado, nem o futuro: o tempo do drama é o do (falso) diálogo entre as veladoras; é acrônico, ou é o tempo da sequência das palavras na superfície do texto. Tempo da poesia. Nem 1013, nem 1613, nem 1913: o tempo do mito, que se autogera e cria o espaço, exterior às coordenadas euclidianas, em que transcorre. "Drama estático", *O marinheiro* flui na Ucronia, num tempo utópico, mítico.

A indeterminação do tempo e do espaço avulta à medida que a história do marinheiro vai tomando conta do diálogo: afinal de contas, o título do poema exige e justifica que se tornasse o centro das rememorações das veladoras. Mas é que se trata de um sonho, afastando para mais longe a realidade concreta do círculo fechado em torno das veladoras. Acontece, no entanto, que o clima onírico perpassa todo o drama, ainda quando o marinheiro se alheia das falas, sugerindo perguntar onde para a realidade e onde inicia o sonho, ou antes, em *O marinheiro*, o que é real e o que é sonho?

Constituindo o esteio do diálogo, o sonho do marinheiro, ou o seu protagonista, adquire foros de real, em oposição à atmosfera reinante na torre: apesar de sonho, carregado de toda a simbologia inerente ao drama, é mais "concreto" que a "realidade" das três donzelas. A perplexidade, que se avoluma na mente do leitor/espectador à proporção que o sonho se delineia, também invade a segunda veladora, como se, do interior do sonho, se pusesse a desconfiar dele:

> "Por que não será a única coisa real nisto tudo o marinheiro, e nós e tudo isto aqui apenas um sonho dele?..."

Obviamente sem resposta, a dúvida patenteia a fusão dos planos da realidade e do sonho que está na base de *O marinheiro* e, de certo modo, de toda a obra pessoana. Pessoa rendia tributo ao Interseccionismo que preconizava ao tempo de *Orpheu*, e, por meio dele, ao Cubismo: *O marinheiro* é um "drama estático" tipicamente interseccionista, ou mesmo cubista, na sua estrutura.

Intersecção de planos: será *O marinheiro* a dramatização de um sonho enfeixando outro sonho? Quem sonha? O marinheiro sonha o velório? Sonham as veladoras que estão numa torre de um "castelo antigo"? Ou sonha o narrador/dramaturgo, isto é, Fernando Pessoa? Não obstante a relevância notória do marinheiro como herói e símbolo, as veladoras é que podem sugerir alguma pista.

Pessoa elegeu três donzelas para velar a morta: por que três, e não cinco, ou sete? É de acreditar que antes de tudo o movesse, quem sabe inconscientemente, uma razão de ordem simbólica: o número 3, símbolo da perfeição, guarda esotéricas ressonâncias. A nunca desmentida inclinação ocultista do Poeta alcançaria no encontro das veladoras uma de suas supremas materializações, e o número 3 estaria a seu serviço.

A mitologia greco-latina também pode ser lembrada para explicar o "mistério" das três veladoras: correspondem às três Parcas (ou Moiras), que simbolizam o destino, e intervêm nos momentos cruciais da vida humana, o nascimento e a morte, e por isso representam a dualidade do Bem e do Mal. As veladoras falam da vida e da morte, como situações intercambiáveis, refletem acerca do efêmero da existência e, como as Parcas, tecem e destecem o fio da existência, à sombra do destino imutável. Cloto, Láquesis e Átropos, assim se chamam as Moiras; as veladoras carecem de nome e de corpo, pois não faz diferença, para a morta, para quem sonha (com a morte) e para o espectador (do drama = do sonho = da morte) quem tece, quem enrola e quem corta o fio da vida.

À conotação simbólica e mitológica soma-se a psicológica, formando as três uma só entidade. Se, para a compreensão do sonho da segunda veladora, é procedente apelar para a libido freudiana, a psicologia analítica de Jung parece apropriada à interpretação das veladoras. Mais ainda: a visão junguiana engloba as outras duas, em decorrência de o psicólogo suíço fundamentar-se nos conteúdos simbólicos e mí(s)ticos para as suas incursões pelos reinos intrapsíquicos.

Da perspectiva junguiana, as três veladoras seriam *animas* do "eu" que se (auto)descreve, ou se investiga, ou se revê como a um espelho, no espaço do drama. Que "eu" seria esse? Um "eu" virtual, um "eu" simbólico e mítico, um "eu" arquetípico? Sem abrir mão desta hipótese, é de acreditar que estamos perante a costumeira relação que o "eu" do poeta estabelece com o "eu" do poema: é um outro "eu", mas, a um só tempo, o duplo do poeta. O "eu" seria o do narrador/ dramaturgo, isto é, Fernando Pessoa, que se projetaria na tela do poema, no espaço imaginário do "castelo antigo", para se contemplar. E as veladoras constituem projeções anímicas. Não surpreende que sejam *animas* quando nos habituamos a imaginá-lo em transe de multiplicação heteronímica. Pessoa exibiria três *animas* (ou mais) em vez de uma só; é ele quem sonha o sonho do drama, no qual a segunda veladora/*anima* sonha com um marinheiro: aí o fulcro de O marinheiro e, quem sabe, a representação dramática, visível, plástica, do mecanismo gerador dos heterônimos. A esfinge mira-se nos mil espelhos autorrefletidos no quarto circular do seu "eu": procura sua verdadeira imagem no desdobramento especular que – insondável paradoxo – se incumbe de eliminá-la para sempre.

Uma das *animas* sonha com um marinheiro – sonharia com um arquétipo (por que não?), mais adiante personificado em Álvaro de Campos?, um arquétipo sintonizado com o Mar, com a Pátria?, núcleo propulsor de *Mensagem*? Sonharia a *anima* com a ideia de revisitar *Os lusíadas*? Enquanto isso, as outras ouvem-na, e à medida que lhe acompanham a narrativa vão-se assenhoreando do mesmo e único sonho, o do marinheiro, e do mesmo e único sonho que o marinheiro tem, ou constrói, com a "nova pátria, um lugar onde nascera, os lugares onde passara a juventude, os portos onde embarcara... Ia tendo tido os companheiros da infância e depois os amigos e inimigos da sua idade viril..." Quanto haveria de autobiográfico em tal sonho, é assunto que não podemos, no momento, avaliar.

E a morta, como interpretá-la? Afinal, ela é a razão, posto que acidental, de estarem ali as três veladoras. Não causa surpresa que seja uma donzela e não um donzel, algo como um duplo do marinheiro? Tudo seria diferente se não se tratasse de uma donzela como as outras. Mas como imaginá-lo não vem ao caso, consideremos que a morta é, acima de tudo, o símbolo da morte (ou da Morte) que as donzelas/Parcas velam. Contudo, do prisma psicológico, é outra *anima*: é a *alma* do narrador/dramaturgo, a sua *anima* morta. Paradoxo, ainda uma vez, mas é dele que se alimenta a situação dramática de *O marinheiro*: as veladoras – as *animas* do Poeta – estão a velar-lhe a alma, morta, e misteriosa – e o mistério é um dos temas das falas das veladoras e um dos suportes do mundo que se estrutura no "poema dramático". O "eu" do Poeta é habitado por uma alma, morta e misteriosa, velada por três *animas*: aí o quadro desse "drama estático", e o núcleo gerador dos heterônimos. Pessoa paga com a morte da alma a divisão heteronímica; ou os heterônimos nascem do desejo de preencher o vazio da alma: as duas alternativas se equivalem e têm por consequência o mesmo fenômeno multiplicativo que faz de Pessoa o singular poeta que é.

Pessoa sonha que três donzelas lhe velam a alma morta, e que uma delas, para entreter o ócio e porque "é sempre belo falar do passado...", conta às outras que "sonhava à beira-mar (...), sonhava de um marinheiro que se houvesse perdido numa ilha longínqua". Três planos, ao menos, parecem desvelar-se, imbricados, em *O marinheiro* – o do Pessoa/narrador/dramaturgo que sonha, o das veladoras e o do sonho com o marinheiro, sem contar o sonho dele com a sua "falsa pátria" – num autêntico *mise en abîme*. À intersecção do real com o onírico, do presente com o passado, da vida com a morte, etc., corresponde a sua superposição, como se, divisando um círculo, víssemos os demais, um dentro do outro, até o infinito, como espelhos paralelos.

Quem sonha? Sonha o Poeta, sonham as veladoras, sonha o marinheiro – sonha o leitor. Sonham todos, pois "toda la vida es sueño, / e los sueños, sueños son" (Calderón de la Barca), ou "We are such stuff / As dreams are made on, and our little life / Is rounded with a sleep" (Shakespeare), ou, nas palavras da segunda veladora, "toda a sua vida [do marinheiro] tinha sido a sua vida que sonhara... E ele viu que não podia ser que outra vida tivesse existido... Se ele nem de uma rua, nem de uma figura, nem de um gesto materno se lembrava... E da vida que lhe parecia ter sonhado, tudo era real e tinha sido... Nem sequer podia sonhar outro passado, conceber que tivesse tido outro, como todos, um momento, podem crer..."

No sonho em que se entretêm, velando a morta, e no sonho narrado por uma delas, as donzelas constroem monólogos: as suas falas fingem-se articuladas em diálogo em razão de estarem no mesmo quarto circular e cumprindo idêntica missão. Como não têm identidade – nem nome nem qualquer outra característica distintiva –, o que diz uma poderia perfeitamente ser atribuído à outra, sem que o drama sofresse dano algum. Parecem uma só, ao espelho: a segunda veladora, de costas para o caixão, se reproduziria diante da janela em outras duas, e gastaria o mais das horas em solilóquio. Ou são uma entidade coletiva, irmãs gêmeas, apenas distinguíveis pelo sonho que uma delas narra às outras, ou antes, *pelas* outras.

De onde serem, na verdade, vozes em coro: destituídas de corporeidade, falam como se a voz proviesse do ar que as circunda, a ponto de não fazer diferença que seja uma ou outra que profira as frases, e a certo trecho o leitor se esquece de que há três veladoras, e não uma só, a falar do seu sonho. Permutáveis entre si, as falas poderiam misturar-se sem alterar o resultado final. A rigor, trata-se de uma única voz em três tonalidades de um mesmo discurso, que na redundância atinge a sua mais ampla razão de ser. Única voz que é, ao fim de tudo, do Poeta, ou do "eu" que se pronuncia na unidade das vozes; e redundância que deriva da identidade do pensamento e das sensações que pontilham *O marinheiro*.

Voz poética, por conseguinte: se as donzelas não enunciam versos o tempo todo, as suas frases obedecem à sintaxe, à semântica e ao ritmo da poesia. Pura sensação, marcada pela vaguidade, o que dizem: *O marinheiro* é um "drama estático" sensacionista. "O que em mim sente 'stá sentindo", ou antes, "o que em mim sente 'stá sonhando" – diria o Pessoa dessa fase.

Sem enredo, sem ação, vogando num tempo e num espaço incertos, nos confins do onírico, em que o simbólico e o mítico se mesclam inextricavelmente, *O marinheiro* é protagonizado por metáforas. *Animas*, vozes, figuras de sonho, as veladoras fiam e desfiam o tecido da existência a enfileirar palavras repletas de sensações: metáforas que são, geram outras, e é a proliferação delas que compõe *O marinheiro*, como texto poético digno do nome. E é esse espetáculo que presenciamos, enquanto lemos a estrutura dramática aparente em que se monta: a tensão entre os dois níveis é que cria a ambiência de limiar que envolve *O marinheiro*, evidente na rarefação das veladoras, impossibilitadas de escapar do seu cárcere de ficção para tornar-se "Pessoa" ou personagem no tablado, assumindo, desse modo, a materialidade que lhes falta. Mas jamais abandonarão os seus limites, e no jogo entre o dramático da forma e o poético do conteúdo expande-se toda a força centrípeta e centrífuga do texto.

Oficiantes de um rito: a Morte, as veladoras conferem a *O marinheiro* o caráter de "drama sonambúlico", ou "drama ritual", ou "drama de êxtase", ou "liturgia mágica", conforme recorda Maria Teresa Rita Lopes. Rito, ofício sagrado, instauração mí(s)tica do eterno retorno representado pela morte, afastamento (ou sacralização) do profano, do real histórico ou concreto: o teatro como ritual do sagrado, transcendentalização do humano pela intervenção do divino, mas com o concurso da Poesia, sem a qual o drama se reduziria a entretenimento.

De onde as veladoras serem espectros, ideias, sensações, vozes, gnomos, arquétipos, imersas no tempo e no espaço do sagrado, do mito. Ou estátuas hieráticas, de medieval perfil, se tivermos em conta que *O marinheiro* é um "drama estático em um quadro" – duplamente estático, porque despojado do enredo e ainda porque o quadro, entendido como segmento de uma cena, pressupõe um momento do teatro, caracterizado pela permanência dos mesmos atores ao redor do mesmo núcleo dramático.

Ou ainda figuras de vitral, ou de uma sequência de vitrais, por onde se escoa a luz dourada de um tempo primevo, antes da Vida e após a Morte, um tempo para além do pensar e do sentir, ou antes e depois do pensar e do sentir, ou que apenas no seu consórcio se insinua, quando a voz se cala, ou as frases deixam vácuos por onde o silêncio se infiltra. Por isso, "a quinta pessoa neste quarto que estende o braço e nos interrompe sempre que vamos a sentir" pode ser o silêncio ou, com mais probabilidade, a Morte: que diferença faz, pensam e dizem (ou pressentem) as veladoras, se o silêncio anuncia ou simboliza a Morte, ou se esta significa a vitória final do silêncio?

5

A poesia pessoana alcança, nos "poemas dramáticos", a máxima rarefação. Indeterminados, interseccionados, o tempo e o espaço, a poesia define-se como a realização ocultista, simbólica, através da palavra: esta consistiria, até em seu contorno gráfico, na concretização dum espaço e dum tempo encarados em sua essência, concebidos como pureza ou conceito absoluto: um tempo apenas acessível à imaginação, jamais à experiência, ao menos como vivenciamos o tempo do relógio; e uma geografia em abstrato, ou reduzida não mais ao "lugar-onde", mas à sua ausência, como se o vazio, entendido como sensação, fosse o espaço por excelência. A palavra, despida de suas denotações, criaria o espaço e o tempo verdadeiros e absolutos: tornada símbolo, a palavra exprime o tempo e o espaço puros, acaba por converter-se em espaço e tempo. Em suma: a palavra constitui a forma, visível, adquirida pelo espaço e pelo tempo compreendidos como abstrações, ou sensações, puras.

Por fim, há que entender a palavra como signo ocultista, impregnado duma significação múltipla, de esotérica gênese: a palavra conduz ao mistério, *é* o próprio mistério assumindo forma e presença diante do leitor. Tudo se passa como se as veladoras, arquétipos que são, flutuassem num tempo em que era dado ao ser humano perceber mas não pensar, antes do aparecimento do Logos. Entretanto, é por meio das palavras que "regressam" ao tempo mítico, numa equação que, fazendo recordar o mestre dos heterônimos, está na raiz do "drama em almas" de Pessoa.

1966, 1978

Notas

1. *Fernando Pessoa*, Páginas de doutrina estética, *Lisboa: Inquérito, 1946, p. 275;* Cartas de Fernando Pessoa a João Gaspar Simões, *Lisboa: Publs. Europa-América, 1957, pp. 101-102.*
2. *Fernando Pessoa*, Páginas de estética e de teoria e crítica literárias, *Lisboa: Ática, 1966, p. 68.*
3. Idem, Obras em prosa, *Rio de Janeiro: Aguilar, 1974, p. 283.*
4. Idem, Obra poética, 8ª ed., *Rio de Janeiro: Aguilar, 1981, p. 601.*
5. *Ver, a respeito, a obra indispensável de Maria Teresa Rita Lopes,* Fernando Pessoa et le drame symboliste. Héritage et création, *Paris: Fundação Calouste Gulbenkian, 1977.*
6. *Maria Teresa Rita Lopes transcreveu excertos de* Salomé, Diálogo no jardim do palácio, A morte do príncipe e Sakyamuni.
7. *Fernando Pessoa,* Obra poética, *pp. 727-728.*
8. Idem, Páginas íntimas e de autointerpretação, *Lisboa: Ática, 1966, p. 93.*
9. *João Mendes, "Vida literária",* Brotéria, *Lisboa: vol. 54, 1952, p. 730.*

14

O marinheiro:
"La vida es sueño"?

1

Ao colocar o ponto final de *O marinheiro* entre 11 e 12 de outubro de 1913, Fernando Pessoa não podia imaginar que teria de esperar até o surgimento do número inaugural do *Orpheu* (1915) para vê-lo em letra de fôrma. Como vinha colaborando em *A águia,* órgão da "Renascença Portuguesa", desde abril do ano precedente, pareceu-lhe natural que remetesse, em 25 de abril de 1914, uma carta a Álvaro Pinto, integrante daquele movimento, a fim de o consultar acerca da possibilidade de se publicar o texto numa *plaquette*[1]. Por que se apressava ele em publicar *O marinheiro*, é assunto que, infelizmente, escapa dos limites deste ensaio. Mas é possível depreender a razão íntima que o movia pelo desenrolar do tema que ora nos ocupa. Importa observar que a recusa, dada a entender por meio do silêncio com que Álvaro Pinto respondeu à proposta, motivou o estremecimento das relações de Pessoa com a corrente "lusitanista" e "saudosista" que *A águia* representava.

Fernando Pessoa esperaria até novembro de 1914 para decidir-se a romper definitivamente os laços que o prendiam ao grupo chefiado por Teixeira de Pascoaes. E com isso pôde submeter os originais da obra, como era do seu feitio, a meticulosa revisão. "Bastante alterado e aperfeiçoado", como informa a Armando Cortes-Rodrigues em carta de 4 de março de 1915, o texto ganharia um final "muito melhor", de modo que o seu amigo podia considerar a forma anterior, já do seu conhecimento, "apenas a primeira e rudimentar"[2].

2

"Drama estático em um quadro", chamou Pessoa a O *marinheiro,* seguindo na esteira de Maeterlinck, a quem se deve a primeira "concepção de 'teatro estático'"[3]. O que desejava dizer com isso fica esclarecido num texto presumível de 1914, contemporâneo da elaboração da obra. Com a lucidez que nos habituamos a lhe reconhecer, diz que "teatro estático" é aquele "cujo enredo dramático não constitui ação – isto é, onde as figuras não só não agem, porque nem se deslocam nem dialogam sobre deslocarem-se, mas nem sequer têm sentidos capazes de produzir uma ação; onde não há conflito nem perfeito enredo". Convicto de que, apesar da falta de ação, se trata rigorosamente de texto teatral, acrescenta que "pode haver revelação de almas sem ação, e pode haver criação de situações de inércia, momentos de alma sem janelas ou portas para a realidade"[4]. É provável que Pessoa tivesse em mira realizar algo parecido com *o teatro da alma,* de Edouard Schuré[5] ou, mais propriamente "o espantoso ato '*O Teatro da alma',* de Evreinoff, em que a cena é o 'interior da alma humana' e as personagens, designadas por A1, A2 e A3, etc., são as várias subindividualidades componentes desse pseudos-simplex a que se chama o espírito"[6]. Tamanha consciência do seu objeto não só se aplica adequadamente a *O marinheiro,* como também pode sinalizar os caminhos por onde o crítico deve enveredar, sobretudo se, como é o caso presente, pretende estudar o núcleo desse drama estático, ou seja, o sonho.

Como se sabe, o autor imagina

> um quarto que é sem dúvida num castelo antigo. Do quarto vê-se que é circular. Ao centro ergue-se, sobre uma essa, um caixão com uma donzela, de branco. Quatro tochas aos cantos. À direita, quase em frente a quem imagina o quarto, há uma única janela, alta e estreita, dando para onde só se vê, entre dois montes longínquos, um pequeno espaço de mar.
>
> Do lado da janela velam três donzelas. A primeira está sentada em frente à janela, de costas contra a tocha de cima da direita. As outras duas estão sentadas uma de cada lado da janela.
>
> É noite e há como que um resto vago de luar.[7]

Intimamente associadas com o assunto de O *marinheiro,* tais indicações cenográficas exibem forte carga simbólica. Para os fins deste ensaio, valia a pena sublinhar uma delas, a referente à circularidade do quarto. O velório passa-se numa torre, como que solta no espaço. Ora, a torre é um símbolo ambíguo, "muito versátil". De um lado, "como recinto-mandala, ela é feminina". De outro, "é também fálica, como um falo da terra, como a árvore, a pedra e a muralha". Por fim, a torre "é o símbolo da cultura e da consciência humanas, e por isso é chamada 'a torre que vê longe'"[8]. Fálicas também são, diga-se de passagem, as quatro tochas ao redor do caixão, como já assinalara Freud na *Interpretação dos sonhos*[9]. Que tudo isso tem relação direta e intrínseca com o velório e tudo o mais que nele se contém, parece uma evidência que as considerações seguintes buscarão ressaltar.

Não bastasse a didascália que precede o diálogo das veladoras o indicar, vemos que o texto de *O marinheiro* se estrutura, do ponto de vista da encenação, realmente como um quadro dramático. E do ângulo psicológico, como um sonho: o diálogo das veladoras constitui uma cena onírica, em que mesmo as palavras ditas são permutáveis, "numa espécie de solilóquio obsessivo, reduzindo-se a três vozes que entre si ecoam, até que a sua própria identidade se dissolve"[10]. Coerentemente, Pessoa atribuiu a *O marinheiro* a condição de drama estático, decerto convicto de que se casava bem com a estrutura de sonho. Graças ao seu caráter plástico, à sua visualidade, já assinalada por Freud, o sonho é um autêntico espetáculo para se ver – é um drama interior, em que o sonhador é a um só tempo o dramaturgo, o espectador, o diretor de cena e todas as personagens[11]. Em suma, é um drama poético, ou antes, um "drama estático". E como tal, lembra a concepção barroca do teatro como espelho do mundo, e do mundo como um teatro, onde são recorrências constantes as duplicações, as ambiguidades, as fusões do real e do irreal, do concreto e do imaginário, do verdadeiro e do ilusório[12]. Por outro lado, acusa o impacto do teatro de Maeterlinck e da estética simbolista e decadente[13], tendo como ambiente o comum fundo "trágico grego"[14]. E os possíveis vínculos de semelhança com o teatro do absurdo já foram objeto de análise e de controvérsia[15].

Dois sonhos são explicitamente relatados ao longo da vigília: o da segunda veladora, que "sonhava de um marinheiro que se houvesse perdido numa ilha longínqua", e o do marinheiro, que sonhava "uma pátria que nunca tivesse tido"[16]. Ainda se poderia acrescentar que o poema dramático não passa de uma imersão onírica do dramaturgo/autor, que sonha com uma donzela morta, velada por outras três donzelas. Não poderia ter ocorrido que O *marinheiro* fosse resultado de um sonho autêntico, isto é, que Pessoa realmente tivesse tido um sonho, e que apenas o transcreveu, com as naturais adaptações, assim como Kurosawa e os seus *Sonhos*? É possível que jamais venhamos a saber se esse drama estático provém ou não de uma experiência verídica. E se porventura viéssemos a saber, tão-somente agregaríamos um dado novo ao emaranhado processo criativo do autor.

Nenhuma diferença faz, em verdade, que o sonho tenha sido inventado ou não; é como sonho que se há de investigar O *marinheiro*. Mesmo porque a transcrição (oral ou escrita) de qualquer sonho recebe um tratamento consciente que não difere, substancialmente, dos textos imaginários. O que importa é o traçado de sonho que O *marinheiro* ostenta, além dos dois sonhos que nele se inscrevem. É de notar que o poeta, a veladora e o náufrago recordam com nitidez o seu sonho, evidenciando que não parece significativa a censura (endopsíquica ou consciente) que se lhes interpôs, e que estamos diante de sonhos fulcrais, decisivos, para os três sonhadores, sonhos que mudam toda uma vida, ou que lhe denunciam o sentido mais profundo[17].

Assim, teríamos três sonhos, em *mise en abîme*, ou à maneira de "um jogo de espelhos que se multiplicam ao infinito"[18], a insinuar que o processo criativo de sonhos é que constitui o arcabouço de O *marinheiro*[19], como se um sonho, qualquer sonho, implicasse outros sonhos, ocultos na malha simbólica por meio da qual se organiza o espetáculo onírico. Ou, mais propriamente, teríamos aí sonhos encadeados ou o "sonho dentro do sonho", que Freud explicava com as seguintes palavras: "quando um determinado fato é situado [como um sonho] dentro de um sonho pelo próprio trabalho do sonho, isso implica a mais decisiva corroboração da realidade desse fato, a sua mais forte *afirmação*", uma vez que um sonho "toma como centro o que no seguinte é indicado somente na periferia, e vice-versa, de modo que os dois se complementam entre si também no que diz respeito à interpretação"[20].

Daí que o deslinde do tecido simbólico do primeiro sonho imponha que o mesmo recurso hermenêutico seja utilizado com os outros dois, ou seja, a interpretação do sonho do poeta/dramaturgo leva necessariamente aos dois que lhe estão submersos. A explicação possível do sonho do dramaturgo estaria, em primeira instância, no sonho da veladora; e a desta, no sonho do marinheiro. E este nos reenvia para o primeiro, num movimento circular que, reproduzindo a estrutura da torre, revela/esconde o sentido último que *O marinheiro* desejaria conter. Com isso, Pessoa alcança o que considerava, já no encalço do desdobramento heteronímico, "o mais alto grau do sonho", ou seja, "quando criado um quadro com personagens, vivemos *todas elas* ao mesmo tempo – *somos todas essas almas conjunta e interativamente*"[21].

A morte ocupa o centro da circunferência, como se fosse a razão de ser do drama. E as veladoras, situadas na periferia, buscam esquecer da morte fugindo para o mundo dos sonhos. Mal sabem elas que, cedo ou tarde, voltarão ao ponto de partida, reclusas que estão numa espécie de *Huis Clos* metafísico. Um sonho conduz ao outro, em sequência, como se o seu conteúdo manifesto guardasse um conteúdo latente, expresso pelo seguinte. O primeiro sonho consistiria na camada manifesta dos sonhos, de que fala Freud, e os outros dois representariam a sua camada subterrânea. O fato de aquela ser manifesta não significa que seja unívoca; antes pelo contrário, é altamente simbólica, assim como o estrato subjacente.

Além disso, os três sonhos são simétricos e complementares, em razão da estrutura em abismo que os sustenta. O significado de um pressupõe o dos outros, qualquer que seja o ponto de partida da análise e interpretação. No primeiro, Fernando Pessoa, ou o que nele era o poeta dramático, sonha com a *morta* e tudo o mais que vemos transcorrer aos nossos olhos. No segundo, a veladora sonha com o *marinheiro*; e no terceiro, o marinheiro sonha com a *pátria*. Três níveis dum abismo que começa pelo concreto/abstrato (o velório de uma donzela) e termina com a abstração (a pátria), passando pelo "concreto" (o marinheiro). Três níveis simbólicos articulados numa ordem como que silogística: o sonho da veladora constitui a premissa inicial, o do marinheiro, a segunda premissa, e a conclusão, o sonho do poeta, isto é, no seu horizonte mais distante, o poeta sonha verdadeiramente com a Pátria.

Tudo ocorre como se o sonho com a pátria devesse iniciar-se com a imagem da morte cruzando necessariamente pela "realidade" do marinheiro. O derradeiro caráter simbólico, a significação última do poema dramático, parece esboçar-se nesse movimento em três estágios. Na aparente vaguidade do diálogo entre as veladoras, o poeta propõe uma tese ou uma utopia, que tem a Pátria como centro. Para ele tudo converge, num franco dinamismo centrípeto, desde as frases sibilinas das veladoras até o material do sonho, incluindo o "mistério" de estarem ali para velar a morta e sentirem que uma outra vaga presença (a da Morte, decerto) lhes faz companhia.

3

Encarando o abismo onírico da perspectiva analítica, diríamos que, para falar de sonhos, somente recorrendo a outros sonhos, ou seja, a outros tecidos simbólicos. A decifração de um sonho, se e quando possível, requer símbolos. Os sonhos exprimem-se em linguagem simbólica, como ensinava Freud na *Interpretação dos sonhos*, cuja decodificação reclama o emprego de símbolos ou metáforas, vale dizer, outros sonhos: um sonho desenvolve os anteriores, como se sonhássemos apenas um sonho a vida inteira. A própria veladora que narra o sonho do marinheiro nos fornece indícios relevantes dessa repetição ininterrupta do mesmo sonho no curso da vida: ela não tivera apenas um sonho; ao contrário, "sonhava de um marinheiro...", como a dizer que vivenciara o mesmo sonho mais de uma vez, ou vários em torno do mesmo assunto. O emprego do tempo verbal mais-que-perfeito (*sonhava*) não deixa dúvidas a respeito. Mais ainda: diz-nos que o marinheiro "pôs-se a sonhar uma pátria...", ou seja, a ter o mesmo sonho anos a fio, como sugere o caráter incoativo da ação verbal (*pôs-se a sonhar*).

Símbolos são as veladoras, assim como símbolo é o marinheiro: este, como núcleo da peça e do diálogo entre as veladoras, é o símbolo principal. Dele se fala por um bom tempo para se entender quem ele seja e para se entender o significado de a morta estar ali. Mas, quando falam dele, é como protagonista de um sonho, não de um indivíduo em carne e ossos, que fosse conhecido de uma das veladoras. E nem poderia ser doutro modo. Fala-se de um símbolo, de uma ausência apenas tornada presente pelo milagre do sonho e da sua re-memoração. E ao falar-se dele, usando sempre a linguagem simbólica, que Maeterlinck dizia ser inerente ao teatro estático[22], chega-se inevitavelmente ao símbolo oculto na sua condição de marinheiro: o símbolo da pátria.

Talvez por isso é que dele provém, e não das outras figuras em cena, o título do drama estático. Afinal, se ele não é a *causa*, é com toda a evidência a *razão* última de estarem ali: o velório constitui a circunstância, por sinal a mais conveniente possível, para que se pudesse cogitar dele. A morta é um simples pretexto para a conversa das veladoras; tanto assim que uma lhe volta as costas e as outras se postam na perpendicular à essa, como se quisessem afastar da mente o motivo de passarem a noite naquele quarto de um castelo. E sem perceber que, como sói acontecer em tal cerimônia, é da vida que falam, mas da vida que descobrem ser tão misteriosa como a morte, ou seja, trocam impressões acerca da vida como sonho. A certeza de viver é dada pela capacidade de sonhar, exercida pela segunda veladora em nome das outras duas, de forma que a diferença entre elas e a donzela de branco se localiza justamente nessa faculdade de tecer devaneios em vigília ou entregar-se aos sonhos durante o sono. Num caso ou noutro, a semelhança com a morte é palpável: devaneando ou sonhando, parecem experimentar a inconsciência da morte, com a vantagem de se sentirem vivas. No entanto, é pelo sonho que o sabem: *"La vida es sueño."*

Se a cena do castelo é a "realidade" para quem se defronta com o texto (ou a sua presuntiva representação num palco), a conclusão imediata é que a realidade é sonho, ou o sonho é a realidade, ou é "sem dúvida mais real do que Deus permite..." (p. 54), uma vez que o espetáculo oferecido ao leitor/espectador se organiza, ou se revela, como sonho. O sonho, no entanto, é muito mais do que isso se o examinarmos da perspectiva do tempo e da estética: "De eterno e belo há apenas o sonho..." (p. 55). Teríamos, assim, três níveis de realidade, conforme os três sonhos dispostos em abismo – o do autor, o da veladora e o do marinheiro. Nem se pode dizer que o sonho menos real seja o do náufrago visionário, por ser o terceiro na ordem de apresentação. Na verdade, será até o mais vinculado com a realidade, se levarmos em conta que o seu mundo onírico lida com a pátria e a infância, enquanto o do dramaturgo remete para um tempo e um espaço imaginários, e o da veladora gira em torno de um marinheiro perdido numa ilha desconhecida.

Mesmo assim, o percurso entre os três níveis oníricos define-se no rumo da "realidade": começa indeterminado, no velório, e termina na infância e na pátria do marinheiro. Irreal no primeiro momento, vai-se tornando mais real até o último, como se a realidade e o sonho, já de si confundidos, se montassem em espiral: quanto mais sonhamos, mais nos aproximamos da realidade, vale dizer, mais sabemos da realidade quanto mais sondamos o recesso dos nossos sonhos. O olhar dos sonhos sabe mais do que a visão de olhos abertos: a lembrança das situações e objetos do cotidiano trivial somente se torna possível por meio do sonho. Sonhar é, em boa parte, reconhecer, enxergar o que a retina escancarada captou sem o perceber[23]. Em contrapartida, quanto mais real, mais onírico. E se tomarmos o real como sinônimo de "vida", basta substituir um pelo outro para que a equação se mantenha e se mostre ainda mais luminosa.

Vida/sonho é o velório, como se a vida correspondesse à vigília dos viventes durante a noite dos mortos: viver significa velar a morte. Vida/sonho é a fala das veladoras, de modo que a sua existência apenas se definisse no imponderável, simulacro da morte, que é o sonho para quem sonha: o diálogo incessante que vara a noite, o sonho que se conta, tudo isso está ali para velar a morte, mas sobretudo para adiar-lhe a emergência para quem vela. Ao falar, ao estar ali velando, as três donzelas sabem que estão vivas e que a morte ainda não as visitou. A morte é sempre a do outro. A segunda veladora sabe que vive porque sonha, mas ao mesmo tempo sabe que vive enquanto vela, porque suspeita que morre sempre que sonha, num puro paradoxo pessoano. Vida/sonho é o viver do marinheiro, a compor uma pátria e uma infância de sonho para substituir (ou ressuscitar) a pátria e a infância mortas, como se o seu viver dependesse do sonho, a um só tempo portador da ressurreição e sinal da morte adiada.

4

Aí o fulcro dos três sonhos que se imbricam em *O marinheiro*. Formam juntos uma cadeia tripartite: *morta-marinheiro-pátria*. A interpretação mais imediata do trinômio sugere-nos que a donzela morta encerra um símbolo, ou pelo menos um complexo significado. E o primeiro que nos acode à lembrança, até porque o trinômio o contém, é ela ser o símbolo da pátria. A pátria está morta; é a donzela morta. É a pátria que as três donzelas velam. O que isso tem a ver com o clima pessimista que se adensou em Portugal desde o *Ultimatum* inglês de 1890, é assunto para outro ensaio. Mas é ele que dá forma ao pano de fundo ideológico sobre que se esbate o quadro dramático das veladoras. Aquilo com que sonha o marinheiro, sem o saber evidentemente, é a morta, ou melhor, é o símbolo que ela corporifica: a pátria.

Tão nuclear e polissêmico é o sonho do marinheiro que a própria segunda veladora acaba por duvidar de tudo, inclusive da realidade concreta à sua volta, como se as coisas e a vida não passassem de sonho: "Todo este silêncio, e esta morta, e este dia que começa não são talvez senão um sonho..." (p. 56). Ecos shakespearianos num poeta que tinha o autor de *Hamlet* por modelo? Que este pan-onirismo permeia a obra de Pessoa, basta correr os olhos por sua poesia ou, mais expressivamente, pelo *Livro do desassossego*: Bernardo Soares confessa que "tal modo anteponho o sonho à vida que consigo, no trato verbal (outro não tenho), continuar sonhando"; evoca a Senhora dos Sonhos, diz que "nunca [fez] senão sonhar... / Nunca [pretendeu] ser senão um sonhador", certo de que o seu processo mental básico se resume num "só, esse, o de uma vida devotada ao sonho, de uma alma educada só em sonhar"[24]. A segunda veladora chega mesmo a uma interrogação que, exprimindo uma perplexidade sutil, de nível inconsciente, atinge o cerne da questão de *O marinheiro*: "Por que não será a única coisa real nisto tudo o marinheiro, e nós e tudo isto aqui apenas um sonho dele?..." (p. 57), indaga ela, mal sufocando a aflição que lhe estremece a alma.

Como a matéria do poema dramático se estende pelo universo do sonho, o marinheiro sonha com um símbolo – "uma pátria que nunca tivesse tido". Mesmo porque a pátria é uma abstração da realidade física onde se nasce. Ele não sonha nem com essa realidade abstrata, senão com uma pátria imaginária, fundamentalmente diversa da sua pátria "real", "uma outra espécie de país com outras espécies de paisagens, e outra gente, e outro feitio de passarem pelas ruas e de se debruçarem das janelas..." (p. 49) É por isso que, ao sonhar com a sua utopia, com a pátria ideal que preenchesse o vácuo deixado pela pátria morta, procura povoá-la de formas e sinais concretos: as cidades, com as suas "ruas e as travessas... até às muralhas dos cais", as pessoas que as percorriam, "os companheiros da infância e depois os amigos e inimigos da sua idade viril..." (pp. 51-52)

O remontar à infância, visto que não se afigura suficiente ao marinheiro o relevo físico da pátria que a sua imaginação vai engendrando aos poucos, ou porque a pátria e a infância se superpõem, enquadra-se perfeitamente nas observações que Freud desde 1900, com a publicação da *Interpretação dos sonhos*, difundia entre os seus leitores e colegas de ofício. Afinal, todo sonho é a "realização de desejo da primeira infância"; esta, equivale ao Paraíso perdido; e o sonho do expatriado, não raro carregado de angústia, centra-se na pátria, pois que nele "irrompem os desejos infantis sufocados e proibidos".[25]

Bastava isso para explicar a incidência naquela faixa de idade; mas aqui se imiscui outro dado da vida dramática de Fernando Pessoa após a mudança para Durban, em razão de a mãe contrair novas núpcias. Por que Pessoa teria escolhido precisamente o marinheiro para protagonizar o seu "drama estático"? Se o sonho "é uma tentativa de realização de um desejo", como ensinava Freud [26], por que o expressar através da figura romântica do marinheiro, entregue à aventura e ao inesperado em pleno mar? A conhecida circunstância de Pessoa, aos sete anos, ter sido levado para Durban, por força do casamento de sua mãe, pode servir para explicar não poucos aspectos da sua complexa personalidade de homem e de escritor. É sabido que ele escreveu, a 26/7/1895, a sua primeira composição poética, a quadra "À minha querida mamã". E nessa mesma altura se deixou fotografar, *vestido de marinheiro*[27]. A família partiria para a África a 6/1/1896. Sintomaticamente, Pessoa está sozinho na fotografia; apoia a perna esquerda numa pedra e tem uma outra à sua direita; ao fundo, uma paisagem de mar ou rio. O instantâneo fotográfico não pode ser mais expressivo do estado de ânimo do pobre órfão, cujo olhar se perde no vazio, voltado melancolicamente para dentro de si. Uma fotografia emblemática: onde para a realidade? Onde começa o sonho?

A coincidência é muito flagrante para dispensar comentários, ainda que breves. Não seria plausível supor que a imagem captada na fotografia houvesse gerado a projeção do marinheiro no "drama estático"? Movido, quem sabe, pelo "arquétipo infantil" de que fala Jung, Pessoa criou um ser errante, abandonado ao acaso, sem pátria, náufrago numa ilha, imaturo, preso indelevelmente à infância perdida. *Puer aeternus*, ainda segundo o criador da psicologia analítica, "expulso desse éden", que é a infância, "náufrago aportado a uma ilha deserta"[28], sentindo-se exilado em Durban, transfigurada em ilha, o poeta confessa-se por meio do marinheiro. Primeiro, "como ele não tinha meio de voltar à pátria, e cada vez que se lembrava dela sofria, pôs-se a sonhar uma pátria que nunca tivesse tido" (p. 48). Depois, "durante anos e anos, dia a dia, o marinheiro erguia num sonho contínuo a sua nova terra natal... Todos os dias punha uma pedra de sonho nesse edifício impossível" (p. 49). E tanto quanto ele, erigia a sua pátria de "matéria da alma... E assim foi construindo o seu passado... Breve tinha uma outra vida anterior..." (p. 51) A tal ponto que "meninice de que se lembrasse, era a na sua pátria de sonho; adolescência que recordasse, era aquela que se criara..." (p. 52). Em suma: "da vida que lhe parecia ter sonhado, tudo era real e tinha sido..." (pp. 52-53).

Infância e pátria mesclam-se no sonho do marinheiro em razão de uma implicar necessariamente a outra. Sonhada, a pátria logo se torna real; é uma pátria infantil: a concretude da pátria que aos poucos se desenha no sonho do marinheiro denota um sonho infantil, geralmente fácil de interpretar, pois que nele "coincidem o conteúdo manifesto e o latente", isto é, exprime "sem *disfarce* um desejo *não reprimido*"[29]. Eis por que, terminada a reconstrução da pátria, o marinheiro desaparece, como se pagasse com a própria vida a realização do seu desejo. Realizado o sonho, por que continuar na ilha? Por que viver? Ainda poderia significar que o "exílio" de Pessoa terminara pela reconquista da pátria, a pátria da infância, pelo retorno a Lisboa. Mas o marinheiro (Pessoa) sonha com a pátria como um lugar físico; ainda não descobrira a pátria como o espaço da língua. Bernardo Soares, a voz por meio da qual se daria a descoberta, apenas começava a lançar no papel o seu diário de angústia, o *Livro do desassossego*. Tornado realidade o sonho do náufrago, resolvia ele o enigma da sua infância, e ao mesmo tempo amadurecia o suficiente para que a pátria, deixando de ser uma simples questão de geografia, se lhe tornasse o que de fato é – a língua materna.

O marinheiro constituiria, desse modo, uma espécie de autobiografia transcendental, em que os pormenores históricos se transfundem, aureolados de mistério, o mesmo mistério total que circunda as veladoras e lhes impregna as falas? Quando pouco, embaralham-se os sinais indicativos do binômio vida/sonho, realidade/magia: impossibilitado de retornar à pátria, o marinheiro sonha, arquitetando aos pedaços a sua pátria ideal. Assim como Fernando Pessoa.

5

Ao sonhar com a pátria, o marinheiro associa-se prontamente ao Álvaro de Campos engenheiro naval, fascinado pelo mar. Um outro símbolo, ou componente dele, se nos depara nessa semelhança, como se o marinheiro constituísse o primeiro esboço do retrato do heterônimo da "Ode marítima". E o seu sonho dourado fosse o primeiro sinal da caminhada no rumo da *Mensagem*, onde o sonho da pátria utópica do marinheiro náufrago se converte na visão mítica da história de Portugal, desenvolvida por alguém que se sentia "estrangeiro aqui como em toda a parte"[30].

Um marinheiro sonha com a sua pátria irreal, porque somente em sonho ela se lhe oferece: a pátria é produto do sonho, ou somente no sonho se revela. Fora do sonho, a pátria é inacessível, seja ela qual for, a real ou a imaginária; e por isso o marinheiro sonha continuamente com ela, quer dizer, constrói-a lanço a lanço. Mas sonha-a ligada ao mar, pois que foi no mar que os portugueses deram mostras, nos idos dos séculos XV e XVI, da sua grandeza de ânimo, alargando os domínios do homem pelos quatro cantos do planeta. "Se mais terra houvera, lá chegara" – exclamara Camões ao entoar a gesta com a qual os navegantes, Vasco da Gama à frente, participaram da imensa utopia renascentista.

Pessoa visiona um náufrago, como se mirasse uma tela imemorial, a sonhar com a sua pátria idealmente platônica. É ele próprio, Pessoa, quem verdadeiramente sonha. Sonha com uma pátria renascida, conduzido pela "consciência cada vez maior da terrível e religiosa missão que todo o homem de gênio recebe de Deus com o seu gênio", ou pela "noção do dever quem olha religiosamente para o espetáculo triste e misterioso do Mundo"[31]. Tal missão se cumpriria no "educar as novas gerações no sonho, no devaneio, no culto prolixo e doentio da vida interior". Mesmo porque "a arte moderna é arte de sonho"[32]. Lembremos que Pessoa integrava a "Renascença Portuguesa" na altura em que redigia *O marinheiro*. Mais ainda: o seu projeto de reerguimento da pátria, patente em toda a sua obra em prosa, como o demonstrou Joel Serrão, começava a tomar corpo e provavelmente veio a materializar-se no seu símbolo mais definido em *O marinheiro*. Além do fato de ser o único poema dramático que terminou e que publicou em vida, é datado de 1913, enquanto que *Mensagem* é de 1934, tornando-se as duas obras o ponto de partida e de chegada de um processo simbólico que está na raiz de toda a produção pessoana, em qualquer dos gêneros literários que praticou. Note-se ainda que, dos poemas que viriam a compor o livro de 1934, pelo menos um já tinha sido composto ao tempo de *O marinheiro*, ou seja, 1913.

Equivalentes, como faces da mesma moeda, as duas obras poéticas resultam do esforço de fornecer os instrumentos ideológicos para que a pátria, superando a estagnação em que vegetava (apontada com frequência pelos escritores dos anos entre 1890 e 1920), recuperasse, ainda que só moralmente, a grandeza perdida. Desse ângulo, *O marinheiro* e a *Mensagem* são imagens reduplicadas, em espelhos paralelos: ali, a visão lírica, dramática – onde não é demais enxergar a refacção da *Pátria,* de Guerra Junqueiro – aqui, a visão épica.

O sonho, a grande quimera, de Fernando Pessoa, quer como poeta, quer como cidadão, está em *O marinheiro*, ou na sua contraface simetricamente épica, *Mensagem*. Nas duas obras descortina-se o mesmo afã de surpreender a pátria no seu sono secular, um sono sem sonhos, entorpecida por séculos de pessimismo, convidando-a de novo a sonhar, a fim de reconquistar, ainda que noutro plano, o passado glorioso.

Afinal, o sonho do marinheiro, ao enfeixar "pensamentos oníricos" ou "conteúdos de representação", como ensinava Freud[33], é o sonho, a grande quimera, de Pessoa: o marinheiro é o seu *alter ego,* a matriz dos heterônimos por vir, sonhando com a mesma pátria utópica, montando-a passo a passo, assim como o seu criador procuraria fazer com uma intensa e fecunda atividade intelectual. O marinheiro pode ser encarado como o seu *animus,* polo oposto ao da sua *anima,* figurada na donzela morta, velada por três *animas,* prenúncio dos três heterônimos principais. Morta a pátria, morta a *anima* do poeta, somente lhe restava sonhar com a pátria renascida: com isso, não renasceria a *anima* do dramaturgo, mas, juntamente com o reflorescimento da pátria, nasceriam os seus substitutos, as vozes emblemáticas de Alberto Caeiro, Ricardo Reis, Álvaro de Campos e outros.

A morta é, pois, a *anima* do poeta. E o marinheiro tanto pode ser o seu *animus* como o da segunda veladora. Sendo mais imediato aceitar a projeção do poeta na figura masculina do sonho, a da veladora não é menos pertinente: com a inflação de Eros, peculiar à sensibilidade feminina, é natural a "personificação masculina do aspecto Logos"[34]. O marinheiro representaria o próprio Fernando Pessoa; este, por meio dele, põe o seu *animus* a sonhar. Desse modo, ao sonhar com o marinheiro, a segunda veladora sonhava ao mesmo tempo com o seu *animus* e com o de Pessoa; e ao inventar para si três *animas,* o poeta elegia uma que sonhasse com o seu *animus,* identificado com o marinheiro. Eis também por que o drama estático se concentra nele e leva o seu nome, e não o de outra figura, num drama por excelência feminino, graças ao predomínio das donzelas em cena.

Num caso e noutro, o marinheiro simboliza a liberdade, é sinônimo de aventura, mas também representa a solidão, a dispersão, o desespero. Sonha ele com a sua pátria, mas nebulosamente: por meio do seu *alter ego,* Pessoa intui genialmente o projeto que se realizaria com o poema épico que despertasse os seus patrícios com o chamado místico-esotérico – "É a Hora!"[35] – expressão da pátria espiritual e culta com a qual sonha platonicamente o marinheiro: sonha com as suas origens ancestrais, com um mundo antes da "queda" no Logos, a esfera do inteligível, facilmente identificável com o quinto império transcendente e mítico de *Mensagem*.

Num plano mais próximo, biográfico, o poeta sonharia, ainda por intermédio do marinheiro, com a pátria da sua infância, pátria ideal, por certo, aureolada de magia: aqui o fulcro do sonho, bem como de toda a obra pessoana. Protagonista de sonho que é, o marinheiro sonha com a sua pátria de infância, como se Pessoa rememorasse o tempo anterior à morte do pai e ao casamento da mãe, seguido pelo "exílio" em Durban. Projetado no marinheiro, como se este fosse a imagem da sua fixação à infância, o poeta sonha com a pátria ideal, utópica, que perdeu ao falecer-lhe o pai, sonha com a infância para sempre perdida (a pátria do mito pessoal), ambas identificadas e superpostas. O seu projeto cultural consistiria, ao fim e ao cabo, em recuperar a pátria sonhada, a da infância, necessariamente generosa, grande e "encoberta" por mantos esotéricos, e ainda recuperar a pátria que os desastres de Quinhentos reduziram a uma "austera, apagada e vil tristeza", como lamentara o poeta de *Os lusíadas* (c. 10. estr.145). As duas pátrias se confundem no apelo nostálgico, porque igualmente marcadas de dramaticidade, a do menino arrancado ao seu berço infantil, e a do povo lusitano, entregue a profundo desânimo e desorientação. Como se observa, repete-se, noutra clave, a equação que suscitou o confronto entre Pessoa e *Cidadão Kane*.

Daí que o marinheiro pode ser considerado o Pessoa para si mesmo, a sonhar com a regeneração da pátria, assim como sonha uma das veladoras, para que a morte da donzela não signifique o fim das esperanças para a pátria. O projeto de salvação nacional de Pessoa começa por ser um alerta em direção ao sadio patriotismo, ainda envolto nas brumas do sonho de um marinheiro, náufrago numa ilha qualquer, perdida nos longes (oníricos) visitados pelos nautas quinhentistas. E termina por vaticinar, esotericamente, o quinto império para Portugal. Um Império de cultura e de espírito, já o sabemos, não o império da força e do poder, para que o povo português, cumprindo o seu destino previsto desde sempre, acordasse do seu sono vazio de sonhos. Este o núcleo de *O marinheiro*.

À luz de *O marinheiro*, o caos material do vasto espólio pessoano revela um plano diretor implícito, uma coerência sem frinchas, genialmente esboçado: o sonho do marinheiro é a síntese prefigurada de toda a obra de Pessoa, um projeto tão grande que a vida se lhe esgotou precocemente, dando-lhe condições apenas para rascunhar uma imensa parte desse edifício cultural posto a serviço da reconstrução nacional.

1996

Notas

1. *João Gaspar Simões*, Vida e obra de Fernando Pessoa, 2 vols., *Lisboa: Bertrand, [1950], vol. l, pp. 180-182;* Fernando Pessoa, vinte cartas de..., *Ocidente, Lisboa: 1944, pp. 315-317.*
2. *Fernando Pessoa*, Cartas a Armando Cortes-Rodrigues, *Lisboa: Confluência, [1945], p. 68.*
3. *Dorothy Knowles*, La Réaction Réaliste au Théâtre depuis 1890, *Paris: Droz, 1934, pp. 292-293, 493.*
4. *Fernando Pessoa*, Obras em prosa, org. de Cleonice Berardinelli, *Rio de Janeiro: Aguilar, 1974, p. 283.*
5. *Dorothy Knowles*, op. cit., *p. 373.*
6. *Fernando Pessoa*, Obras em prosa, *pp. 280-281.*
7. *Idem*, Poemas dramáticos, *Lisboa: Ática, 1952, p. 37.*
8. *Erich Neumann* – Amor e psiquê: uma interpretação psicológica do conto de Apuleio, 2ª ed., tr. de Zilda Hutchinson Schild, *S. Paulo: Cultrix, 1993, p. 89.*
9. *Sigmund Freud* – Interpretación de los Sueños. Sobre el Sueño, tr. de José Luís Etcheverry, 2 vols., 5ª reimpr., *Buenos Aires: Amorrortu, 1993, vol. I, p. 202.*
10. *José Augusto Seabra*, Fernando Pessoa ou o poetodrama, *S. Paulo: Perspectiva, 1974, p. 29.* V. também *M. Teresa Rita Lopes*, Fernando Pessoa et le drame symboliste – héritage et création, *Paris: Fundação Calouste Gulbenkian, Centro Cultural Português, 1977, pp. 192-196;* Maria de Fátima Marinho, A viagem no drama estático O Marinheiro, Actas do 2º Congresso Internacional de Estudos Pessoanos (*Nashville, 31 mar.-abr. 1983*), *Porto: Centro de Estudos Pessoanos, 1985, p. 389.*
11. *Marie-Louise von Franz*, C. G. Jung: seu mito em nossa época, tr. de Adail Ubirajara Sobral, *S. Paulo: Cultrix, 1992, p. 77.*
12. *Claude-Gilbert Dubois*, Le Baroque, *Paris: Larousse, 1973, pp. 179-197.*
13. *M. Teresa Rita Lopes*, op. cit., e O Encontro de Fernando Pessoa com o Simbolismo Francês, Persona, *Porto: Centro de Estudos Pessoanos, nº 8, 1983, pp. 9-15; Fernando Guimarães*, A Geração de Fernando Pessoa e o Simbolismo, Actas do l Congresso Internacional de Estudos Pessoanos (*Porto, 1978*), *Porto/Brasília: 1979; Ricardo da Silveira Lobo Sternberg*, O marinheiro e o impasse ontológico, Actas do 2º Congresso Internacional de Estudos Pessoanos, *pp. 605, 612.*
14. *José Augusto Seabra*, op. cit., *p. 31.*

15. M. Teresa Rita Lopes, Fernando Pessoa et le drame symboliste, p. 235; Maria de Fátima Marinho, O marinheiro e o teatro do absurdo, Actas do I Congresso Internacional de Estudos Pessoanos, pp. 495-506.
16. Fernando Pessoa, Poemas dramáticos, p. 48.
17. Humberto Nagera (org.), Conceitos básicos da teoria dos sonhos, tr. de Álvaro Cabral, S. Paulo: Cultrix, 1981, p. 110.
18. M. Teresa Lopes, Fernando Pessoa et le drame symboliste, p. 190.
19. M. Teresa Rita Lopes, Fernando Pessoa e Villiers de L'Isle Adam, Actas do I Congresso Internacional de Estudos Pessoanos, p. 345.
20. Sigmund Freud, op. cit., vol. I, pp. 257, 342-343, vol. II, p. 519.
21. Citado por M. Teresa Rita Lopes, Pessoa por Conhecer: Roteiro para uma interpretação, 2 vols., Lisboa: Estampa, 1990, vol. 2, p. 255.
22. Dorothy Knowles, op. cit., p. 295.
23. Sigmund Freud, op. cit., vol. I, p. 46.
24. Fernando Pessoa, Livro do desassossego, 2 vols., Lisboa: Ática, 1982, vol. I, pp. 28, 293, vol. II, pp. 113, 117.
25. Sigmund Freud, op. cit., vol. I, pp. 132, 255, 257.
26. Idem, ibidem, vol. I, cap. III.
27. João Gaspar Simões, op. cit., vol. I, pp. 56-57, 301.
28. M. Teresa Rita Lopes, Pessoa por Conhecer, vol. I, p. 52.
29. Sigmund Freud, op. cit., vol. II, pp. 627, 656.
30. Fernando Pessoa, Poesias de Álvaro de Campos, Lisboa: Ática, 1951, p. 249.
31. Idem, Cartas a Armando Cortes-Rodrigues, pp. 39-40.
32. Idem, Obras em prosa, pp. 335, 296.
33. Sigmund Freud, op. cit., passim.
34. Marie-Louise von Franz, op. cit., p. 61.
35. Fernando Pessoa, Mensagem, 4ª ed., Lisboa: Ática, 1950, 3ª Parte, III, "Nevoeiro".

15

Fernando Pessoa e o supra-Camões

1

Duas anotações críticas há na prosa de Fernando Pessoa que não têm merecido, pelo que me é dado saber, a atenção devida. E se uma delas por vezes assoma nos estudos dedicados à sua obra, a outra tem passado em branco. Menos ainda foi objeto de exame a relação, que se diria óbvia, entre ambas, mediante a qual funcionam como premissas de um amplo silogismo. Se não o silogismo fundamental que sustenta a cosmovisão pessoana, pelo menos um dos mais relevantes.

Repetidas vezes, e não raro com a mesma linguagem, Fernando Pessoa refere-se ao "clamor de que o nosso tempo necessita de um grande poeta", ao "próximo aparecer de um supra-Camões na nossa terra", ao fato de "estar para muito breve (...) o aparecimento do poeta supremo da nossa raça, e, ousando tirar a verdadeira conclusão que se nos impõe (...), o poeta supremo da Europa, de todos os tempos", "um super-Camões, isto é, (...) um poeta máximo, inevitavelmente maior do que aquele poeta verdadeiramente grande, mas longe de ser um Dante ou um Shakespeare".[1]

Em mais de uma ocasião, Pessoa dirige-se a Guerra Junqueiro, especialmente ao seu poema *Pátria* (1896), em termos bombásticos. Afirma que "a *Pátria* de Junqueiro é, não só a maior obra dos últimos trinta anos, mas a obra capital do que há até agora de nossa literatura". Noutro passo, assevera que, "com respeito ao primeiro [Chateaubriand poeta], a superioridade do nosso poeta é manifesta", e que, "em intensidade lírica, em espírito dramático, em poder de construção poética, a *Pátria* domina a *Faerie queene*", de Spenser. E tratando do "panteísmo transcendentalista" português, declara que tal "movimento produziu dois poemas que estou obrigado a considerar entre os maiores de todos os tempos. Nenhum deles é longo. Um é a 'Ode à luz' de Guerra Junqueiro, o maior de todos os poetas portugueses (afastou Camões do primeiro lugar, quando publicou *Pátria*, em 1896 – mas *Pátria*, que é um drama lírico e satírico, não se conta na sua fase panteísta-transcendental). A 'Oração à luz' é provavelmente a maior realização metafísico-poética desde a grande 'Ode' de Wordsworth"[2].

Que tais opiniões, ou julgamentos, levantam problemas, dando margem a demorada e complexa análise, não há dúvida alguma. Seja pela ousadia do conteúdo, seja pelos vínculos íntimos com a obra pessoana, demandariam especial atenção. No momento, somente nos ocuparemos do binômio que explicitamente formam, apesar de encontrar-se em escritos diferentes. Como o pensamento de Pessoa obedece ao princípio da circularidade, não estranha que estabeleçam entre si nexos patentes e nexos secretos. Por outro lado, estão em causa os dois magnos poetas da língua, e ainda é chamada à cena uma figura literária hoje esquecida, mas que desfrutou de vasta notoriedade no seu tempo e ainda nos primórdios da centúria passada.

2

Duas são as hipóteses que vamos examinar: de acordo com a primeira, Pessoa referia-se, conscientemente ou não, a si próprio quando falava no advento do supra-Camões. E se o lermos no âmbito dos textos teóricos e dos textos poéticos, ele era, e é, o supra-Camões anunciado. Pela segunda hipótese, necessariamente conexa à anterior, o supra-Camões seria um continuador de *Pátria* e não de *Os lusíadas*. Situar-se-ia, por conseguinte, na esteira de Guerra Junqueiro, perfilhando-lhe a mensagem, o conteúdo anímico, e não o de Camões.

Aqui mergulhamos, é bom que se note, no paradoxo, na antítese, na ambiguidade, norteados, ou desnorteados, pelo próprio autor de *Mensagem*. Não há como escapar ao paradoxo, tão substancial é aos seus pensamentos e ao tumulto de suas sensações, uns e outras em permanente dinamismo conflitivo. Cedo Pessoa começou a escrever poemas que mais tarde incorporaria em *Mensagem;* datam de 1913 as primeiras composições e de 1932 as derradeiras, evidenciando que se tratava de um projeto que levou a vida toda para realizar. E que consistia, certamente, na sua máxima aspiração, bastando para isso lembrar a circunstância de atirar-se à conquista de um prêmio com esse livro, como a dizer que, para vê-lo completo e publicado antes de morrer, faria inclusive o sacrifício, e aceitaria a humilhação, de concorrer a um prêmio que, decerto já o sabia, não lhe seria concedido[3]. Tudo o mais de sua copiosa produção continuaria guardado a sete chaves no famoso baú, ou em plano. Por que precisamente *Mensagem*? Fugiríamos do nosso propósito se nos dispuséssemos a responder à questão, mas a resposta ficará dada em parte se nos ativermos ao assunto deste capítulo.

Como se sabe, Pessoa denominou *Portugal* a obra que veio a receber o título de *Mensagem*. Mudou-o para melhor, inquestionavelmente, adaptando-o à matéria, ou antes, assinalando com ele o teor hermético, ocultista, paradoxal, da obra. E, acima de tudo, tê-lo-ia movido a consciência da sua semelhança com a *Pátria* de Junqueiro. Era preciso, pois, negar a filiação, mas ao mesmo tempo sugeri-la; e o novo título desempenharia cabalmente essa função.

Por outro lado, *Mensagem* pode ser considerada uma espécie de Os *lusíadas* revisitado. Ou, se se preferir, a retomada da epopeia nacional, à luz da modernidade. Desse ângulo, consistia na epopeia possível em nossos dias. Entretanto, uma epopeia moderna, além de ser uma contradição em termos, não poderia estribar-se em Os *lusíadas* sem incorrer no risco da baixa emulação e no emprego de estruturas e soluções arcaicas, como Hegel nos ensina em sua *Poética*. O que seria, portanto, uma epopeia adequada aos tempos modernos sem perder a razão básica de sua existência como tal?

Foi talvez pensando no significado de Camões e sua épica – como de resto outros o fizeram ao longo da história da poesia portuguesa, pondo-se ora a favor, ora contra – que Pessoa derivou para um tipo de epopeia, ou melhor, de poesia épica, que julgou representada na obra de Guerra Junqueiro. Um cotejo entre Os *lusíadas,* a *Pátria* e a *Mensagem* o diria claramente: pelo tom, pela intuição e, de certo modo, pela matéria, a *Mensagem* se aproxima mais da *Pátria* do que de Os *lusíadas*. A visão do mundo pessoana, sobretudo a sua maneira de encarar o povo português no seu itinerário histórico, encontrava mais analogia com o poema de Junqueiro do que com o de Camões. Aqui o nó da questão, o supremo paradoxo.

Ao defrontar-se com a diferença entre a sua visão da história de Portugal e a de Camões, Pessoa não podia, caso se pretendesse honesto, embora paradoxal, em seus propósitos, pensar a *Mensagem,* ou *Portugal,* à imagem e semelhança de *Os lusíadas.* Tal diferença não era qualitativa – era congeminativa, de concepção, ideológica. E com fundamento nesse *distinguo,* ele, que era useiro e vezeiro em praticá-lo, não podia, em sã consciência, deixar de ver em *Pátria* o seu imediato antecessor válido. Não em qualidade, repita-se. Poderia ter-se arrimado, é certo, ao *Dom Jaime* (1862), de Tomás Ribeiro, mas fazê-lo significaria um grande retrocesso.

Assim, ao colocar a *Pátria* em oposição a *Os lusíadas,* agia em nome dessa mesma diferença e do que ela implicava: é o próprio modelo conceptivo de *Portugal,* depois *Mensagem,* que o manifesta. Não é por acaso que Pessoa concedeu a essa obra uma determinação que não pôs em nenhuma outra, e não é por acaso que a ideia de escrevê-la o acompanhou desde 1913, quando os primeiros poemas nessa direção começaram a saltar-lhe da pena.

Por outro lado, ao situar *Os lusíadas* em plano inferior a *Pátria,* opondo-se ao que se poderia esperar mesmo de críticos menos lúcidos ou menos advertidos, ou do mero leitor comum, Pessoa talvez estivesse, acionado pela fantasia de grandiosidade que sempre o assediou, traçando o seu autoelogio. Caberia indagar da razão disso: que sentido teria se ele acompanhasse a tradição secular que considera *Os lusíadas* a obra mais elevada do engenho poético português?

Lembrando que estamos dialogando com uma inteligência voltada ao paradoxo, e que lidamos com um de seus paradoxos mais complexos, vejamos como enfrentar a interrogação. Pessoa era, tencionava ser, e acabou sendo, como se sabe, um criador de mitos. Confessou-o numa passagem cristalina, paradigmática de sua estrutura mental e de seus altos desígnios, em que mais uma vez se revela a sua certeza recôndita de predestinado:

> "Desejo ser um criador de mitos, que é o mistério mais alto que pode obrar alguém da humanidade."[4]

Ora, enaltecer o poema camoniano, seguir-lhe a lição, equivalia a negar-se como criador de mitos, rebaixando-se, como outros antes dele, a simples epígono de Camões. Como crítico, resvalaria na trivialidade; como poeta, enfermaria de imitação, no sentido menor do vocábulo. A saída do impasse – que se localiza no cerne da sua obra –, a única saída do impasse estaria em repudiar *Os lusíadas*. Rebelava-se, assim, contra a tradição crítica e poética, não à maneira dos Josés Agostinho de Macedo, senão à sua própria.

Precisava, no entanto, de um modelo, ou, ao menos, de um simulacro de modelo, de um substituto do ídolo destronado, ainda que fosse para arrostar o bom senso, ou o senso comum, e a coerência, visto não poder, obviamente, fazer-se modelo de si próprio de modo direto e transparente (optaria pela solução da máscara, por meio dos heterônimos), e nem oferecer-se como modelo sem conflitos íntimos ou sem cair no ridículo. E encontrou-o em *Pátria*: servia-lhe à perfeição para a acrobacia mental que ensaiava.

Remetendo a obra de Junqueiro para o lugar ou acima de *Os lusíadas*, Pessoa punha em destaque dois aspectos: 1) repudiava, ou fingia repudiar (ou brincava com tal ideia), a obra quinhentista, como se a *Pátria*, e não o poema camoniano, fosse a epopeia da nacionalidade; 2) vaticinava a própria obra. As duas facetas do raciocínio pessoano exibem, como de imediato se depreende, inegável relevância.

Evidentemente, pelo que sabemos do Poeta, estamos em plena posse de seu gosto pela ironia e pelo paradoxo, esse exercício da inteligência que opera pelo avesso da aparência, segundo uma lógica que se diria absurda, uma lógica de sofismas. O que parece ser não é, e o que verdadeiramente é está oculto ou implícito.

Rechaçar Os *lusíadas* era reconhecer-lhe a grandeza emblemática. Propor a *Pátria* em seu lugar, ou mesmo acima, significava a apologia de uma obra que Pessoa sabia, sem dúvida, ser-lhe inferior: não podemos cometer com ele a injustiça de acreditar que não o soubesse. Mas é que a *Pátria*, e não *Os lusíadas*, anunciava a sua obra, ou antes, a sua Obra: posto que artificiosa, um tanto melodramática, a *Pátria* inseria-se na pré-história do seu projeto épico. Era o seu antecedente mais próximo.

Escusado seria submeter a *Mensagem* e a *Pátria* a uma comparação baseada no critério de valor. Além de suscitar questões de crítica comparativa, era demonstrar o óbvio. Um confronto estrutural assinalaria, no entanto, a semelhança entre o "drama em gente" que está na raiz da primeira, e nela se configura, e o drama, ou arquitetura dramática, que é a outra. Pessoa concebeu os heterônimos, todos o sabemos, como "drama em gente" ou "despersonalização dramática". *Mensagem* também o é; ao menos, constitui mais do que um "drama estático", como *O marinheiro*. E é-o na medida em que o Poeta convoca as várias vozes da história portuguesa para a sinfonia que em conjunto orquestram. A história de Portugal é vista como um palco onde se reúnem sincronicamente, para além do tempo, os seus protagonistas, cada um encarnando uma faceta do povo português que se foi definindo no curso da história. "Drama em gente" no indivíduo-pessoa/Pessoa, "drama em gente" no ser onticamente considerado, ou no coletivo-Pátria, é de dramas no gênero que se tem nutrido a história de Portugal, com que se cumpre, ou se cumpriria, ao ver de Pessoa, o seu destino previsto desde a fundação do Condado Portucalense, na remota Idade Média.

3

Todavia, pôr a *Mensagem* frente a frente com *Os lusíadas*, como já se tem feito, impõe-se como evidência objetiva. Aí o paradoxo: ainda que nebulosamente, Pessoa não desconhecia em que terreno pisava. Tanto o paralelo com a epopeia camoniana era uma fatalidade histórica e orgânica que tratou de subtrair-se ao confronto, ou efetuá-lo por vias travessas.

Os lusíadas cruzaram os séculos como exemplo supremo de poesia épica e chegaram até a modernidade, a despeito do desaparecimento das epopeias, mercê de complexos fatores socioculturais. Lúcido como era, Pessoa tinha-o como fato irrecorrível. Mas essa mesma convicção era-lhe estorvo, entrave à originalidade. Jamais lhe ocorreria, a sério, ou com toda a sinceridade, ou, se se preferir, com toda a positividade, divisar Junqueiro em nível superior a Camões. Menos ainda ver nele o supra-Camões reiteradas vezes anunciado.

Ora, não obstante afirme em mais de um momento que a *Pátria* superava *Os lusíadas* e que os ventos elísios da nova Renascença pressagiavam um super-Camões, é de concluir que, apesar de tudo, o grande bardo não podia ser o autor de *Os simples*. Entre outras coisas porque Junqueiro, conquanto ainda vivesse quando Pessoa entrou a cultivar os sonhos de uma (supra?) epopeia, pertencia irrevogavelmente ao passado oitocentista. O supra-Camões não é, nem pode ser, Guerra Junqueiro, mas proviria, como se deduz dos textos pessoanos, de *Pátria,* sua obra mais ambiciosa.

De qualquer forma, trata-se de vaticinar o surgimento de um super-Camões, o que significa ainda tomar o poeta quinhentista como padrão. Reconhecer-lhe a excelência envolvia, porém, um problema que a genialidade pessoana não tinha como disfarçar ou ignorar. Como admitir o paradigma representado por Camões e, a um só tempo, visionar o supra-Camões? Não era uma insolúvel contradição? Tenhamos em mente que Pessoa propunha a contradição como método, haja vista o texto que corre com o título de "Do contraditório como terapêutica de libertação": estava no seu elemento, por conseguinte.

A solução do problema estava, ou estaria, em propor(-se) um supra-Camões, não para o substituir, mas para erguer-se à mesma altura, ou, provavelmente, acima. Do seu nicho histórico ninguém expulsaria o autor de *Os lusíadas,* e supina ingenuidade seria tentar, ou acreditar, poder fazê-lo. Superá-lo, sim, essa a missão do futuro supra-Camões, quer dizer, o próprio Fernando Pessoa. Superá-lo em grandeza?

Pode ser que a cosmovisão amplificante, visionária, ocultista, de Pessoa não chegasse a tanto, mas prefiro supor que desejasse suplantá-lo em patriotismo, em sentimento ufanista pelo solo natal. É que não custa nada para se perceber que *Os lusíadas* constituem uma extensa elegia, ou elegia épica, se os dois vocábulos não colidem, como se pode ver na Fala do Velho Restelo, no episódio do Gigante Adamastor, de Inês de Castro, ou nas estâncias do epílogo, tudo impregnado de turva melancolia. Camões compôs o seu canto heroico sob o acicate da fatalidade, certamente sentindo que ela lhe presidia a vida e a da pátria: heroico na visão do pretérito, extinto, ou em vias de; depressivo para quem o descortinava segundo o milagre de Quinhentos. Visão de uma grandeza em declínio; heroísmo funéreo para quem o contempla desde os sete mares, imensa e diversificada geografia onde transcorre essa mesma gesta heroica. Em suma, um poema épico – e o povo que nele se espelha – sem futuro, está prefigurado, negativamente, pelo presente envolto em névoa.

Camões criou *Os lusíadas* com(o) o *longe:* Adamastor, a ilha dos Amores, os Doze de Inglaterra, etc. Pessoa focaliza o *perto,* erguendo os protagonistas da história portuguesa à condição de mito, ao contrário do poeta renascentista, que reduziu o panteão nacional a uma série de narrativas enfadonhas, intocadas pelas asas do mito, situado sempre fora dos seus heróis (com exceção da ilha dos Amores, obviamente).

De onde a inesperada preferência por *Pátria*: aqui, o presente é também melancólico, visto ensombrá-lo o fantasma do *Ultimatum* inglês (1890). O passado, todavia, encarnado pelo Doido e pelos espectros dos Reis, é precisamente a fonte emanadora do sopro que anima e permite adivinhar um futuro menos sombrio. A diferença entre Os *lusíadas* e a *Pátria* é, a esse respeito, meridiana: a Pessoa, o poema quinhentista se afiguraria menos patriótico, menos otimista, que o oitocentista.

Se o patriotismo visionário fosse a medida do talento e da realização poética, estaríamos diante de uma falha crítica, ou metodológica, de Pessoa, que em nada afeta a magnitude de Camões. Legítimo será suspeitar, diante disso, que o autor da *Mensagem* preferiu ver no poema de Junqueiro o signo do patriotismo, um patriotismo de coloração meio alucinatória, meio ocultista, de tonalidade simbolista-decadente – e só aplaudi-lo nessa medida. *Pátria* desbancaria *Os lusíadas,* consequentemente, porque atravessada por um incondicional sentimento de amor a Portugal – eis a equação pessoana, que respeita a superior dimensão propriamente poética de Os *lusíadas*. Aliás, Pessoa o diz, antecipando-se, como sempre, ao leitor:

> "Não há infelizmente dúvidas. A *Pátria* sobreleva Os *lusíadas,* 1º, na perfeita organicidade e construção, na unificação e integralização dos complexíssimos componentes, 2º, no poder puramente visionador e imaginativo, 3º, na elevação, intensidade e complexidade do sentimento patriótico e religioso."[5]

Supra-Camões, sim, no alvoroço patriótico, diria Pessoa, como se em Camões censurasse a falta de uma irrestrita pulsação nacionalista, marcada pelo ocultismo e pela transcendência de extração decadente. Mas sem lhe censurar a intrínseca ebulição poética, como se nota nos argumentos que utiliza, e na própria expressão "supra-Camões". Ninguém anunciaria um supra-Castilho, ou um supra-Bocage, ou um supra-Garrett, porque não levaria a parte alguma. Nem como exercício lúdico teria razão de ser: ninguém profetizaria a superação do epígono, pois tal ideia não procede em se tratando de figuras menores.

Uma passagem há em que Pessoa, ainda usando do seu amor ao paradoxo, fornece indícios da diferença, de *ordem* e não de *grau,* entre o supra-Camões e este "nosso ainda-primeiro poeta":

"A nossa poesia caminha para o seu auge: o grande Poeta proximamente vindouro, que encarnará esse auge, realizará o máximo equilíbrio da subjetividade e da objetividade. Diga da sua grandeza esta sugestão para raciocinadores. Super-Camões lhe chamamos, e lhe chamaremos, ainda que a comparação implícita, por muito que pareça favorecer, anteamesquinhe o seu gênio, que será, não de *grau superior,* mas mesmo de *ordem superior* ao do nosso ainda-primeiro poeta."[6]

E uma coisa seria sobrepujar *Os lusíadas* pelo patriotismo, pela visão ufanista e generosa da pátria, outra ultrapassar Camões como poeta. Tudo faz crer que Pessoa propõe que seja alcançado pelo patriotismo. Restaria analisar até que ponto ele divisava corretamente o patriotismo de *Os lusíadas* ao exigir-lhe o messianismo, a simbologia esotérica de *Pátria* e, acima de tudo, de *Mensagem.* Mas isso já é outra história.

4

Por fim, não há como fugir à indagação: seria a *Mensagem* o anti-*Os lusíadas*? Ou o supra-*Os lusíadas*? Com muita probabilidade, nem uma coisa, nem outra, ou uma e outra, como o Pessoa teria preferido pensar. Que é supra-*Pátria*, parece evidente a uma simples leitura, mas não anti-*Pátria*. E assim teríamos a razão por que Pessoa, vaticinando o supra-Camões, alçava a *Pátria* acima de *Os lusíadas,* num de seus habituais rasgos paradoxais, em que a verdade se oculta e se mostra ao mesmo tempo. A verdade, no caso, seria, sem colocar em dúvida a ideação cosmogônica de Camões, declarar o fim do seu ciclo de hegemonia. E o princípio de um novo ciclo, dominado por um supra-Camões – Fernando Pessoa.

Posto se revelasse narcisista e/ou extremamente seguro do seu valor, Pessoa dava, desse modo, a lição para a poesia genuína e superior: respeitar os poetas do passado, buscando repetir-lhes a façanha. Não imitá-los na sua realização, mas no seu processo; não nos temas e artifícios, senão no mecanismo psicológico/intelectual que os torna poetas, como no capítulo a respeito de Alberto Caeiro-mestre-de-poesia procurei assinalar. No espaço português, Camões era, e é, o paradigma. Impunha-se tomá-lo por guia, para construir uma obra outra, se possível de análoga grandeza. Supra-Camões, portanto, como todos os poetas sempre quiseram ser, no circuito da cultura portuguesa. Assim como, um dia, alguém anunciará o supra-Pessoa.

1988

Notas

1. Fernando Pessoa, *Obras em prosa*, Rio de Janeiro: Aguilar, 1974, org. de Cleonice Berardinelli, pp. 285, 367, 396, 403.
2. Idem, ibidem, pp. 343, 375, 431.
3. Pessoa concorreu com a Mensagem, publicada em 1934, ao prêmio Antero de Quental, oferecido pelo então Secretariado de Propaganda Nacional a uma obra poética de inflexão nacionalista. Foi-lhe atribuído o "prêmio de segunda categoria", e à Romaria, de Vasco Reis, o primeiro prêmio.

    A respeito da obra vencedora, Pessoa escreveu, a pedido do Diário de Lisboa, um breve artigo em que, sob o "manto diáfano" da ironia, a ironia sutil de que era capaz o seu engenho e o componente britânico da sua formação, manifesta sua descrença em relação ao prêmio. Faltava-lhe possuir o que sobejava no outro, "este catolicismo amoroso", a faculdade de interpretar "tão pagãmente, tão cristãmente a alma religiosa de Portugal". (Ibidem, p. 358)
4. Idem, ibidem, p. 84.
5. Idem, ibidem, p. 343.
6. Idem, ibidem, p. 385.

16

Fernando Pessoa e a cantiga trovadoresca

1

O impacto causado pela poesia e pelas teorias de Fernando Pessoa pertence hoje ao repertório das ideias assentes. O abalo desencadeado pelo seu espólio, gerando polêmicas que evidenciam, quando pouco, a relevância do assunto, vem reforçar a impressão de assistirmos a um processo ainda em curso, muito distante do seu fim. Mas à medida que o consenso se mobiliza em torno de alguns pontos da sua múltipla criação poética e ideológica, solidifica-se a certeza de que a sua revolução simultaneamente repercutia matrizes culturais do seu tempo e mergulhava raízes numa tradição que pode ter a idade da própria língua empregada a oeste da Península Ibérica.

E a genial inventividade, à beira do estilhaçamento delirante, não surge do nada; resulta, isso sim, de todo um trabalho de refundição do passado cultural, que também já não causa estranheza: tornou-se moeda corrente dizê-lo e pensá-lo. O seu *leitmotiv*, emblematizado na sentença, de conotação délfica, – "o poeta é um fingidor" – constitui a retomada de uma ideia e de uma prática que remontam, pelo menos, à Idade Média. Razão por que recorremos ao poeta de *Mensagem* para abrir estes apontamentos acerca da poesia trovadoresca. E não só por isso: utilizaremos a chave implícita naquele conceito para interpretar a produção poética medieval. Em contrapartida, retornando da época medieval à modernidade, podemos reafirmar a ideia de que, afinal de contas, a poesia pessoana enraizava num passado longínquo. Tudo se passa como se

Fernando Pessoa dialogasse com a lírica trovadoresca, e também como se a Idade Média galaico-portuguesa atirasse para o futuro o legado de uma realização poética que serviria de molde, ou de prenúncio, do que acabaria sendo a marca registrada do autor da "Tabacaria". Auxiliando-nos ele a compreender o universo poético trovadoresco, por seu turno recebe de volta, reativada, a luz que emite com a sua demoníaca lucidez de cético, à procura de uma crença menos frágil.

2

Na "Carta Proêmio" dirigida ao Condestável de Portugal, encaminhando-lhe o seu *Cancioneiro*, o Marquês de Santillana define a poesia como um "fingimento de coisas úteis"[1]. Com isso, informava-nos a respeito do significado de "gaya sciencia" ou "gay saber", e punha à mostra, a um só tempo, os subterrâneos da velha floração trovadoresca, então em declínio na Península Ibérica.

Como tal, a poesia feita "à maneira proençal", no dizer de um de seus mais inspirados cultores (D. Dinis), distribuía-se, como se sabe, por três registros fundamentais, o que equivale a três modos de armar-se a equação poética que a ideia de fingimento comporta.

O primeiro deles é representado pelo fingimento em masculino, que gera a cantiga d'amor. Para caracterizá-la, a "Arte de Trovar" que precede o *Cancioneiro da Biblioteca Nacional* lança mão do argumento da voz do narrador lírico: "se elles falan na primeira cobra e ellas nas outras, he d'amor". "Elles", quem? Não passaria pela mente de ninguém que o sujeito da ação do poema fosse o trovador, ou seja, o autor da cantiga e da sua melodia (quando ele não se apropriava de alheia produção musical, preexistente). Em termos modernos, é o "eu" lírico o sujeito da canção, a quem o poeta-músico transfere a incumbência de falar por si. Falar de sua "coita" amorosa, do seu sofrimento avassalador, como se, não podendo confessar-se abertamente, empregasse o recurso da obliquidade, ao modo de um ventríloquo, isto é, delegando a um outro "eu" a tarefa da comunicação. Mas esse "eu", não custa repisar o já sabido, é o desdobramento do "eu" do trovador, é a sua imagem refletida no espelho côncavo do poema.

Se já nessa transferência de função se pode notar fingimento, pela razão mesma de se tratar de poesia, o fingimento parece ser a tônica de todo o quadro interno da cantiga e, presumivelmente, do seu contexto. Ao entoar o canto de amor profano, o trovador leva em conta o cenário social à sua volta, de molde a pontuar com implícitos de toda sorte o tecido da sua poesia. É de supor que o ambiente das cortes e dos paços senhoriais constituiria uma rede fortemente trançada de subentendidos, de alusões, que se alongaria para os outros aspectos do viver cortesanesco, incluindo as sutilezas de ordem psicológica, moral e afetiva. A atmosfera impregnada de convenções, regras de boas maneiras, ou mesmo de coerções e normas rígidas de comportamento depreende-se da contenção que preside as cantigas.

Tendo de pressupor a conjuntura em que se inscrevia o seu canto – que era considerado a manifestação mais elevada de cultura e de civilização –, o trovador dava-se ao luxo, e à obrigação, de ser hermético, distante, abstrato, alusivo. O seu objeto amoroso, entre fictício e real, entre vivo e imaginário, – afinal, que importância teria resolver tal dualidade? – não podia ser declarado. O "serviço amoroso" impunha-se, como preceito inflexível, determinando que o trovador, como vassalo no duplo sentido de submeter-se ao mecenas que lhe garantia o sustento e à "senhor" de seus cuidados, recorresse a diversos expedientes para ocultar o mais que pudesse a destinatária da "coita" amorosa.

Aqui, o fingimento requinta-se: se alguma sinceridade há nessa confissão lancinante dum sentimento paralisante, dissimula-se sob as vestes superpostas do fingimento, de que a monotonia, a recorrência plangente de ladainha, é a expressão mais sensível. O próprio sentimento se revela fingido: o trovador ama realmente? Existe de fato a interlocutora, a eleita, que a "senhal" indicia sutilmente? Que a resposta seja positiva ou negativa é questão correlata: o fingimento é arma de sedução, de conquista, dirija-se ele a alguém determinado ou a um ente abstrato, espécie de musa à imagem e semelhança das damas da corte. Se, porventura, admitirmos que tudo não passa de ficção, e que, por conseguinte, a dama referida discretamente no poema é fruto da imaginação desbordante do trovador, envolto num espesso véu de convenções, aceito com deleite pela audiência fidalga, – fica ainda mais patente o caráter fictício da cantiga d'amor e da situação social que ela veicula e de que é reflexo. Essa confirmação não surpreenderia, em qualquer das duas alternativas, mesmo porque se trata de poesia lírica de alto nível, precisamente por levar o fingimento a um grau de sofisticação que se tornaria pedra de toque dos poetas líricos em vernáculo daí por diante.

3

O segundo registro manifesta-se no fingimento em feminino: a cantiga d'amigo. Se na cantiga d'amor a confissão é dum "eu" que não ousa declarar-se, nem revelar o objeto dos seus cuidados, porquanto a discrição lhe embargava os passos e a conveniência o aconselhava a calar seus segredos, agora o trovador se desloca para o interior da parceira, com a qual realiza a plenitude carnal apenas sugerida, ou almejada, no outro registro. Ele põe-se em lugar dela, para exprimir a vivência amorosa que é dela, uma vez que, sendo moça do povo, não teria as condições culturais e sociais para comunicar de forma estética, conforme as praxes em vigor, a tristeza de ser abandonada, ou de estar longe do bem-amado, ou de externar os seus lamentos pelo raiar da aurora depois de uma noite de transbordamento afetivo, ou as alegrias de jovem descuidada e feliz.

Se na cantiga d'amor o "eu" lírico fala pelo trovador discreto e tímido (ou fingindo que o seja), agora quem toma a palavra é o "eu" da interlocutora do diálogo amoroso travado com todo o realismo. A posse do objeto amado deixa de ser simples anseio, aureolado de misticismo e suspiros vãos, para se tornar plena realidade. Sem esta, o trovador não poderia imaginar-se falando pela voz da moça do povo, e falando com a verossimilhança de quem, por conhecê-la intimamente, pode encarnar-se nela. Mais ainda, de quem estabeleceu com ela uma identidade, uma simbiose: o "eu" do trovador é o "eu" da camponesa ingênua, a tal ponto que, não se distinguindo dela, pode falar por ela, transmitir a sua paixão com todos os sinais de veracidade, como se fosse ela, pois que de certo modo o é. O "eu" defronta-se com o seu duplo e nele se corporifica. O êxtase amoroso faculta a identificação, que agora é das almas também: o trovador é, a um só tempo, ele próprio e a parceira de amores pagãos, como se lhe houvesse assimilado a naturalidade sem cálculo. Desse modo, falando por ela, estaria ainda a falar por si, com uma verdade que não mais necessita recolher-se por trás de um decoro fingido.

Assim, o "eu" não apenas se desdobra em outro "eu", como este acaba sendo a sua vera efígie transposta noutro ser: dispondo-se como espelhos paralelos, os dois "eus" fundem-se, confundem-se, sem dar margem a que se distinga um do outro. Liberto das peias da convenção, o sentimento amoroso alcança o ápice, que é também, senão muito mais, fingimento: o trovador finge que é a jovem com a qual realiza a exaltação dos sentidos, como se chegasse "a fingir que é dor, / a dor que deveras sente". É que, mais do que ninguém, incluindo-se a própria companheira de amores, ele é capaz de avaliar e de reproduzir em versos de escaldante vivacidade a dor experimentada pela sua interlocutora. Tal faculdade lhe advém da circunstância única de ser o agente, a causa, do sofrimento, mas não só: o poeta não é indiferente à dor da parceira; a dor é também sua, e por isso pode exprimi-la com uma verossimilhança e um frescor de canto primaveril que impressiona até hoje.

Ora, essa incorporação do alheio no magma da interioridade, a transfusão de vivências do "outro", que agora tem rosto e tudo o mais de um ser humano real, para o "eu" que elabora a cantiga, está-nos a indicar uma equação heteronímica. A moça do povo assume a função de um autêntico heterônimo, de um desdobramento da individualidade do trovador, como se a parceira fosse a materialização de um ser brotado da sua mente e não um ser de carne e ossos, vibrante de sensualidade e alegria de viver. Daí que ela esteja a um só tempo dentro e fora do poeta, como um ser que tivesse a existência peculiar de um heterônimo, ou seja, livre para ter a sua biografia, vinculada à peripécia amorosa, como fruto da multiplicação do "eu" do trovador em outros "eus". E um heterônimo que tem a sua história: a montagem das cantigas numa dada sequência narrativa, que os estudiosos têm proposto, é acessível a todo leitor interessado. Os episódios aí relatados – sendo da moça e do trovador ao mesmo tempo – constituem um painel semelhante ao de qualquer vida anônima e simples naqueles recuados tempos, ao passo que na cantiga d'amor o poeta lida com estados d'alma.

4

No terceiro registro, o "outro" deixa de ser o desdobramento do "eu": o trovador enfrenta agora individualidades tão diferenciadas quanto a sua, ainda que por vezes de baixa extração social, visto que as tabernas e os alcouces constituem a ambiência preferida. Mas o "eu" já não é o mesmo dos demais registros: escancara-nos o seu anverso, a face encoberta nas dobras da hipocrisia imposta pelo viver nas cortes ou do lirismo esvoaçante suscitado pelo interlúdio carnal com a moça do povo.

O fingimento agora é satírico: o trovador assume-se agressivo, polêmico, briguento, aqui e ali desbocado, obsceno, como se habitasse, não o requintado cenário dos salões aristocráticos, mas o pestilento refúgio de marginais e escorraçados. "Mais sincero do que nunca" – pensará o leitor, imbuído da ideia de que o desbragamento dos costumes, estampado nas cantigas de escárnio e maldizer, seria mais congenial à psicologia do trovador que o convencionalismo das cantigas d'amor ou a descontração das cantigas d'amigo.

Não nos parece que assim se passam as coisas: os três registros constituem máscaras assumidas pelo mesmo trovador em diferentes momentos do dia. E só isso já seria suficiente para distinguir o lirismo trovadoresco de tudo quanto se produziu antes e depois em matéria poética: impressiona sempre aos leitores que se aproximam da poesia medieval essa ubiquidade proteica do trovador, somente restituída, na forma nova que adotou, em mãos de Fernando Pessoa, depois de cruzar por todos quantos, como Camões, Bocage e Antero, digladiaram a vida inteira com um "eu" fragmentado, num conflito em que por certo se nutriram para erguer a sua obra poética, mas que não chegaram a desenvolver em toda a extensão de suas potencialidades. As três máscaras nos indicariam, pelo menos, que seria trabalho inócuo saber qual delas era a mais autêntica, ou mais reveladora do psiquismo de seu portador. Qualquer que fosse a escolha, causaria distorção óptica no exame dessa produção lírica, originando perplexidades difíceis de contornar. Não lembra a questão de saber-se por meio de qual dos heterônimos foi Pessoa mais sincero, mais verdadeiro?

E a questão de qualidade, ou do valor estético, de cada uma dessas facetas no conjunto da obra de um autor não está em causa: o fato de uma delas poder indicar a ascensão do trovador a graus supremos de invenção poética não significa que as outras sejam menos autênticas ou que nelas a inspiração fosse inverídica. Um trovador pode ter sido mestre na composição de cantigas d'amigo, mas tal verificação não nos permite crer que a sua habilidade nos outros registros fosse menos fingida, ou menos fidedigna, do ângulo poético. Independentemente do nível de virtuosismo e brilho alcançado, o fingimento subjaz às três modalidades da criação poética medieval.

Por último, na hipótese de faltarem argumentos intrínsecos às cantigas para nos persuadir, não esqueçamos que a sátira é a contraface do lirismo: idêntico o seu mecanismo de base, a diferença entre eles reside no alvo, no tom e no sentido. Sabemos que todo satírico guarda dentro de si um lírico que teme enfrentar a claridade matutina, e vice-versa, todo lírico dissimula ciosamente seus ímpetos críticos por trás da tela evanescente do "eu": a força anímica, a hipersensibilidade, é a mesma, apenas variando o seu rumo. Num caso, o "eu" expõe-se como Narciso; no outro, defende-se contra o olhar inquisidor do "outro", movido sempre pela mesma egolatria que impele o ato poético.

5

Como se correspondessem a cenas de uma peça dramática, os três registros armam-se ao redor dum mesmo empenho – o de analisar os meandros íntimos da paixão. A sondagem da "coita" amorosa constitui a obsessão do trovador quando tolhido pelas malhas do "serviço amoroso": mais do que confessado, por meio de indiretas e alusões contidas, o sentimento é estendido num divã. Introspectivo, o poeta-músico refere-se à dama eleita como se ela fosse a razão acidental para ele esmiuçar, com lacrimosa paciência e riqueza de minúcias recorrentes, a paixão que o avassala. Não se observa ainda a ação fragmentarizante do pensar sobre o sentir, que chegaria ao topo na geração de *Orpheu*. Mas já é notória a propensão analítica, como se o motivo real da "coita" amorosa interessasse também, senão predominantemente, por desencadear a dolorosa sondagem interior. O fingimento associa-se à introversão: o autoconhecimento, resultante da investigação minuciosa do sentimento amoroso que lhe agita as arcas do peito, é o magno objetivo do trovador, a par da sedução, bem entendido.

Impedido de proceder a idêntico mergulho na intimidade da destinatária da cantiga d'amor – porque não é ela que está em causa, mas, sim, ele, e porque, ao fim de contas, lhe é vedado mencioná-la senão transversalmente – o trovador invade o espaço mental da jovem do povo. Situando-se fingidamente no âmago do seu *ego* palpitante, submete-o à análise, numa equação simétrica à da cantiga d'amor. Com a diferença de que, agora, a introspecção é menos profunda, menos monocórdica: os índices de historicidade, ou de contextualidade, prevalecem sobre os sintomas de padecimento moral e psíquico. Na serra, à beira-mar, no adro das igrejas, no campo, desenrolam-se as cenas da sua história amorosa, com as repercussões logo transmutadas em sentimentos de imediata concretização. E que o trovador logra captar e exprimir com notas de viva autenticidade, levado por uma empatia que é, desde logo, identificação, sustentáculo dum percurso analítico que se diria genuinamente feminino, não fosse o perigo de roçarmos em estereótipos e convenções culturais. De qualquer modo, graças ao poder de análise demonstrado pelo trovador, o resultado é um retrato verossímil da alma feminina quando posta em face dos transes da paixão amorosa.

Tal capacidade ainda se evidencia na cantiga de escárnio e maldizer: a análise continua a verrumar os confins da paixão, mas agora voltada para os embates determinados pelo ódio, a competição, os ciúmes, a antipatia. Numa palavra, a análise incide sobre a paixão que gera a sátira, visando antes à destruição do interlocutor que à expressão de sua interioridade. E quando esta se revela, não somente reforça a impressão de haver a mesma tendência para a análise, como ainda serve ao propósito que anima o autor da cantiga. Atacando o desafeto, exibindo-lhe sem dó nem piedade as entranhas morais, as falhas irremissíveis, o trovador também se põe a nu: seus baixos-humores entram em funcionamento para acionar o ataque desferido pela malquerença, ou os defeitos, do "outro". E este não é mais o duplo do seu "eu", salvo na medida em que se trata de um confrade possuidor de igual domínio dos recursos expressivos. O "outro" é um sujeito que tem voz própria, autônomo, individualizado, e por isso apto a manejar as mesmas armas do seu desafiante.

Ambos, encontrando-se em idênticas condições, sujeitam-se a uma análise impiedosa, com vistas a denunciar a máscara que envergam para singrar o universo da Corte. Cessada a dissimulação que enforma a cantiga d'amor, suspensa momentaneamente a situação em que a moça do povo é o *alter ego* do seu amante, os dois contendores surgem à frente do tablado como são na verdade, ostentando uma nova e rica faceta de sua individualidade. No final do espetáculo – espetáculo no sentido figurado e no próprio, em que não é exagero descortinarmos uma das possíveis sementes do teatro popular vicentino –, não há como fugir à evidência de que ali contemplamos uma das três faces que compõem a personalidade do trovador: amar com transportes quase místicos, entregar-se à paixão com todos os sentidos, e por fim desamar – são impulsos coexistentes no mesmo sujeito do trovador. O fingimento transforma-se em alteridade, encerrando um percurso e regressando ao ponto de partida, numa circularidade que é a sua própria razão de ser.

6

Analítico nos três registros em que a sua inspiração poética se materializa, segundo uma progressão que se inicia na suma introspectividade da cantiga d'amor e termina na alteridade satírica, o trovador oculta-se/revela-se nas máscaras que afivela ao rosto, que é para nós, ao fim e ao cabo, anônimo, indefinido. Se tomarmos por empréstimo à psicologia junguiana, sintomaticamente qualificada de analítica, para distinguir-se da psicanálise freudiana, os instrumentos de investigação dos espaços interiores do poeta-músico, os três registros podem exibir-nos algumas de suas sinuosas implicações.

Ao investir-se do papel de vassalo, a serviço do amor cortês, o trovador enchia-se de cautela, discrição, sutileza, humildade, em suma, recolhia-se por trás dum espesso biombo de convenções sociais e estéticas. Mas ao mesmo tempo traía-se: é a *persona* – o "eu" de contacto com o mundo, objetivando a adaptação à coletividade, ao meio circundante – que aí se impõe. A *persona,* como sublinha Jung, "nada tem a ver com a individualidade", pois "refere-se exclusivamente à relação com os objetos"[2]. Como *persona,* o trovador abraça as normas vigentes, subtrai-se cuidadosamente ao olhar, mas não sem deixar vir à tona, ainda que de forma vaga e precária, a sua verdadeira natureza. Vitória da *persona,* a cantiga d'amor oferece-nos o espetáculo de elaboradíssimo fingimento, que se localiza, como sabemos, na essência do fenômeno poético.

No segundo registro, o trovador, decerto farto das regras hipócritas ditadas pelo mundo cortesão, procura o ar livre do campo, da serra ou do mar, no encalço da jovem simples e amante de ocasião. Ao fazê-lo, pareceria ainda mais fingido, resistente às manobras que lhe patenteiam, ao sol do meio-dia, a individualidade recôndita no avesso das aparências. Na verdade, porém, abria-se para o "outro" real, que é também seu *alter ego*; mais do que isso, representa-lhe, encarna-lhe, a *anima*: na companheira de amores passageiros, põe à mostra a sua "disposição íntima", fica "inteiramente *outro* quando faz isso ou aquilo (...); é como se outra personalidade tomasse posse do indivíduo, 'como se nele se introduzisse outro espírito'"[3].

Se no primeiro registro o trovador parece reduzido a puro consciente, agora é a sua *anima*, a sua alma, que se comunica no movimento projetivo em direção à mulher do povo. Simulando que ela é quem se expressa na cantiga d'amigo, o poeta-músico deixa falar as vozes mais íntimas do seu inconsciente, até então recobertas, ou abafadas, pelos preceitos sociais que imperavam na cantiga d'amor. Ou seja, ainda nas palavras do psicólogo suíço, "no que diz respeito às qualidades gerais humanas, o caráter da alma pode-se deduzir do caráter da *persona*. Tudo o que deveria revelar-se na disposição externa, mas lhe falta, de maneira ostensiva, encontrar-se-á sem dúvida alguma na disposição íntima"[4].

Complementares, por conseguinte, as cantigas d'amor e d'amigo ofertam-nos duas configurações psicológicas vividas pelo mesmo trovador: *persona* ali, *anima* aqui; oculto no primeiro caso, mais franco, ainda que por projeção, no outro; convencional, reverente, ao analisar os tormentos da paixão impossível; natural, íntimo, ao dialogar com a pastora, a serrana ou a ribeirinha; o "eu" verga-se aos outros, ao leviatã social, na cantiga d'amor, e identifica-se com o "outro", que é o seu duplo, a projeção da sua *anima*, na cantiga d'amigo.

Essa complementaridade envolve também a cantiga de escárnio e maldizer: o sujeito do trovador, submerso nas determinantes sociais da *persona* ou transfigurando a sua *anima* num ser fora dele, torna-se agora protagonista da própria história, isto é, da contenda satírica. O sentimento extravasado é de natureza biliosa, agressiva, destrutiva, cruel ou, ao menos, cômica, graças ao ridículo em que busca afogar o oponente: é a contraface do lirismo humilhado da cantiga d'amor ou o exultante da cantiga d'amigo. Uma nova camada interior vem à tona em substituição às outras duas. A *persona* desvela-nos a sua antífrase, a sua face oculta, a sua *sombra*, "o espelho [que] está por trás da máscara [*persona*] e mostra o seu verdadeiro rosto", geralmente negativo: "o encontro consigo mesmo é uma das coisas mais desagradáveis, e o homem o evita enquanto pode projetar todo o negativo sobre o mundo circundante"[5]. A cantiga de escárnio retrata, no seu belicoso dialogismo, esse afã de localizar no "outro" as forças do mal que o *ego* dos trovadores se furta a reconhecer em si.

7

Visto que são facetas complementares, psicologicamente compensatórias, podia-se perguntar em qual delas o trovador seria mais sincero. Aceitando a indagação – que é notoriamente ociosa – como alavanca para o raciocínio, diríamos que em nenhuma em particular, e nas três ao mesmo tempo: a sua sinceridade residiria precisamente em confessar-se nos três registros à sua disposição e não num só. O ser do trovador é a soma dessas partes numa unidade tripartite, atestado duma "eventual multiplicidade de personalidades num mesmo e único indivíduo"[6].

Fingimento e alteridade, em síntese, levados ao extremo da atração e repulsão, dispersividade e desdobramento, a caminho da heteronímia que Pessoa exploraria até o mais agudo delírio de olhos abertos e o mais sibilino histrionismo intelectual, máscara polimórfica sob a qual se escondia e, a um só tempo, se dava a conhecer. Último dos trovadores? Depois dele, somente nos cabe repensar, à luz ofuscante que a sua obra irradia, toda a evolução da poesia portuguesa: neste breve ensaio não fizemos mais do que tentar o regresso ao seu berço, para surpreender, quem sabe, o momento incomparável em que pela primeira vez, e para sempre, se lhe delineou a genial equação matriz.

1994

Notas

1. *Marcelino Menéndez Pelayo*, Historia de las ideas estéticas en España, 5 vols., *Buenos Aires: Espasa-Calpe, 1943, vol. I, p. 496.*
2. *C. G. Jung*, Tipos psicológicos, *tr. de Álvaro Cabral, Rio de Janeiro: Zahar, 1967, p. 478.*
3. Idem, ibidem, *p. 480.*
4. Idem, ibidem, *p. 482.*
5. Idem, Arquétipos e inconsciente colectivo, *tr. de Miguel Murmis, Buenos Aires: Paidós, 1970, p. 26.*
6. Idem, Tipos psicológicos, *p. 476.*

17

Fernando Pessoa e a educação do estoico

Como se sabe, o universo dos heterônimos que a mente de Fernando Pessoa engendrou ao longo da vida envolve dezenas de nomes, alguns dotados de biografia e obra, outros, meramente indicativos. Estes, permaneceram no limbo antes e depois da morte do seu criador, à espera do momento em que ganhariam vida e força criadora, vale dizer, em que o conteúdo do famoso baú revelasse, ou não, os traços da sua passagem. Quando o espólio pessoano for completamente catalogado e estudado, saberemos quais se inscrevem numa ou noutra dessas duas categorias. Assim é que, entre os primeiros, acabou por ser revelado na totalidade dos seus escritos o décimo quarto Barão de Teive, Álvaro Coelho de Athayde de nome, autor de *A Educação do Estoico*, vindo a lume em 1999, numa edição preparada por Richard Zenith.

Antes dessa recolha completa da obra, o primeiro sinal da sua existência fora dado por Maria Aliete Dores Galhoz, nos inéditos reproduzidos entre as páginas XXXVII e XXXIX do prefácio à *Obra Poética* de Fernando Pessoa, publicada em 1960, sinal esse reiterado pelos inéditos transcritos por Maria Teresa Rita Lopes em *Pessoa por conhecer*[1], vindo a público em 1990. Já nessas páginas, deixadas em forma de manuscritos e datiloscritos, alguns dos quais "contidos num pequeno caderno preto e jamais transcritos", salta à vista que constituem "apontamentos e esboços destinados a um desenvolvimento posterior"[2].

Fernando Pessoa exerceu, em pleno, o direito e a capacidade de ser, até onde é possível, consciente e expressamente contraditório, movido pelo desejo, sonho, devaneio, ideal ou ambição, de ser humano até os limites da imaginação ou da loucura. Como indivíduo, na condição de indivíduo, representaria toda a Humanidade, ou refletiria, no seu microcosmos, todo o cosmos humano. Daí os heterônimos, máscaras que a um só tempo lhe permitiram ser multifacetado, na sua forma mais alta e complexa. A consequência mais brilhante dessa multiplicação em dezenas de "outros", além de vincular-se ao cerne do problema que nos ocupa no momento, é que o seu criador se voltava contra todos os sistemas, fossem ideológicos, filosóficos, religiosos, fossem estéticos, científicos, etc. E a razão é tão simples quanto serem substancialmente dogmáticos e, portanto, redutores, simplistas, mais orientados pela fé do que pelo intelecto ou pela razão.

Difusa pela obra toda de Pessoa, essa força motriz da sua visão de mundo não poderia estar ausente do autor de *A Educação do Estoico*, como se pode observar nas seguintes passagens: "Contra a maioria das doutrinas filosóficas tenho a queixa de que são simples; o facto de quererem explicar é prova bastante de tal, pois explicar é simplificar. [...] Princípios absolutos, e por isso falsos; ridículos e por isso inestéticos."[3] Significava, ao ver de quem as redigiu, que as doutrinas excluíam, cada uma de per si, todas as demais facetas do humano, visto pretenderem ser, ou na verdade serem, cada uma a seu modo, não contraditórias e, por isso, não espelharem a universal polivalência que caracteriza a dimensão humana.

Ao contrário de Bernardo Soares, que começou a elaborar o seu "livro-caixa" no início dos anos 10 do século passado, o livro do Barão de Teive é de um heterônimo tardio, ao menos na sua manifestação criativa, levada a efeito após 1928, mas ambos são igualmente fragmentários e concebidos na mesma altura, uma vez que a ideia do Barão de Teive data de agosto de 1912.[4] Ao fim da década de 1920, Fernando Pessoa começaria a sentir a morte cada vez mais próxima, de modo a tornar o manuscrito do Barão de Teive uma espécie de testamento: por meio dele, a confissão mistura-se ao paradoxo, à prática de uma reflexão oscilante entre o estoicismo e o seu polo oposto, o hedonismo, ao entrechoque do "sim" com o "não", das duas ou mais facetas dos sentimentos, dos conceitos, das ideias, das emoções, dos pensamentos. E, enfim, das múltiplas categorias intelectuais que lhe bailavam na mente, como se escondesse, por impossibilidade de ser sincero e ortodoxo, o que lhe ia na alma. Mesmo porque o que lhe povoava o mais íntimo era múltiplo e paradoxal, seja o produto da experiência, seja o da reflexão ou dum lirismo decadente e peregrino.

Recolhia, dessa forma, tudo quanto ficara disseminado pelos outros heterônimos, à espera duma forma própria, como se o Barão representasse, na sua fidalguia reflexiva e por vezes lírica, tudo aquilo que Fernando Pessoa fora às ocultas ou, pelo menos, descortina-lhe um traço de caráter e mundividência, em que a realidade empírica, mesclada a outras de vária espécie, se mostrava às claras ou menos enevoada. A "nota preliminar" às *Ficções do Interlúdio* é, neste particular, muito significativa, inclusive pelo fato de juntar Bernardo Soares e o Barão de Teive no espaço da mesma irmandade:

"O ajudante de guarda-livros Bernardo Soares e o Barão de Teive – são ambas figuras minhamente alheias – escrevem com a mesma substância de estilo, a mesma gramática e o mesmo tipo e forma de propriedade: é que escrevem com o estilo que, bom ou mau, é o meu. Comparo as duas porque são casos de um mesmo fenômeno – a inadaptação à realidade da vida, e o que é mais, a inadaptação pelos mesmos motivos e razões."[5]

De onde o Barão de Teive ser, como cumpria, um heterônimo prosador, uma vez que os poetas já se haviam manifestado, cada um à sua maneira, sob a batuta de um mestre (Alberto Caeiro) e no interior de uma família estética. Heterônimo emblemático, o Barão de Teive só podia ser prosador, como se Fernando Pessoa, ao inventar, ou desvendar na sua interioridade, um novo tipo de prosador, tivesse em mira tentar a síntese da sua multiforme identidade hamlética, enclausurada numa torre sombria, recoberta interiormente por infinitos espelhos, à semelhança do *Cidadão Kane* no fim dos seus dias.

Na esteira dessa identificação, eventualmente uma das mais próximas do que seria o "eu" profundo de Fernando Pessoa, o Barão de Teive define-se como um monárquico, na linha da confissão que o seu criador fizera, numa nota biográfica datada de 30 de março de 1933 [ou 1935]: "Considera que o sistema monárquico seria o mais próprio para uma nação organicamente imperial como é Portugal. Considera, ao mesmo tempo, a Monarquia completamente inviável em Portugal."[6] Tal parentesco autoriza pensar que, encarnado no autor de *A Educação do Estoico*, Pessoa seria mais verídico, porém não menos inventado, como os demais heterônimos: na verdade, começara a inventá-los precocemente, desde o dia em que, nos longes da infância, lhe brotou o primeiro verso ou que resolveu cercar-se de seres fictícios para povoar a infância solitária e órfã em Durban, como reconhece na "nota explicativa" anexa ao livro do Barão de Teive: "Transferi para Teive a especulação sobre a certeza, que os loucos têm mais que nós. [...] não podia ter sobre a qualidade do meu espírito certeza de espécie nenhuma."[7]

Por meio do Barão de Teive, Pessoa pretendeu experimentar-se à beira da loucura, a fim de ser verdadeiro e profundamente humano. O heterônimo permitia-lhe que fosse sem o ser, quer dizer, sentir os transes da loucura por uma interposta figura, assim como ela se encaminha para o suicídio a fim de que Pessoa não o praticasse: age em seu lugar, para que ele permanecesse, ainda e sempre, a um passo da demência, sem jamais enlouquecer, e a uns poucos anos da morte (1935), talvez anunciada muito antes. Pode-se dizer que "Pessoa enlouqueceu e suicidou-se através de Teive"[8].

Ao contrário, pois, do seu amigo fraternal, Mário de Sá-Carneiro, que entrara no reino da sem-razão e buscara no suicídio uma saída para a sua sensibilidade loucamente enferma de beleza e de aspiração ao absoluto. Nenhum outro heterônimo assim procedeu ou talvez procederá: era preciso gerar um heterônimo que o fizesse, para que Pessoa morresse sem despencar no suicídio ou na loucura, que sentia vizinha das suas mentalizações para além da razão prática. O Barão de Teive fora criado como heterônimo vicário do seu criador em duas das mais difíceis e axiais empresas.

Com efeito, a loucura e o suicídio eram os ícones trágicos da geração de *Orpheu*, que Pessoa repudiou ou neutralizou, não sem os explorar fartamente, por intermédio da obra imensa, escrita num ritmo sem pausa, aproveitando todas as horas que sobravam da servidão de redigir cartas comerciais para ter onde morar e ganhar o pão de cada dia. E tais horas eram todas, inclusive as roubadas ao sono. Ao transferir os ícones geracionais para um heterônimo "terminal", deixava patente que vivera ensombrado pelo suicídio e pela certeza que "cada um de nós tem de ser uma trindade, o que é demais até para a loucura"[9], quanto mais para quem, como ele, que se desdobrara numa multidão de seres. Além disso, tinha plena consciência de que o gesto de Sá-Carneiro não convinha a quem, como ele, se descobrira, ou intuíra ser, destinado a congeminar uma obra de superior grandeza de concepção, forma e beleza. Obra essa que faria dele o Super-Camões em certo momento vislumbrado por entre os poemas que vinham sendo escritos desde os fins do século XIX, notadamente, a seu ver, por Guerra Junqueiro, no poema épico *A Pátria*.

Assim, as trevas da loucura e do suicídio, em vez de o impedirem de entregar-se de corpo e alma à elaboração da sua obra, tornaram-se as fontes de onde extraiu toda a sua multímoda produção intelectual, gravitando entre o desequilíbrio que o embate do sentimento com a inteligência pressupõe e deflagra, e o aceno do autoextermínio como solução para a incessante e tormentosa angústia.

Por meio do Barão de Teive, Pessoa exorciza-se. A loucura e o suicídio, eixos polares de um e de outro, fizeram que o autor de *Mensagem* se libertasse do "medo", do perigo, das obsessões que o estigmatizavam desde sempre? Pessoa estava cônscio da ameaça, quem sabe fundado nos sinais que notara nas figuras femininas da sua família, designadamente na avó Dionísia. E ao apelar para o Barão de Teive, assumindo a máscara de alguém que, acossado pela demência e pelo suicídio, entrava a pensar em arte, filosofia, psicologia, libertava-se do estigma, num circuito que percorria a galeria dos heterônimos criados no curso dos dias que lhe foi dado viver.

O Barão de Teive faz o balanço dessa trajetória, marcada pela mais "profunda e a mais mortal das secas do século – a do conhecimento íntimo da vacuidade de todos os esforços e da vaidade de todos os propósitos", e entrega-se à ideia de suicídio ao chegar "à saciedade do nada, à plenitude de coisa nenhuma"[10]. Se não a antífrase de Pessoa, ou a sua sombra junguiana, o seu *id* cético e predador, o Barão de Teive é certamente o avatar de Manuel Laranjeira e, com mais pertinência, de Mário de Sá-Carneiro, ambos suicidas contemporâneos. Enquanto Bernardo Soares é o heterônimo-Mário-de-Sá-Carneiro decadente, o Barão de Teive é o heterônimo-Mário-de-Sá-Carneiro desequilibrado, que prepara a consumação da sua morte pelas próprias mãos, assim como o autor de "Dispersão".

A educação do estoico é, portanto, uma educação para a morte. Tal é o conteúdo da obra do Barão de Teive, tal é o pensamento de Pessoa ao pôr em tela as ideias do seu *alter ego* conturbado e final. Um e outro estoicos à sua maneira, os dois encontram-se na fase em que o seu credo ou o seu modo de encarar a realidade é posto à prova, e assemelham-se pelos aprestos no rumo da morte, em qualquer de suas modalidades. Daí decorre que a busca da verdade, propulsora do estoico em processo de educação, em obediência à vontade, princípio defendido pelos primeiros filósofos gregos dessa linhagem, a busca da verdade equivale à preparação para a morte. Tudo se passa como se Fernando Pessoa atribuísse ao suicídio de Mário de Sá-Carneiro não só o exercício da vontade pregada pelos estoicos, mas também a procura da verdade num plano para além da vida, e não à sensibilidade mórbida que o assolava e tingia de cores puxadas à aristocracia e à bufonaria de "astro-rei".

O Barão de Teive redige o seu manuscrito conduzido pela ideia de que, não podendo deixar "uma sucessão de belas mentiras", somente lhe cabe "deixar o pouco de verdade que a mentira de tudo nos concede supor que podemos dizer"[11]. O resultado é que a tese de Pessoa/Barão de Teive ou Barão de Teive/Pessoa logo vem à tona do manuscrito, quem sabe para esclarecer, ao modo de uma nota preliminar, o sentido fundamental das suas páginas:

> "Não há maior tragédia do que a igual intensidade, na mesma alma ou no mesmo homem, do sentimento intelectual e do sentimento moral. Para que um homem possa ser distintivamente e absolutamente moral, tem que ser um pouco estúpido. Para que um homem possa ser absolutamente intelectual, tem que ser um pouco imoral. Não sei que jogo ou ironia das coisas condena o homem à impossibilidade desta dualidade em grande. Por meu mal, ela dá-se em mim. Assim, por ter duas virtudes, nunca pude fazer nada de mim. Não foi o excesso de uma qualidade, mas o excesso de duas, que me matou para a vida."[12]

Quem profere essas palavras? O heterônimo fala por si ou (também) pelo seu criador? Ou este emprega a voz do outro para se definir, montando o cenário em que se tornasse possível divisar-lhe, ainda que longinquamente, a essência recôndita, ou, quando pouco, uma de suas facetas mais acentuadas? Ou ainda é a memória deixada por Mário de Sá-Carneiro na alma de Pessoa que se manifesta obliquamente, por meio do Barão de Teive? Ou todas essas alternativas se imbricam, tornando cada frase um abismo de paradoxo, ironia, antífrase e desespero estoico?

Seja qual for a resposta que se julgue mais plausível, o certo é que se trata de um estoico heterodoxo, um tanto cismático, a falar da doutrina que abraça como verdadeira, por estar alicerçada no problema moral, aqui colocado em face do problema intelectual, numa incômoda dualidade, acrescida do fato de os seus dois polos constituírem modos de expressão do sentimento: "sentimento intelectual e sentimento moral". Tal concepção do sentimento faria pensar num estoicismo pós-romântico, que revelasse, por parte de Pessoa, o abandono da sensação e, eventualmente, do Sensacionismo, mais compatíveis com os aspectos intelectual e moral.

Situado nessa perspectiva, entende-se por que ao Barão de Teive restou apenas o caminho que termina pela morte, não por reconhecer a evidência que este é o fim de todos os viventes, mas por verificar que o seu estoicismo, em vez de escorar-se na ideia de unidade, como pedia a doutrina desde a sua fundação, radica numa ambiguidade irresolúvel: um dos seus extremos leva à estupidez em razão da sua moralidade absoluta, o outro, arrasta à imoralidade como fruto do absoluto intelectual.

Indo um pouco mais adentro dessa complexa profissão de fé, podemos entender melhor o drama do Barão de Teive. Arredio, à margem da vida e do mundo, não esconde o *orgulho* que o irmana a Mário de Sá-Carneiro, situação que restaura a questão da *verdade*: "Dar valor e importância às nossas sensações [...] esta vaidade para dentro, a que chamamos tantas vezes orgulho, como chamamos à nossa verdade as verdades de todas as espécies", orgulho esse que, afinal, mata: "Um orgulho intenso, como o que me matou, e vai matar."[13] Descabido no estoicismo da tradição, que remonta à Grécia antiga, na qual Zenão pontifica, entre outros, pela pregação da "temperança, coragem, sabedoria, justiça" como categorias fundamentais[14], esse orgulho beira à megalomania, como se pode entrever nessas e noutras páginas, que uma vez mais fazem pensar na irmandade com Mário de Sá-Carneiro, dominado pelo mesmo sentimento.

Vício, portanto, em vez de virtude, é o que o Barão de Teive descortina dentro de si, pois as suas virtudes, sendo duas e excessivas, abrem espaço para o vício: "A virtude é sempre boa; o seu contrário, sempre mau: a virtude traz felicidade; o vício acarreta sofrimento."[15] Compreende-se, a essa luz, por que o heterônimo estoico se volta para a morte: nem o intelecto, nem a moral alcançaram o equilíbrio ou a pureza que os tornasse fortes o suficiente para resistir ao ceticismo, que induz a considerar a morte o supremo bem, em lugar da ataraxia, da vitória sobre as paixões, concebida como a forma acabada de paz interior sonhada pelos cultores das virtudes. Por outras palavras, na eliminação do excesso e na redução da intensidade das virtudes reside a recompensa para quem, guiado pela vontade, elegeu como lema o cultivo de uma "constante disposição de realizar o acordo do indivíduo consigo mesmo e com a natureza"[16].

Acontece que o primordial intento estoico, o de alcançar a paz interior, sustentava-se em paradoxos, não raro denunciados pelos adversários emboscados em outras correntes filosóficas, das quais recebeu alguma influência, como as integradas por platônicos, cínicos, céticos, epicuristas. Além desse compósito de orientações filosóficas, o estoicismo permitia ver, na doutrina da renúncia aos prazeres viciosos, algo como o presságio da graça cristã. Por sua vez, essa predisposição, que atingiria o ápice no exercício da plena sabedoria, não obstava que os estoicos fizessem "a apologia do suicídio", uma vez que é melhor "preferir a morte à metamorfose em besta, destino comum dos maus"[17], notadamente quando alguém estiver enfrentando sofrimentos insuportáveis, perdas irreparáveis ou doenças incuráveis. Vinculada à liberdade, ao livre-arbítrio e à hesitação em considerar estúpido ou sábio quem o praticasse, a questão do suicídio também implicava o orgulho que se divisa no Barão de Teive[18]. Entre os primeiros estoicos, três deles o levaram a efeito: Zenão, Cleantes e Antípatros de Tarso.

Retornando ao Barão de Teive, nota-se que o seu estoicismo cismático resulta de condições especiais: homem da modernidade pós-industrial, lutava bravamente para realizar o seu sonho de integridade moral, amparado nas faculdades que dizia possuir e no ambiente em que lhe foi dado nascer e viver. O pertencer a um tempo e a uma cultura em que as leis da hereditariedade já estavam à disposição de todo homem culto, e de lutar contra tudo que tentasse impossibilitá-lo de conquistar a desejada paz interior, tendo de permeio as ambíguas qualidades que julgava possuir, – tudo isso dificultava que lograsse o seu intento: "Nunca pude dominar o influxo da hereditariedade e da educação infantil. Pude sempre repugnar os conceitos estéreis de fidalguia e de posição social; nunca os pude esquecer."[19] E di-lo como se tudo isso fosse possível, e possível sempre de um modo que faz lembrar, ainda uma vez, Sá-Carneiro. E como se não bastasse, culmina a iluminação desse ponto da sua individualidade com estas observações, que falam por si sós: "E assim eu, o homem de inteligência e de desprendimento, perdi a felicidade por causa dos vizinhos que desprezo."[20]

Nessa autoanálise podem ser detectados os motivos pelos quais teve de abdicar do amor ou, acima dele e de tudo o mais, abdicar da perfeição, sonhada por qualquer ente humano, sobretudo quando engajado no estoicismo. É que "a ideia de perfeição" ("O escrúpulo da precisão, a intensidade do esforço de ser perfeito – longe de serem estímulos para agir, são faculdades íntimas para o abandono"[21]), que o impele à ação verbal, como nutrimento e vetor, constitui, por outro lado, o inimigo que o derrota e mata: "É que o meu vero inimigo, vitorioso contra mim desde Deus, era aquela mesma ideia de perfeição, que me saía à frente antes de todas as hostes do mundo, na vanguarda trágica de todos os armados do mundo."[22]

Afinal, confessa ele, pertencia "a uma geração – supondo que essa geração seja mais pessoas que eu – que perdeu por igual a fé nos deuses das religiões antigas e a fé nos deuses das irreligiões modernas", e padecia da mesma doença que vitimara Rousseau, Chateaubriand, Senancour, Amiel[23], pertencentes à sua "raça de espírito". Ao repudiar, implicitamente, os ingleses e os seus patrícios, o Barão de Teive confessava, por conseguinte, o mergulho na introspecção num tal grau que o afastara da realidade do mundo, atitude de contorno negativista engrossada pela sensação de "futilidade da vida"[24], que serve de prelúdio ao suicídio. É que se tornara mais perfeito do que os outros integrantes da raça de espírito comum, pois não legara coisa alguma, a não ser os fragmentos, contendo "ideias bruscas, admiráveis, fraseadas em parte com palavras intensamente próprias – mas desligadas, a coser depois, erigíveis em monumentos", de modo a "fazer breves ensaios dos fragmentos antecipados de uma obra grande jamais realizável"[25], alguns dos quais registrados num pequeno caderno preto.

Convicto de haver atingido o grau mais alto a que pode ascender "o vero uso da razão e a dignidade racional da alma [...] a plenitude do emprego da razão"[26], o Barão de Teive pode agora consumar o derradeiro ato prefigurado nas reflexões de estoico que foi transcrevendo nas páginas soltas ou datilografadas: "Saúdo alto o Destino com o penúltimo gesto – o gesto antes daquele com que, confessando-me vencido, me instituo vencedor."[27] Estas frases, que encerram o antepenúltimo e breve fragmento, retornam no epílogo desse ensaio de formação que termina ambiguamente pelo triunfo da morte: "Se o vencido é o que morre e o vencedor quem mata, com isto, confessando-me vencido, me instituo vencedor."[28]

Notas

1. M. Teresa Rita Lopes, Pessoa por conhecer, 2 vols., Lisboa: Estampa, 1990, vol. I, pp. 132-135; vol. II, pp. 242-249.
2. Richard Zenith, in Barão de Teive, p. 10.
3. Barão de Teive, A Educação do Estoico, ed. de Richard Zenith, Lisboa: Assírio & Alvim, 1999, pp. 33-55.
4. Richard Zenith, in Barão de Teive, p. 93.
5. Fernando Pessoa, Obra Poética, org., introd. e notas de Maria Aliete Dores Galhoz, Rio de Janeiro: Aguilar, 1960, p. 129.
6. João Gaspar Simões, Vida e Obra de Fernando Pessoa. História duma Geração, 2ª ed., Lisboa: Bertrand, s. d., p. 674.
7. Barão de Teive, op. cit., p. 61.
8. Teresa Rita Lopes, op. cit., vol. I, p. 133.
9. Fernando Pessoa, Heróstrato, ed. de Richard Zenith, Lisboa: Assírio & Alvim, 2000, p. 76.
10. Barão de Teive, op. cit., p. 17.
11. Idem, ibidem, p. 18.
12. Idem, ibidem, p. 20.
13. Idem, ibidem, pp. 32, 51.
14. Albert Rivaud, Histoire de la Philosophie, t. I, Paris: PUF, 1948, p. 395.
15. Idem, ibidem, p. 394.
16. Idem, ibidem, p. 398.
17. Idem, ibidem, p. 406.
18. J. M. Rist, La Filosofía Estoica, tr. David Casacubienta, Barcelona: Grijalbo Mondadori, 1995, pp. 242-264.
19. Barão de Teive, op. cit., p. 21.
20. Idem, ibidem, p. 21.
21. Idem, ibidem, pp. 25, 37.
22. Idem, ibidem, p. 37.
23. Idem, ibidem, pp. 26, 42-44.
24. Idem, ibidem, p. 46.
25. Idem, ibidem, pp. 24, 50.
26. Idem, ibidem, pp. 56, 57.
27. Idem, ibidem, p. 58.
28. Idem, ibidem, p. 58.

Nota Bibliográfica

1. **Fernando Pessoa e a poesia de *Orpheu*.**
Conferência proferida na Universidade do Texas (Austin, EUA), em 28 de fevereiro de 1968; publicado na *Miscelânea de Estudos em Honra do Prof. Vitorino Nemésio* (Lisboa, 1971).

2. **Uma reflexão heterodoxa acerca de Fernando Pessoa.**
Publicado na revista *Colóquio,* Lisboa, 20 de outubro de 1962.

3. **Fernando Pessoa: o espelho e a esfinge.**
Refundição de *Fernando Pessoa (Aspectos de sua Problemática)*. Instituto de Estudos Portugueses da Universidade de São Paulo, 1957-1958.

4. **A questão dos heterônimos.**
Refundição de "Nótula à margem dos Heterônimos de Fernando Pessoa", *Folha da Manhã*, S. Paulo, 23 de setembro de 1956, e de um dos capítulos de *Fernando Pessoa (Aspectos de sua Problemática)*.

5. **Ainda a questão dos heterônimos.**
Publicado nos *Estudos Portugueses. Homenagem a Luciana Stegano Picchio*, Lisboa, DIFEL, 1991.

6. Heteronímia e projeto filosófico.
Publicado no *Suplemento Cultura de O Estado de S. Paulo*, 22 de maio de 1977.

7. Fernando Pessoa contista.
Retoma o texto publicado em *O Conto Português* (S. Paulo, Cultrix, 1975).

8. O *banqueiro anarquista*: banquete sofístico?
Publicado em *Canticum Ibericum, Georg Rudolf Lind zum Gedenken,* Frankfurt am Main, Verwuert Verlag, 1991.

9. O *Livro do desassossego*: livro-caixa, livro-sensação?
Publicado no *Encontro Internacional do Centenário Fernando Pessoa*, Lisboa, Secretaria do Estado da Cultura, 1990.

10. Fernando Pessoa e o cinema.
Conferência lida no XI Encontro Nacional de Professores Brasileiros de Literatura Portuguesa, João Pessoa, Paraíba, 9 a 13 de dezembro de 1985; publicado, sob o título de "Fernando Pessoa e o *Cidadão Kane*" no *Boletim Informativo* do Centro de Estudos Portugueses da Universidade de S. Paulo, 3ª série, nº 2, 1985.

11. Alberto Caeiro, mestre de poesia? – I.
Conferência pronunciada no Museu de Arte de S. Paulo, 29 de novembro de 1985; publicado no *Suplemento Cultura de O Estado de S. Paulo*, 24 de novembro de 1985.

12. Alberto Caeiro, mestre de poesia? – II.
Publicado nos *Arquivos do Centro Cultural Português*, Fundação Calouste Gulbenkian, Lisboa/Paris, vol. XXXI – Homenagem a André Roig, 1992.

13. Fernando Pessoa e os poemas dramáticos.
Inédito.

14. *O marinheiro*: "la vida es sueño"?
Publicado em *Indiana Journal of Hispanic Literatures,* Indiana University (Bloomington, Indiana, EUA), nº 9, 1996.

15. Fernando Pessoa e o supra-Camões.
Publicado na *Miscelânea de Estudos Linguísticos, Filológicos e Literários. In Memoriam Celso Cunha,* Rio de Janeiro, Nova Fronteira, 1995.

16. Fernando Pessoa e a cantiga trovadoresca.
Conferência proferida, sob o título de "A Lírica Trovadoresca: Fingimento e Alteridade", na *II Jornada Universidade Federal Fluminense de Cultura Galega,* Niterói, 19 de maio de 1994; publicado com o mesmo título no *Boletim* do Centro de Estudos Portugueses da Universidade de S. Paulo, 4ª série, nº 1, 1994, e nas *Actas da II Jornada UFF de Cultura Galega,* Núcleo de Estudos Galegos/UFF/ Xunta de Galicia, 1995.

17. Fernando Pessoa e a educação do estoico.
Inédito

IMPRESSO NA
sumago gráfica editorial ltda
rua itauna, 789 vila maria
02111-031 são paulo sp
telefax 11 2955 5636
sumago@terra.com.br